ЕлеНа КоЛиНа

Редакционно-издательская группа «Жанры»
представляет книги
ЕЛЕНЫ КОЛИНОЙ

ЕлеНа КоЛина

наука
о небесных
кренделях

АСТ
Москва

УДК 821.161.1-31
ББК 84(2Рос=Рус)6-44
К60

Серия «Нежности и метафизика. Проза Елены Колиной»
Оформление — Ксения Щербакова

Колина, Елена

К60   Наука о небесных кренделях: [роман] / Елена Колина. — Москва: АСТ, 2014. — 320 с. — (Нежности и метафизика. Проза Елены Колиной)

ISBN 978-5-17-089549-6

Это смешно и умно написанная картина сегодняшней жизни — о НАС, где каждый в хороводе персонажей узнает себя и своих близких. И особенно пронзает на фоне сегодняшнего разлада посыл: мы так дорожим нашими взглядами, любим свои обиды, лелеем комплексы, мы кричим друг другу: «Ты мне никто! Навсегда!» Но когда приходит беда, важным становится другое — преданность, благородство, любовь.

Чудесный дар иронии, которым Елена Колина обладает как никто в современной прозе, ее умение подразумевать больше, чем говорит, и говорить больше, чем подразумевают другие, превращает «сатиру на нравы» в нежный роман о воспитании чувств: здесь много смеха, много слез, много боли.

Можно смеяться, можно бояться, можно — думать.

УДК 821.161.1-31
ББК 84(2Рос=Рус)6-44

Моим друзьям с благодарностью за то,
что я знаю, что такое дружба.

Все события, все персонажи вымышлены,
совпадения случайны.

Я умею говорить мыслями. Я умею плакать.
Я умею смеяться. Что ты хочешь?

А. Введенский

Это Питер, детка.

Происхождение фразы не установлено

Отовсюду с любовью. Пятница, 28 марта

21.10

Если вы случайно открыли мой дневник, пожалуйста, положите на место!

Я веду дневник, чтобы не забыть незабываемые тайны моей жизни, например: пятница 28 марта, 21.10, на углу Невского и Фонтанки, — СЧАСТЬЕ. В детстве (глупо говорить "в юности" — а сейчас у меня *что*?!) гулятьпоневскому было счастье, *все* было счастье-любовь, как будто кто-то сверху (Бог?) светил на меня фонариком, — под дождем мокрые косички, и ледышки на варежках, и открыть рот — поймать снежинку, и весенний запах асфальта, особенно запах асфальта. И сейчас — СЧАСТЬЕ.

Во мне все поет: ля-ля-ля-а, меня любят все-е... у меня скоро сва-адьба... и четверка за сочинение... ля-ля-ля... мой портрет на Не-евском... МОЙ ПОРТРЕТ НА НЕВСКОМ! В два-три человеческих роста, ВИСИТ. В витрине Дома книги. На уровне носа надпись: «Любимый автор представляет новую книгу».

«Дневник сорокалетнего мужчины: я больше не ребенок, я подросток!» стал бестселлером. На обложке написано: «Это первая книга на русском языке, в которой смешно все, у героя неприятности с женщинами, детьми, деньгами, и все это складывается в смешную и печальную мозаику н а ш а ж и з н ь».

Когда я писала от имени мужчины, я представляла себе, что чувствуют мужчины: например, писатель выступает в Доме книги, — казалось бы, наслаждайся, думай «жизнь удалась!», — так нет, он беспокоится, что порвались колготки. Пусть не колготки, а галстук, или любимая ушла к другому, важно другое: ВСЕ робеют и сомневаются в себе, все смотрят на себя в зеркало и думают «ну и физиономия», все бесконечно спрашивают себя, что о них думают другие, — все думают, не меньше ли у меня было женщин, чем у других, и не больше ли, а мой персонаж не стесняется об этом сказать. Удивленные детские мысли есть у всех, у каждого человека, поэтому вышло два дополнительных тиража и допечатывается третий.

На встрече с читателями могло произойти Что-то Ужасное, как минимум НИКТО НЕ ПРИШЕЛ, и нужно делать вид, что я *люблю* стоять перед пустым залом. Но все прошло триумфально (любимый автор, ля-ля-ля-а), не считая того, что один читатель спросил: «По-вашему, жизнь — это пространственно-временная характеристика бытия в совокупности разрозненных явлений или имманентно присущая всему взаимосвязь, способствующая саморазвитию организмов? Если иметь в виду метафизический дискурс. Как вы на это смотрите?» Я сказала: «О, да. О, нет. Тут *как посмотреть*». Ясно, что любой писатель, на которого наскакивает умный читатель, *растеряется*.

Умному читателю бесплатно досталась книжка за самый умный вопрос, он прочитал вслух посвящение: «Я не посвящаю тебе книжку, потому что тебе посвящаюсь я сама». Я покраснела: не люблю публичных проявлений чувств, лучше уж секс на даче с тонкими перегородками, чем такие интимные слова при всех. Умный читатель сказал: «Ну спасибо, очень трогательно». Это была книжка для Андрея, КАК она попала в Дом книги?

Звонок — Илья.

— Ну, как ты сегодня?.. Болит голова, сердце, экзистенциальные проблемы или хотя бы тошнит?.. Я — ужасно. Утром проснулся в холодном поту со страшной мыслью — мне пятьдесят!.. Цифра 50 обожгла меня, сбила с ног!

Почему цифра 50 сбила с ног лежащего в постели Илью, почему обожгла? Не понимаю, хотя я старше Ильи на два года, мне сорок три.

Илью не утешит, если я напомню, что ему сорок один. Илью утешит, если я скажу, что ему скоро шестьсот девяносто. Илья меланхолик, ему чем хуже, тем лучше.

Илья — мой друг, главное правило дружбы — приветливо разговаривать с другом на приятные ему темы. Скажу Илье что-нибудь приятное: что у меня апатия как способ притупить свое осознание бытия и астенический синдром.

— У идиотов *не бывает* апатии. Идиотам свойственно беспричинное ощущение счастья вследствие нежелания анализировать информацию, поступающую из внешнего мира.

Илья — публичный интеллектуал. На питерском телевидении говорит о театре и кино, на питерском радио — о книгах. Перед эфиром Илья нервничает, телезрители и радиослушатели его раздражают. Как меланхолик с повышенной тревожностью может быть публичным человеком?! Публичный интеллектуал — неподходящая профессия для Ильи.

С другой стороны, у Ильи *как раз подходящая* профессия: дает ему повод всегда быть в плохом настроении. Илья хочет беседовать с радиослушателями о Борхесе и Умберто Эко или о символизме и акмеизме, хочет, чтобы снимали настоящее кино и сериалы как «Игра престолов» и «Доктор Хаус», но радиослушатели звонят с вопросом «Как вам Дэн Браун?», а телезрители смотрят стрелялки про ментов.

Описывая Илью, Ирка-хомяк сказала: «Такой Илья, красивый еврей». Я рассердилась: это все равно что сказать «такой Барак Обама, афроамериканец», или «мне делают ремонт узбеки», или «моя подруга, наполовину евреечка». Ирка подозрительно смутилась — неужели она так говорит? — и бросилась в наступление:

— Не смей делать мне замечания, я тебе самый близкий человек... Или не самый?.. Ну, конечно, зачем тебе со мной дружить?.. Ты профессорская дочка, замужем за олигархом, а я актриса у Додина...

Ирка жалуется на Додина за то, что он не дает ей главных ролей. Говорит новым знакомым: «Мы сейчас ставим потрясающую пьесу, главная роль создана для меня! И представьте, я опять во втором составе!» Новые знакомые сочувственно кивают: «Совершенно непонятно, что Додину надо! Такую красавицу во второй состав!» Хомяк отвечает в духе покорности судьбе: «Актерская карьера — это игра случая...»

Ирка-хомяк *представляется* актрисой в театре Додина, на самом деле она буфетчица в театре Додина. ...Ох, нет! Ирка — мой старый друг, а главное правило старой дружбы — говорить не «буфетчица», а «директор театрального буфета».

Ирка с Ильей — пара с секретом: Ирка, актриса-директор буфета, и Илья, модный питерский интеллектуал, тайный сценарист стрелялок. Илья говорит, что нужно снимать настоящее кино, а *сам* снимает стрелялки про ментов. Ставит в титрах другую фамилию. ...Ну и что? Бывают тайны и похуже. Я, к примеру, однажды...

Звонок — Никита.

— Илья, у меня вторая линия. ...Привет, Никита!

— Это Крымнаш? — сказал Илья.

— Нет, что ты! Это не Никита.

— Это пятая колонна? — сказал Никита.

— Нет. Это не Илья.

Мне пришлось научиться разговаривать по двум линиям, потому что мои прекрасные друзья в ссоре навсегда. Когда-то они переругивались добродушно, обзывая друг друга «тупорылым консерватором» и «хитрожопым либералом». Илья *мирно* говорил Никите: «Ты совок, крапивное семя федерального уровня, горилла, не разделяющая европейских ценностей». Никита не знал, что Розанов называл чиновников «крапивное семя», не знал, кто такой Розанов, но *мирно* улыбался и отвечал: «Я *разделяю европейские ценности* — вот, купил дом в Валенсии». В последний раз, когда они виделись, Илья *высокомерно* называл Никиту «Крымнаш», а Никита *угрожающе* называл Илью «предатель». Илья истерически кричал Никите: «Ну что, доволен, из-за Крыма поссорились со всем миром!», а мне: «Бестолочь беспринципная, выбирай, он или я, европейские ценности или полная изоляция!». Но как же мне выбрать? Никита — мой очень старый друг, главное правило очень старой дружбы — не поставить европейские ценности выше дружбы. Мои прекрасные друзья стоят на баррикадах, где силы добра схватились с силами зла, шаг с баррикад влево — расстрел, и шаг вправо — расстрел. Они как пионерский отряд, комсомольский съезд и злая бабушка у Владимирского собора, она кричит прохожим: «Не говорите мне «я другой веры», вера одна!» У моих прекрасных друзей «одна вера», а мне сложно разговаривать по двум линиям одновременно, забываю переключиться, боюсь перепутать, с кем говорю.

Никита сказал: «Иди домой, не шляйся по улицам, как идиот», — распоряжается мной как идиотом; Илья немного поговорил со мной на темы, доступные идиоту: про свои фрустрации, эмпатию, экзистенциальную защиту. И никто, никто не спросил, как прошла моя встреча с читателями!..

...Не настолько я тщеславна, чтобы забирать из Дома книги свой портретище, но если обвязать его веревочкой, то вполне можно дотащить до дома.

Мой план: наклеить портрет в подъезде у лифта. Мой портрет у лифта — это не тщеславие, а любовная игра. Чтобы Андрей пришел домой и удивился — ничего себе, ее портреты в подъездах висят, как портреты депутатов! И чтобы он:

а) понял, на кого утром кричал «нет у меня времени ходить по твоим встречам с читателями!» — на любимого автора;

б) тут же, у лифта, простил меня за то, что я кричала «ты всегда на работе!», «ты всегда!» и просто «ты!..».

Это могла быть прекрасная ссора, после которой любовь как роза в капельках дождя, но в нашей ссоре одно цеплялось за другое... если бы возможно было оставить *одно*, не заблудиться в дебрях *другого*. ...Хотя, скажем прямо, не я одна в этом виновата, не только я, вообще не я. Андрей злобно прорычал: «Это ты принцесса, у тебя поэзия, музыка, а у меня работа!» Точная цитата такая: «За стенкой люди друг друга давят, душат, братьев, родных сестер душат. Словом, идет повседневная, будничная жизнь. А войдешь на половину принцессы — там музыка, разговоры о хороших людях, о поэзии, вечный праздник».

Интрига с портретом оказалась не вполне продуманной.

Нашим подъездом распоряжается консьерж. Наш консьерж не корпулентный мужчина в фуражке с золотым ободком, а тетя Катя. Андрей пользуется у нее авторитетом: они подолгу разговаривают о видах на урожай тети Катиной смородины, о посадке картошки. Андрей так уважительно относится к сезонным работам, что готов заменить тетю Катю на время посадки картошки. Консул (консул небольшой дружественной страны снимает квартиру в нашем подъезде, ему нравится настоящий Петербург) пользуется у тети Кати авторитетом меньшим, чем Андрей, а я и вовсе никаким.

Тетя Катя подмигнула мне со словами «ладно уж, вешай, раз у тебя любовная игра такая... возьми лестницу в нехорошей квартире». Нехорошая квартира — это коммуналка на первом этаже, все десять комнат сдаются, и в них неслышно проживают сто человек... ну, хорошо, сорок. Тетя Катя раньше называла обитателей нехорошей квартиры «нехристями», я научила ее говорить «лица не титульной национальности». Они дали мне разрешение повисеть у лифта и лестницу. Лестница пошатывалась, тетя Катя кричала: «Сейчас эта лестница не титульной национальности под тобой хряснет!» Два раза с лестницы упал портрет, один раз я, пять раз аптечный пластырь, которым я пыталась приклеить портрет к стене.

...Портрет слегка порван на носу, но в целом выглядит прекрасно. «Любимый автор» меня очень подбодрило перед встречей с читателями. Каждый раз, перед каждой встречей мной овладевает нечеловеческий ужас, на первый взгляд необъяснимый, — ведь когда я читаю лекцию, мне все равно, сколько в аудитории студентов, хоть сто миллионов. Но это очень объяснимый ужас: на лекции я транслирую чужое знание, за которое не несу персональной ответ-

Елена Колина

ственности, на встречах с читателями представляю свою новую книгу. А вдруг она им не нужна, а я ее представляю? Вот если бы можно было просто прочитать отрывок из книжки... из Дюма что-нибудь. Увлекательно. Знакомо. Не несу за Дюма персональной ответственности.

...Я счастлива, очень счастлива! Очень!

Андрей войдет в подъезд, а там — трехметровая я!

Надеюсь, что до его прихода мне не успеют пририсовать усы.

21.30

Этот счастливый вечер, это острое ощущение счастья навсегда останется в моей памяти... между прочим, *все счастье* мной заслужено: и любовь читателей, — любовь читателей не купишь, и Муркина свадьба — моих рук дело, и Андрюшечкина четверка за сочинение по лирике Пушкина мною заслужена. Прежде у меня не получалось имитировать стиль десятилетнего мальчика, и вот наконец-то учительница написала на моем сочинении: «Ставлю тебе четверку за то, что это сочинение написал ты, а не твоя мама-писательница. У меня один вопрос: как ты умудрился додуматься до такого бреда?»

Я пыталась влезть в пижаму, зажав телефон между плечом и ухом, не расстегивая пуговиц, торопилась начать свой праздничный вечер: сначала разговор с Викой, потом праздничное лежание в постели в старой пижаме с зайчиками с сериалом «Сага о Форсайтах», Шопеном (можно включать звук поочередно) и брауншвейгской колбасой, лежание человека, заслужившего сериал, Шопена и колбасу после встречи с читателями, на которой могло произойти Что-то Ужасное, но не произошло, а напротив, все прошло триумфально. Я совершенно счастлива и совершенно одна: Андрей приедет под утро, Мура с Марфой на вечеринке, Ан-

14

дрюшечка у мамы. Савва Игнатьич и Лев Евгеньич будут празднично лежать со мной, слушать Шопена, смотреть «Сагу о Форсайтах» и есть колбасу.

— Вика, у меня к тебе два вопроса. Сначала задам тебе второй и третий, а потом первый... — Я сбилась со счета от нетерпения — скорей поговорить обо всем, скорей, скорей! — Вика, у меня звонок в дверь, я спрошу, кто там...

Полиция?.. Не открою ни за что. Все знают, что полиции нельзя открывать двери.

В дверь звонили и стучали, и, чтобы они не мешали мне разговаривать с Викой, я включила Шопена — очень громко, и ушла в другой конец квартиры, на кухню.

— Вика, сначала третий вопрос: почему я не могу написать «настоящий русский роман»? Ничего общественно-политического, а только «про жизнь», про сумочки? Даже у мужчины, у моего сорокалетнего мужчины — не ребенка — а подростка, исключительно частная жизнь и тайная... Потому что наше поколение не пережило войну, репрессии, не работало на заводе?.. Или конкретно мне не хватает личностного масштаба, я — личность про сумочки?..

— Мурылья?.. Не комплексуй. У тебя достаточный масштаб личности — посмотри в зеркало. В последнее время твой масштаб личности еще увеличился за счет копченой колбасы. ...Но почему же ты ничего не пережила, а девяностые?.. Пустые прилавки, стратегический запас — две пачки вермишели... Ты могла бы создать эпическое полотно про вермишель. С общественно-политической значимостью и прочей фигней. Переходи ко второму вопросу.

Вика права, нельзя сказать, что мы совсем уж ничего не пережили. Но никто не виноват, что все, что мы пережили, нам смешно. Очевидно, общественно-политическая значимость не наш конек. ...Второй вопрос можно отложить на потом, на самом деле первый вопрос гораздо важнее.

Я вчера дописала финал новой книжки, послала его Вике и волновалась, что она скажет. Вика тоже вчера послала мне финал своей новой книжки.

— Ну, как тебе финал?.. — одновременно сказали мы.

Лев Евгеньич заливался лаем у входной двери, не давая насладиться обсуждением финалов, и я все-таки вышла в коридор, и... ой!..

В прихожей сверкали искры. Как будто идешь по улице с мамой и вдруг видишь, как сваривают трубу, — искры летят во все стороны, и мама говорит «не смотри, глаза испортишь», но невозможно оторваться, и смотришь, и смотришь. И я смотрела, как завороженная, не могла отвести взгляд.

Было страшно идти сквозь искры, вдруг бы я загорелась... Человек в шоковом состоянии опасается мелочей, что можно загореться или испортить глаза, и не думает о главном страшном, — почему у него в прихожей сварка?

— Вы что, ребята?.. — удивленно спросила я, подойдя к входной двери. Мою дверь, огромную стальную дверь, выпиливали автогеном! Поэтому искры.

Огромная стальная дверь медленно вываливалась из проема.

— Знаешь, я всегда ругаю тебя за скомканный финал... — говорила Вика, — но смотри, что пишет Тэффи: когда в жизни заканчивается какая-то история, всегда кажется, что ее конец неестественно оборван. А писатель творит по образу и подобию судьбы, поэтому все концы в романе всегда оборваны... Возьми, к примеру, Толстого...

...Очнулась я на полу. Не знаю, сколько прошло времени, несколько минут или полчаса. Я сидела на полу — оказалось, что я отлетела в сторону, метра на три, такой силы был удар. По лицу текла кровь, пижама была в крови, все зайчики в крови. Звонил городской телефон, звонил мой мобильный — очевидно, Вика сразу по всем телефонам хотела досказать мне, что Толстой творил по образу судьбы. Вокруг меня кружком, как в детской игре, мужчины — десять человек или больше, в обычной одежде и в форме, у тех, что в форме, — пистолеты. А надо всем этим звучал Шопен. Ноктюрн ре бемоль мажор.

— Следователь федеральной службы, — представился один из незнакомцев — я не расслышала, службы *чего*, но очевидно, он главный, с пистолетом. — Вот ордер на обыск.

Сидя на полу, я кокетливо отмахнулась от Главного с пистолетом — мол, что за формальности, ордер мне без надобности. И я не обижаюсь за то, что его люди вышибли дверь, не туда попали, *ошиблись дверью...*

Но мою сломанную деревянную дверь и выпиленную стальную дверь придется воссоздать, то есть восполнить, то есть воспроизвести. Я имела в виду, что их ведомству придется заплатить за разрушения, но запуталась в словах, — все же я со всего размаха получила стальной дверью по голове. ЭТО ПРАВДА ПРОИСХОДИТ СО МНОЙ, ПРИНЦЕССОЙ МИРА?

До прихода группы захвата у нас было две двери: деревянная, старая, времен постройки дома, и стальная. А теперь ни одной, как будто это не квартира, а нора. Деревянную дверь снесли, а стальную вырезали автогеном. Каждый проходящий мимо мог бы увидеть меня, сидящую на полу в крови под дулами пистолетов. Но у нас чужие не ходят, у нас консьерж, и мною смогли бы полюбоваться только свои, соседи. Кто-то из мужчин протянул мне платок, чтобы я вытерла с лица кровь, и сказал: «Я понятой». Господи, «понятой», как будто это настоящий обыск! Как будто они пришли

17

брать Фокса. ...«Понятым» оказался один из наших охранников, он всегда помогает мне припарковаться, говорит, что парковать «ренджровер» для него одно удовольствие.

От шока человек не чувствует боли. Однажды я каталась на роликах по Дворцовой площади и думала «я такая же молодая, как все тут», и вдруг какой-то ребенок закричал, показывая на меня «смотрите, *мама* на роликах едет!», и я упала и сломала руку. Боли не почувствовала, только радость, что не «смотрите, чья-то бабушка на роликах едет». И сейчас я не чувствовала боли, а напротив, чувствовала необыкновенную ясность мысли. Сидела на полу и думала: как будто я снимаюсь в кино про 37-й год. В роли жены репрессированного партийного вождя, избалованной умницы-красавицы, за которой *пришли*. Наша прихожая подходит для декораций такого фильма: партийные вожди любили антиквариат, а у нас как раз шкаф арт-деко, зеркало арт-деко, торшер XIX века, картины.

Сидя на полу, я задумалась: унизительно ли сидеть на полу, в окружении незнакомцев с пистолетами?.. Да, если думаешь, что унизительно, нет, если думаешь о другом. Я думала о другом: что чувствовала избалованная красавица, когда в ее красивую жизнь врывались незнакомцы в форме и она оказывалась — на полу, в крови?.. Что чувствовали люди, за которыми *пришли*? Они были вершителями судеб народа и всех людишек, и тех, что пришли их арестовывать. Сидя на полу в крови, я поняла: изумление. Они чувствовали изумление: только что было одно, а сейчас совсем другое, *не может быть*!...

И это всем нам урок: не стоит строить слишком уверенных планов. Вот я, собиралась в пижаме слушать Шопена, смотреть сериал, есть колбасу, — и что? Сижу на полу, вся в крови. Слушаю Шопена, но о какой колбасе может идти речь в присутствии стольких незнакомых мужчин?

Кстати, при аресте вождей в тридцать седьмом году в качестве понятого обычно присутствовал дворник, протягивал платок вытереть кровь людям, которые еще вчера проносились мимо на «ренджроверах»... на чем они тогда ездили, на «паккардах»?

— Вы в порядке? — спросил Главный.

— Не волнуйтесь, я в целом в порядке, а синяки можно закрасить тональным кремом...

Конечно, я уже поняла: это *настоящий* обыск, настоящая операция, настоящая группа захвата. С чего бы группе захвата, без тени сомнений уронившей на меня стальную дверь весом с тонну, волноваться за меня? Если бы дверь упала на меня под другим углом, я могла бы умереть, и они бы списали это на усушку и утруску в ходе операции. Я могла бы умереть... А мои дети, а мой муж, а моя мама?! ...Вот ведь ужас, от какой мелочи зависит столько людей — от угла падения стальной двери.

Понятой-охранник протянул мне грязноватый платок, чтобы я вытерла кровь, я взяла, сказала «спасибо» и вдруг почувствовала стыд: охранники во дворе *сплетничают*. Весь дом, соседи, консул дружественной страны, нехорошая квартира, все будут знать, что группа захвата вырезала нам автогеном дверь. Встречаясь со мной во дворе, будут думать: «Все же тут что-то нечисто, валюту в вентиляции прячут или, возможно, торговля рабами». Лучше бы взяли в понятые консула, — консул хотя бы не сплетничает во дворе. Из-за понятого-охранника наша семья навсегда останется с подмоченной репутацией.

— Ордер на обыск, читайте, — страшным голосом произнес Главный.

— «...Преступная группировка по продаже наркотиков... Организатор преступной группировки... проживает по адресу...» В бумажке было написано, что Организатор

Преступной Группировки по продаже наркотиков проживает по нашему адресу... Это Андрей.

Я вытащила из кармана пижамы мобильный телефон,
чтобы рассказать Андрею, что он глава преступной группировки, а через нашу прихожую проходит наркотический
трафик. Главный выхватил у меня телефон.

— Пользоваться телефонами запрещено. Кто дома,
кроме вас? Пусть выйдут и сдадут телефоны.

— Только Лев Евгеньич и Савва Игнатьич... но они
звери.

— Меня не касаются ваши отношения с родственниками, — сказал Главный.

Когда выяснилось, что у Льва и Саввы нет при себе мобильных телефонов, начался обыск.

— Наркотики, оружие? — сказал Главный.

Раз уж жизнь — это имманентно присуща всему взаимосвязь, то, может быть, для саморазвития любопытно немного побыть в другом мире?.. Если вытереть кровь с лица
и рассмотреть метафизический дискурс.

...Честно? Я не исследователь чужих миров. Мне в моем
мире хорошо. Зачем мне *другой* мир, мир, где сидят на полу
в крови?

— ...Хотите сдать добровольно?.. — спросил Главный.

Главный и его люди держались строго, будто мы по разные стороны баррикад, будто мы враги: Обыскивающие и
Обыскиваемые, Сидящие на Полу в Крови и Стоящие с Пистолетами. У меня никогда не было врагов... не могу при-
помнить ни одного врага, ни даже недоброжелателя. И сейчас я не считала этих людей врагами, — они ведь не аресто-
вывали меня как врага народа, они просто делали свою
работу, и я ведь не хочу, чтобы где-то продавались наркотики, я — с ними, и страха почти не чувствовала, чего мне бояться?

— Нет уж. Не сдам. Ищите.

Главный взглянул на меня с недоумением, возможно, ему и его людям казалось странным, что я не так уж боюсь, *не так* боюсь, чтобы перестать улыбаться, возможно, им казалось, что я идиот. Возможно, я идиот. Дело в том, что я, как Лев Евгеньич, надеюсь, что повсюду встречу еду.

Когда Лев Евгеньич хочет проникнуть в комнату, где *предположительно* есть еда, он начинает методично раскачивать лапой дверь. Раскачав дверь, просовывает в щель лапу, открывает дверь, находит еду, затем ест. Именно так обстоит дело. В любом, самом драматическом событии есть зазор между серьезным и смешным, нужно просунуть в этот зазор лапу, расшатать, проникнуть, и — там, за дверью — смешное. Не то чтобы Лев Евгеньич *всегда* находит еду, скорее, еда начинает оказываться там, где он ее ищет. Я не стараюсь увидеть смешное в любой ситуации, — стараться глупо, — смешное само видит меня.

...Честно?.. Улыбаться, притворяться *почтибесстрашной* означало оставаться в своем мире, там, где не сидят на полу в крови, вот я и держалась за свой мир изо всех сил.

Вторник, 28 января.
Пока все дома, черт бы их подрал!

А *как* дерет черт? Пусть бы черт не больно подрал Муру и Андрея. Особенно Андрея.

...О-о-о!.. Не может быть! 8 утра, Мура.

8 утра, а Мура уже шуршит в прихожей! Торопится на Международный симпозиум по дентальной имплантологии. «Компьютерные технологии в дентальной имплантации. Современное оборудование для изучения костной ткани. По окончании симпозиума будут вручены памятные подарки». Все это я прочитала в проспекте, который уже несколько дней лежит на столике в прихожей.

Мурка не работает. Собирается повышать квалификацию. Мы с Андреем по советской привычке считали, что после окончания института человек идет работать. А поработав уж как умеет, — повышает квалификацию. Почему же данную Муру так плохо учили в институте, что она хочет *повышать квалификацию*, не вылечив ни одного зуба? Оказалось, этому существует разумное объяснение. Мурка сказала: она, Мура, не дура, чтобы вот так сразу взять и пойти работать! Она также не дура, чтобы вот так сразу взять и пойти повышать квалификацию. Поэтому Мурка не работает и не учится.

Мурка сказала, что приглашена на симпозиум. Возможно, она цапнула проспект в приемной какой-то стоматологической фирмы, — проходила мимо, заглянула и стащила проспект. Но я же мать, поэтому я верю Мурке.

Я стояла в прихожей и растроганно смотрела, как Мурка убирает золотисто-рыжие кудри в скромный хвостик молодого врача, натягивает белые сапоги, застегивает белый плащ, повязывает белый шарф. Красиво, — как привидение, во всем белом. Это *настоящее счастье* — видеть своего ребенка, который в восемь утра уже одет как привидение и вот-вот уйдет на симпозиум по зубам.

В сумке у Мурки белый халат. Врачи на симпозиуме должны быть в белых халатах, — врач должен быть во всеоружии, если потребуется срочная медицинская помощь. А мой ребенок *как раз врач*. Если на симпозиуме кому-то потребуется срочная имплантация, она тут, моя Мура.

Андрюшечка — ангел, а не ребенок, *легкий* ребенок, сам проснулся — умылся — съел кашу, отправляется в школу, «Азбуку» по дороге не продает. ...Ой. Портфель. Ангел забыл портфель. С одной стороны, нужно бежать за ним в пижаме с криком «портфе-ель!». С другой стороны, стук закрывшейся за ребенком двери означает: все, точка, материнский долг исполнен. В школе и без портфеля хорошо, можно попросить у кого-нибудь листочек.

Мура вышла из квартиры, вызвала лифт, открыла лифт, зашла в лифт — уфф, все! Золотисто-рыжее привидение улетело далеко-далеко, на симпозиум. Что это, почему?.. Мура вышла из лифта, вошла в прихожую, развязала шарф, скинула плащ, сняла сапоги, скрылась в своей комнате. И через минуту высунулась оттуда в пижаме с *уже сонным лицом*. Проворчала:

— Глупо переться не пойми куда не пойми зачем.

— Почему не пойми куда?! Почему не пойми зачем?! Дентальная имплантология, Мура! Оборудование для изучения костной ткани! Памятные подарки!

Мура потопталась немного в коридоре, — на пижаме портрет лисы по частям, на груди хвост, на рукавах лапы, на попе лисья морда, и ушла к себе. А я пошла за ней. Хотела показать свое Молчаливое Неодобрение.

На полу в Муркиной комнате Куча — одежда, книжки, обрывки лекций, сверху все красиво присыпано яблочными огрызками. На самом верху Кучи лежит Мурин диплом. В дипломе написано «Врач России». Врач России перебрался через Кучу, я за ним.

...Не удалось продемонстрировать Молчаливое Неодобрение по объективным причинам. Мурка улеглась в кровать, прижала к себе плюшевого медведя и закрыла глаза.

Я демонстративно, без единого слова, ушла к себе и демонстративно тихо прикрыла дверь. И просидела у себя в комнате не знаю сколько времени, минут пять, надувшись, как мышь на крупу, и размышляя.

Вот мои размышления (не все, потому что через два часа ко мне придет съемочная группа «Пятого канала». Будут снимать меня — !!! — для программы «Доброе утро», брать у меня интервью, а в конце я должна порекомендовать зрителям какую-нибудь книжную новинку. Сказать «я хочу порекомендовать мой новый роман» нельзя).

Размышление первое — кто виноват?

Это было мучительное чувство вины, которому изредка предаются все родители.

Что я сделала неправильно?.. Нельзя сказать, что я уделяла Муре недостаточно внимания! Я посоветовала ей не сжигать в раковине дневник с двойками каждую неделю, а завести два дневника, один для нас с ней, другой для Андрея... Мне пришлось проверять *два* дневника.

Я не была угрюмым угрожающим родителем! Когда Мурка была подростком, я применяла только Увещевательное Уговаривание. За которым следовало Муркино увиливание и увертывание: сигареты в ее кармане были *мои*, а бутылка мартини упала под подушку прямо с неба. За Увещевательным Уговариванием всегда следовало ускоренное ублажение и увеселение Муры.

А чего мне стоило Муркино поступление в медицинский институт?! Мурка поступила в медицинский честно, за конфеты, три вступительных экзамена — три коробки конфет, «Грильяж», «Птичье молоко», «Вишня в шоколаде». В каждой коробке были деньги. Конфеты мне предварительно пришлось съесть.

В «Вишне в шоколаде» было больше всего денег, — за последний, решающий экзамен. Если приглядеться, было видно, что в коробке не конфеты, а деньги. В ночь перед вручением коробки мне приснился страшный сон: я несу конфеты приемной комиссии, спотыкаюсь, коробка падает, — деньги рассыпаются по полу... Приемная комиссия говорит: «Ничего, позанимаетесь, подучитесь носить коробку с деньгами и придете к нам на следующий год...» А я оправдываюсь: «Знаете, сколько мне пришлось съесть конфет, чтобы найти коробку, в которую влезет столько денег...»

«Вишня в шоколаде» была засохшая, с «Вишней в шоколаде» никогда не знаешь, чего ждать, тут либо повезет, либо нет.

...А может быть, Мурку нужно было бить?

Размышление второе — что делать?
Бить?.. Но я ни разу в жизни не шлепала Мурку. С тех пор как шестимесячная Мурка отказалась спать днем, мы

всегда были не мать и дитя, а подруги, — кому же придет в голову шлепать подругу по попе?..

...Муре двадцать три года, за это время я выросла, повзрослела. Уже несколько лет я определенно чувствую себя взрослым человеком. Я выросла, а Мурка нет. Теперь мы подруги, разминувшиеся в темпах взросления. Так бывает с девочками: одна уже носит лифчик и влюблена, а другая все еще играет в куклы, и что же теперь делать с дружбой? Вот и у нас с Мурой вдруг оказалось разное осознание себя: Мурка уверена, что мы маленькие подружки, а мне кажется, что мы взрослые друзья.

А ведь взрослые друзья *дерутся*. Мы с Никитой подрались из-за трусов. Два прозрачных кружевных треугольничка, розовые шелковые ленточки, купила у спекулянта, — *такая красота*. Не то чтобы Никита собирался *носить* эти трусы, но, когда мы были студентами, в магазинах продавались только белые трикотажные трусы, — он хотел сделать Алене царский подарок, вот и тянул прозрачные кружевные треугольнички к себе, а я к себе. *Такая красота*, как же нам не драться?

Размышление третье — *кто* виноват.

Совершенно ясно, что виноват Андрей.

Нет никаких признаков, что Мурка собирается работать. Или хотя бы признать, что ей двадцать три года.

Или хотя бы перестать щебетать, как птенец. Как птенец с открытым ртом, она ждет, когда ей положат в рот что-то питательное. Андрей рад запихнуть в ее открытый рот то машину, то шубку, то шляпку, — он совсем не думает о том, что есть общие законы жизни! Суровые. Что будет, когда избалованная легкомысленная Мура столкнется с суровыми законами жизни? А?! Страшно представить.

...10 утра, Мурка спит, я волнуюсь, — это моя первая встреча с телевидением. Не то чтобы я надеюсь стать лицом «Пятого канала», но все же.

Предупредила Андрея, что он тоже будет сниматься.

— Нет.

Как «нет», почему «нет»?.. Андрей — немногословный человек, говорит короткими предложениями, вместо слов часто использует звуки (р-рр). У него низкий, хриплый, очень мужской голос. Его хриплое отрывистое «нет» звучит не как мое «мяу-мяу, да», а как внушительное «нет», решительное «нет», как очень страшный рык — «Нет! Р-рр!». И кто-то во мне, маленький и послушный, тут же хочет забиться в щелочку и оттуда преданно пискнуть «прости, что обратилась».

— Тебе зададут один вопрос. Всего один!

— Нет. Р-рр. Я занят. Мне нужно кое-что посчитать.

Это отговорка. Когда папа, профессор-математик, говорил «я занят, мне нужно кое-что посчитать», я тихо покидала кабинет. Андрей — строитель, строит то одно, то другое — объекты. Если бы он сказал «мне нужно кое-что построить», было бы понятно, но что нужно *посчитать* строителю?.. Он слишком много работает, хочет все сделать за всех. Наверняка сейчас он *считает за бухгалтера*. Почему нельзя больше доверять сотрудникам? Почему нельзя работать из дома? Почему бы ему не кричать из дома: «Поставь другую бригаду! К понедельнику все должно быть готово! Измерь давление ртутного столба!» (или что-то подобное).

Ночью мы поссорились.

Мы собирались камерно отпраздновать выход моей книги: сходить куда-нибудь вдвоем или выпить шампанского дома только вдвоем, и чтобы он сказал «ты молодец», не обязательно словами, можно взглядом... или каким-нибудь подарком. Я ждала Андрея, и внутри у меня булькали радостные пузырьки. Потому что — что бы я ни делала, что бы ни надела я, при тебе и без тебя, это только для тебя. То есть для него.

А он пришел домой ночью! Водитель грузовика попал в аварию (у него случилась почечная колика), и Андрей поехал за сто километров его выручать.

У него все время что-нибудь случается. Водитель грузовика попал в аварию, или заболел бригадир, или у бригадира заболела жена и нужно положить ее в больницу. Конечно, это человеколюбие и благородство души, но у Андрея *много* водителей грузовиков, *много* бригадиров. Один из бригадиров *женат в третий раз* и со всеми женами сохраняет хорошие отношения.

Ночью я сказала:

— Ты думаешь, что ты лорд!

Я имела в виду, что лорд Винтерфелла, Хранитель Севера, сказал: «Быть лордом все равно что быть отцом для тысячи детей, для всех своих крестьян и солдат». Он лорд, отец для тысячи водителей и бригадиров, — а я, как мне жить?! Одной праздновать выход своей книги?..

— Я так тебя ждала, а у тебя *водитель*... Водитель для тебя важнее, чем я.

— Конечно, важнее. Ты же здорова, а у водителя почечная колика, — сказал Андрей.

Логично, но мои радостные пузырьки как будто кто-то залил водой, и обида все тяжелела внутри и поднималась в горло, и мы поссорились, и он ушел спать в кабинет.

... — Тебе зададут всего один вопрос. Ты можешь даже не слушать. Просто скажешь «спасибо, хорошо». Одну фразу. И все. Понял?

Я хочу, чтобы осталась запись, где Андрей на вопрос «Как вам живется с женой-писателем?» отвечает «Спасибо, хорошо». Я смогу предъявлять ему эту запись в спорных случаях как доказательство, что ему *хорошо*.

...Может быть, я стану лицом «Пятого канала»?..

Съемочная группа — редактор (типичный интеллигентный питерский мальчик), оператор (толстый дядька) и еще один оператор (с незапоминающейся внешностью) — долго бродила по квартире, таская за собой камеры, лампы и специальный зонтик размером с пляжный тент, мы с Львом Евгеньичем бродили за ними (Лев Евгеньич задумал укусить зонтик).

Редактор хотел непременно снимать меня на фоне книг, чтобы было культурно. У нас книги везде, в спальне, гостиной, коридоре, туалете, но в спальне и гостиной оператор не смог установить свет, а в коридоре и туалете был свет, но не было перспективы. Я постучалась к Андрею — в его кабинете книжные полки до потолка, и свет, и перспектива.

Андрей сидел за письменным столом, уставившись в компьютер. Погрузился в свои расчеты.

— А вот и мы! — приветливо сказала я.

Мы вошли в кабинет: я, Лев Евгеньич (мгновенно забрался к Андрею на колени), редактор, оператор и оператор, — втащили камеры, лампы, специальный зонтик размером с пляжный тент.

— Кыш! — не поднимая головы, сказал Андрей. — Кыш отсюда!

Мы попятились в коридор: я, Лев Евгеньич (с обиженным урчанием), редактор, оператор и оператор, — выносили камеры, лампы, специальный зонтик размером с пляжный тент. Редактор, интеллигентный питерский мальчик, сказал: «Извинитесь перед вашим мужем за то, что мы ему помешали». Очень тактично и тонко с его стороны сделать вид, что «кыш отсюда!» относилось к съемочной группе, а не ко мне... но ведь все понимают, что мой муж сказал «кыш отсюда!» *мне*... Позор, какой позор...

...Долго устанавливали свет в гостиной, наконец установили, выключили телефоны, — во время съемки не должно быть ни звука, и я начала говорить — стеснялась, волновалась, немного дрожала. И вдруг из кухни раздалось громкое чавканье и звяканье ложки о чашку.

— Ой... Простите, это он пьет чай, — виновато сказала я.

— Ваш муж? — спросил редактор.

— Лакает из чашки, поэтому ложка стучит.

Я не стала объяснять, что Лев Евгеньич забрался на стол, пьет чай из моей чашки, — не хотела, чтобы «Пятый канал» подумал, что он из меня веревки вьет. И мы продолжили интервью.

— Как ваши близкие относятся к тому, что вы стали писателем?

Идиотский вопрос. Чему их только учат, спросил бы лучше, что я думаю о том о сем.

— Ну... мои дети мне не мешают писать, они заняты: сын учится в школе, а дочь — врач, она сейчас на симпозиуме... Да, на симпозиуме, читает доклад. А мой муж...

— Ваши близкие стараются подчинить свою жизнь вашему труду, — подсказал редактор.

— Да... Они, конечно...

— Где картошка?! — раздался рык из глубины квартиры. — Гречка! Макароны! Где макароны?! Сахар! — громко и страшно рычал Андрей, рык сопровождался грохотом, как будто он швырял на пол кастрюли — одну, другую, третью...

— Они стараются, — понимающе сказал редактор.

— Да. Вот именно. Точно.

В гостиную вошла заспанная Мурка. Увидев съемочную группу «Пятого канала», развернулась, мелькнула хитрой рыжей мордой на пижамных штанах и понеслась по коридору со словами: «Андрей, ты дома?.. Мне нужна новая шляпка!»

— Мурочка, это ты?.. Ну, как было на симпозиуме?.. — фальшиво сказала я вслед.

Я попрощалась с «Пятым каналом» и бросилась к Андрею. Не буду говорить, что человек заслуживает уважения в собственном доме, что писатель, у которого берут интервью, вправе рассчитывать, что ему не скажут «кыш!», что человеку вообще нельзя говорить «кыш!», что во время записи интервью недопустимо швыряться кастрюлями.

Меня интересует только один вопрос, который я задам холодно и весомо.

— Зачем тебе с утра картошка?..

— Просто подумал, если у нас нет картошки, я куплю, — мирно сказал Андрей, — и заодно проверил гречку, макароны и сахар. Заодно разобрал кладовку, кастрюли переложил в правильном порядке.

...О, господи.

— Но почему ты решил провести ревизию продуктов и кастрюль в присутствии «Пятого канала»? ...А почему ты сказал мне «кыш!»?! Ты сказал мне «кыш!»! Что подумает обо мне «Пятый канал»? — прошипела я.

— Котик, я сказал «кыш!»? Я и не заметил. Я считал баланс, а Лев Евгеньич полез лапой в компьютер... А что, у нас был «Пятый канал»? И кого снимали?.. Льва Евгеньича для программы «Время»?

Сейчас Андрей скажет, что я — звезда передачи «В мире животных». Любовь — это заранее знать, что человек скажет, и заранее смеяться.

— Ты звезда передачи «В мире животных», — сказал Андрей.

— А мне нужна новая шляпка... — вступила Мурка, и Андрей достал бумажник.

Деньги Мурке — на бензин, одежду, путешествия и прочие мелочи — выдает Андрей. Напоминать не нужно, он считает, что Мурке неприятно просить. Это неправда, Мурке *нормально* просить. Мурка говорит: «Мне нужна новая шляпка». Это кодовое слово, Мурка не носит шляпки. Код означает, что у нее раньше времени закончились карманные деньги, бензин, одежда, путешествия и прочие мелочи.

...Как я могу стать по-настоящему публичным человеком, если меня выгоняют из комнаты с криком «кыш отсюда!», моя дочь — асоциальный тип, а собака пьет чай на столе?

Но ведь каналу нужны разные лица?.. Если «Пятому каналу» понадобится *такое* лицо, то я с радостью. Мне понравилось сниматься, понравился редактор — интеллигентный питерский мальчик, — в 10 утра он уже на работе, не то что Мурка.

...Мальчик-редактор вернулся, — забыл камеру, лампу, зонтик?

— Я вспомнил, откуда мне знаком ваш голос... Вы у нас психологию читали на первом курсе! Мне так нравились ваши лекции, спасибо...

Я приосанилась — «спасибо» для любого лектора... в общем, доброе слово и кошке приятно.

— Они меня убаюкивали, я потом и ночью хорошо спал. ...Я вас в нашу программу приглашу, придете?..

Ну... хороший сон — это немало.

Я встречаю своих бывших студентов повсюду: они работают официантами, продавцами, диджеями, редакторами, кассирами в театрах, — и всюду пропускают меня без очереди, даже на телевидение.

Отовсюду с любовью. Пятница, 28 марта

22.05

...Притворяться *почтибесстрашной* означало оставаться в своем мире, там, где не сидят на полу в крови, вот я и держалась за свой мир изо всех сил.

— Какая-то у вас квартира чересчур профессорская. Картины... — сказал Главный. — Вы-то сами на профессора не похожи.

А на кого я похожа, на торговку наркотиками? Кстати, на моем портрете у лифта четко обозначена профессия — писатель. Очевидно, Главный не узнал меня... очевидно, мне уже пририсовали усы. Андрей придет домой, а у лифта трехметровая... с усами, конечно, совсем не тот эффект.

— Книжки есть?! — внезапно вскричал один из мужчин, похожий на старательного придурка с тонким пронзительным голосом, который все делает невпопад, на Вицина из троицы Трус-Балбес-Бывалый.

Они вломились ко мне с оружием, чтобы взять почитать книгу?

— У меня прекрасная библиотека, что именно вы хотите почитать?..

Никто не улыбнулся. Начался обыск.

...Не хотела бы я проводить обыск в чьей-то спальне. Предпочла бы обыскать кухню, или гостиную, или гараж. Хотя, конечно, спальня — самое информационно емкое место, вот где можно узнать о человеке все — по книгам у кровати, по дискам... А если у человека имеются какие-нибудь сексуальные игрушки?.. Может получиться неловко.

Главный и его люди даже не взглянули на книги и диски у нас на тумбочках, зато подробно изучили все, что было в тумбочках.

У меня: никакого компромата, не считая груды моих собственных книг. Книги выкинули на пол, и они лежали на полу во всей своей красе, блистали яркими обложками с женскими лицами, брошками, цветами и прочими атрибутами дешевых любовных романов. Это коммерческий ход издательства. Чтобы читательницы не догадались, что это *не* дешевые любовные романы, и купили побольше, на вес. ...Стыдно держать свои книги в тумбочке у кровати, но бывают секреты и похуже.

У Андрея: а вот у Андрея — позор! Все знают, что нельзя лезть в тумбочку возле кровати! У Миранды из «Секса в большом городе» в тумбочке вибратор и презервативы, у Кэрри сигареты, а у Саманты резиновые соски... Главный и его люди рассматривали содержимое тумбочки Андрея особенными взглядами, у понятого-охранника горели глаза — он всем расскажет! Андрею безразлично, что думают люди, он не замечает даже, что девушки в кафе сворачивают на него шеи. Андрей живет не с людьми, а сам с собой. А я живу с людьми, и теперь мне придется краснеть под ироническими взглядами соседей...

...Ну неужели нельзя было найти для своих увлечений другого места, кроме супружеской спальни?.. Весь дом узнает, что хранит в тумбочке мой муж, взрослый, успешный человек, отец невесты! ...Воблеры. У Андрея в тумбочке воблеры. Искусственные рыбки для рыбалки.

...Главный разочарован. А на что он надеялся? Мечтал выудить из тумбочки надувную куклу в человеческий рост? Наручники, ремень? Главный долго рассматривал воблеров, особенно изумрудно-зеленого с желтым хвостом, потом перевел взгляд на меня, словно сравнивал с воблером по красоте.

Непрерывно звонили телефоны, мой в кармане у Главного и телефон Главного: Вика хотела узнать мое мнение об ее финале, а начальник Главного хотел узнать, найден ли склад наркотиков. «Нет... еще нет... пока нет...» — виновато говорил Главный в трубку, имея в виду «не нашли, еще не нашли, пока не нашли».

...Сняли со стен картины, перерыли все мои свитера и заглянули во все колготки. В колготках могут притаиться наркотики, под картинами — висеть мушкеты, в моем шкафу могут стоять танки.

Придурок, похожий на Вицина в роли Труса, совсем разнервничался. Возбужденно сыпал странными словами: рыбацкие электронные весы (можно взвесить рыбу до двадцати пяти килограммов) назвал «ага, агрегат!», а коробочку с ампулами интерферона «стекло!». Бормотал: «Здесь нет книжек, и здесь нет, и здесь нет...» Как это нет книг?! Конечно, в основном у нас книги в гостиной, и в коридоре, и в кабинете, и в детской, но в книжном шкафу у кровати мои любимые книги: Гончаров, Теккерей, Джейн Остен, Мередит, Трифонов, Искандер и кое-что из детства: «Мэри Поппинс», «Королева Марго», Агата Кристи. Не знаю, где этот легковозбудимый человек проводил обыск до меня, где видел библиотеки больше нашей, — у нас *объективно* прекрасная библиотека! Очевидно, он из тех людей, которым все кажется мало.

Главный очень рассчитывал на гору коробок в моем шкафу, от дна до потолка, — должно быть, думал «в этих коробках сам бог велел хранить наркотики». Тридцать четыре коробки. Тридцать четыре пары балеток. Андрей считает, что тридцать четыре пары одинаковых туфель — повод для обращения к психиатру. Но они разные, мои балетки!

Они рассмотрели каждую пару, замшевые и кожаные, розовые и зеленые, с бусинками и без, и — Главный скисал от пары к паре, — во всех тридцати четырех коробках не нашли наркотиков, и ни одного автомата Калашникова. А в огромной коробке в самом низу были *не туфли*. Главный по-охотничьи подобрался, предвкушая победу. Как Лев Евгеньич перед решительным броском на котлету.

Коробка была доверху заполнена письмами, пачками писем, перевязанными разноцветными ленточками. Представьте: наши с Викой папы, сблизив головы, говорят о своем — они коллеги по чему-то сложноматематическому, наши мамы, сблизив головы, говорят *о своем* — о нас с Викой, наших отметках и болезнях, наши бабушки торжественно носят пироги из одной квартиры в другую: сегодня у нас с капустой, а у нас ватрушка — попробуйте... Мы с Викой шныряем друг к другу до ночи, и где застанет «девочки, пора спать», там и ночуем. Мы жили в одном доме, одном подъезде, на одной лестничной клетке. То есть я и сейчас тут живу, а Вика в Тель-Авиве.

Отчего мы получились одинаковыми, как два цыпленка в инкубаторе? Оттого что у нас *все одинаковое*. Викин папа — профессор, мой папа — профессор, у нее нежная робкая мама, у меня нежная робкая мама, и обе ходят по струнке перед своими свекровями с тяжелым характером, нашими бабушками. В нас с Викой течет одинаковая кровь: мы обе наполовину русские, наполовину еврейки.

И они развязали ленточки и вывалили письма на пол. Рассыпали по полу... Как мне теперь собрать письма по годам?.. Мы с Викой писали друг другу каждый день, когда нас детьми развозили летом по дачам, и потом, когда она уехала в Израиль, по письму в неделю. Знаете, как мучительно бывает в ранней юности: то и дело чувствуешь, что ты хуже всех, а иногда, что ты лучше всех, и никто не знает, какая ты на самом деле жалкая личность, — вдвоем все это легче. У Вики в Тель-Авиве под кроватью коробка с моими письмами. Всю нашу взрослую жизнь мы живем как разделенные близнецы. Вика разлита по всем закоулкам моего существования, как газ занимает весь предоставленный ему объем, — она мой объем, а я ее.

Конечно, мы уже давно не пишем письма, мы подключены друг к другу всеми видами связи: у нас есть специальные телефонные карточки, скайп в компьютере, айпэде и айфоне, Viber и WhatsApp.

Я присела на пол и начала собирать письма. И вот что выяснилось: люди склонны переоценивать собственный интеллект. Я никогда не перечитывала наши детские письма и была уверена, что мы с Викой были интеллигентными девочками с духовными интересами. Но в первом письме, которое я взяла в руки, было написано «он меня не любит, пиши скорей, что мне делать!», а во втором «он меня любит, пиши скорей, что мне делать!». Мы были дуры, у которых вообще нет мозга, только гормоны?.. Люди Главного порылись в шкафу, вытащили со дна огромный синий том «Саги о Форсайтах» 1956 года, второй том. Мы с Викой девочками знали «Сагу о Форсайтах» наизусть. Первый том у Вики, мы их разделили на память, ей первый том, мне второй.

Когда Вика позвонила мне и сказала, что у нее нашли опухоль, — и добавила «злокачественную», подо мной закачалась земля. А потом мы сразу же стали говорить о простом: билет, аэропорт, не надо сейчас бежать в аэропорт, мне лучше приехать, когда будет химиотерапия. Вика *шутила. Смеялась.* Прежде я не знала, что бывает такой мирный разговор о самом страшном. Но — а как говорить о самом страшном? Если не смеяться или хотя бы не улыбаться? Это была новая реальность.

В нашей новой реальности есть Викина химия, тошнота, слабость. Когда она говорит мне «не могу сегодня встать с постели», мне хочется завизжать «я не хочу, не хочу-у!». Но даже если завизжать очень громко, другую реальность не создашь. Но я никогда — никогда! — не думаю, что она может умереть, я никогда не думаю, что она может умереть. Я тоже когда-нибудь умру, но я же не думаю об этом каждый день до завтрака. Я пишу книги, и Вика пишет книги — она пишет детские книги на иврите, у нее финал, и у меня финал. Мы говорим о финалах, а потом кто-то из нас предлагает «а теперь давай поговорим о прекрасном», и мы говорим, что у кого на обед, — но даже разговор про обед — это как будто разговаривают души. Счастье — это разговаривать с Викой. Мы разговариваем каждый день, по часу или по два.

— Пройдемте в следующее помещение! — раздался над моей головой голос Главного.

Я вздрогнула и обиженно посмотрела на него снизу вверх. Подумала, резкий удар вторым томом «Саги о Форсайтах» 1956 года собьет его с ног или, по крайней мере, научит вежливому обращению.

Хотя, возможно, он по-своему прав: у человека обыск, все белье выброшено из ящиков на пол, а он прижимает к себе детские письма и рассуждает о счастье!..

Я все еще была в пижаме с зайчиками. В суете забыла переодеться. Но после обыска моей спальни мы с Главным и его приспешниками практически стали близкими людьми:

они знают, что я люблю цветное белье, сиреневое с вишневыми кружевами, голубое с синими кружевами, — зачем переодеваться, *при своих* можно побыть в пижаме.

Всем списочным составом, гуськом — Главный, за ним я, за мной люди Главного — перешли в детскую. То есть в комнату невесты.

Я всегда считала, что сама управляю своей жизнью, что я — субъект жизни, а не объект. Поэтому я специально обогнала Главного, чтобы, как положено хозяйке дома, показывающей гостям квартиру, идти впереди, а гости должны идти за мной и вежливо говорить «у вас красиво...».

Мироздание намекало мне, что я не субъект, я объект в крови и без телефона.

«Думаешь, ты главная, думаешь, на тебя нет *прорухи*?! А не думай, не думай!» — кричало мне Мироздание.

Я таяла, как сусальный ангел: сначала тают крылья крошки, головка падает назад, сломались сахарные ножки и в сладкой лужице лежат; я уже таяла, но все еще думала, что сама управляю своей жизнью.

Понедельник, 10 февраля.
Вразумляющее Внушение Муре

...12 дня, Мура: в пижаме, без всяких признаков трудолюбия по стоматологической части.

Иногда человек вдруг решает: ХВАТИТ!

Решила сделать Мурке Вразумляющее Внушение. Вразумляющее Внушение — именно то, что нужно.

Частота употребления слова «внушение» составляет 653 раза на 300 миллионов слов, частота употребления слова «вразумление» 32 раза на 300 миллионов слов. Означает ли это, что нас, ответственно подходящих к воспитанию детей, 32 человека из 300 миллионов?

Когда буду делать Мурке Вразумляющее Внушение:

— не забыть, что у меня через сорок три минуты тренинг в центре «Женское счастье»,

— не сравнивать Мурку с Марфой в стиле «а вот другие дети...». Иначе «плохой ребенок» Мура начнет испытывать неприязнь к «хорошему ребенку» Марфе. Тем более у меня девочки. Девочки — это всегда подсознательное соперничество, ревность.

...Почему Мурка и Марфа такие разные?!

40

... — Давай валяться и болтать, — предложила Мурка с видом человека, который наконец-то придумал, чем занять окружающих. В руках поднос, на подносе чай и роза, розу Мурка выдернула из огромного, вчера подаренного ей кем-то букетища.

— Мне некогда валяться. У меня тренинг в центре «Женское счастье», тема «Мама и мои отношения». Буду говорить об одиночестве тридцатилетних и...

— Ага, вот видишь, видишь, «Женское счастье»!.. А я?.. — подпрыгнула Мурка. — Сапожник без сапог, что ли?.. Мне тоже нужно! Поговорить! О моем женском счастье! О моем одиночестве!.. Я никак не могу выйти замуж!

...О-о!.. А-а-а!.. Врач России уже много раз выходил замуж, но после получения *предварительных подарков* передумывал и с невинным видом говорил: «А вы что, поверили? Это было не всерьез, а чтобы вы мне подарки купили... Ребенок *хотя бы иногда* должен получать подарки». На последнюю по счету свадьбу не всерьез Андрей подарил ей «БМВ» и поездку на Гаити в свадебный номер пятизвездочного отеля. Рассматривая машину, Мурка сказала: «А жених-то хуже "БМВ", жених тянет максимум на "форд-фокус"... есть еще запасной жених типа "пежо"». Андрей думал, что Мурка *слезает с его шеи*, но нет, не слезает, ей и на его шее хорошо. В качестве утешения Мурка предложила ему поехать на ее новом «БМВ» в свадебный номер на Гаити.

В итоге от предыдущего брачного предприятия Муре досталась новая машина, а Муриной подружке — свадебный номер в пятизвездочном отеле, в котором она две недели изнывала от скуки, потому что с женихами у нее было еще хуже, чем у Муры, — у той хотя бы имелся жених запаса типа «пежо», а у подружки и вовсе никакого. А мы-то, как дураки, знакомились с родителями жениха, обсуждали свадьбу... То есть я знакомилась, Андрей был на работе.

41

...Я вышла из комнаты, — у меня через сорок одну минуту тренинг, Мурка с подносом за мной, я на кухню, Мурка за мной, я в ванную — у меня там косметика, Мурка за мной, и бубнит, и бубнит, как бабушка Карлсона, «расскажи про имидж, расскажи про имидж»...

— Это долгий разговор. А сейчас у нас будет короткий разговор. Речь пойдет о тебе, Мура.

— Обо мне? — радостно приосанилась Мурка. Поставила поднос на край ванны.

Да. Прямо сейчас, в ванной, я сделаю Муре Вразумляющее Внушение. До тренинга оставалось тридцать семь минут, нужно еще доехать, возможны пробки. В целом у меня есть минут двенадцать, за это время я рассчитывала переориентировать Муру на Созидательный Труд. Тем более у меня есть план Вразумляющего Внушения.

Я всегда составляю план: план лекции, тренинга, покупки продуктов, план сцены в книге. Иногда я записываю план, если лекция сложная, или нужно купить много продуктов, или разговор очень трудный, но в обычных случаях ограничиваюсь мысленным планом: «1. Мандарины. 2. Йогурты с нулевой жирностью. 3. Не покупать копченую колбасу» или «вступление — основная часть — выводы или желаемый результат». Главное в планах — не переживать, когда вмешиваются эмоции и план корректируется по ходу выполнения, например, я всегда кидаю в тележку копченую колбасу по ходу супермаркета.

Итак, план Вразумляющего Внушения, для краткости «план ВВ Муре».

1. Вступление: необходимо изменить отношение к жизни, к труду. Иначе толка не будет.

2. Основная часть:

— Не говорить о себе (обо мне) в духе «я в твоем возрасте училась, работала, растила ребенка, командовала полком».

— Не говорить Муре, сколько ей лет. Вообще не упоминать число 23.

Но о чем тогда говорить?.. Если все нельзя, если «да» и «нет» не говорить, черное и белое не называть?

...Уверена, что справлюсь. Я — дипломированный психолог, Мура — дочь психолога, тонкая чувствительная девочка, понимает намеки, тайнопись и прочий эзопов язык. Так что я смогу использовать аллюзии, аллегории, перифразы.

Особенно перифраз. Косвенное упоминание путем не называния, а описания — «ночное светило» вместо «луны». Вместо «тебе уже двадцать три года» скажу «скоро тебе понадобится крем от морщин для нормального и смешанного типа кожи».

3. Результат: Мура понимает, сколько ей лет.

... — Итак, Мура, — строго сказала я. — ...Итак, Мура. Мура.

Вот моя речь (строго по первому пункту плана не вышло, помешали эмоции):

— Мура! Ты родилась, Мура, когда мне было двадцать. А тебе уже двадцать три!.. Я жила с младенцем тобой на даче без воды и газа, — и БЕЗ ТЕЛЕФОНА, Мура! Я бегала звонить подружкам за шесть километров на станцию, варила тебе кашу на керосинке, стирала пеленки в ледяной воде, — руки были красные по локоть...

НЕТ. Какое отношение к Мурке имеют мои двадцать три года назад красные по локоть руки? Если Мурка захочет постирать пеленки на даче, у нас есть дача в Испании, там и газ, и джакузи. В джакузи удобно стирать пеленки.

...Так, дальше.

— Мура! Тебе, Мура, двадцать три года! В твоем возрасте у меня уже не было папы, я сама отвечала за свою жизнь. А ты, Мура?! Почему ты не хочешь взрослеть, Мура? Не хочешь лечить зубы?! ...В конце концов, я не настаиваю на врачебной деятельности, на зубах свет клином не сошелся. Не хочешь лечить зубы — не лечи. Стань кем хочешь, Мура, эндокринологом, кардиологом, лифтером, летчиком, ну хотя бы терапевтом, — а ты, ты легкомысленная, как заяц!

НЕТ. Почему как заяц?

— Вот это, Мура, я хотела тебе сказать. Надеюсь, наш разговор не прошел даром и ты сделаешь выводы.

— Но ты ничего не сказала, — удивилась Мура.

Нет, сказала! Про себя. Мысленно. Вразумляющее Внушение, сокращенно ВВ Муре, было проведено в форме внутреннего монолога. Вслух все звучало бы пошло, как «я в твои годы» и «будешь дворником?!». Поэтому я произнесла свою речь мысленно.

Но кое-что я произнесла вслух.

— Мура! Пять лет в детском саду — это целая жизнь, и в институте пять лет — целая жизнь... А твои следующие пять лет пролетят мгновенно. Что будет через пять лет?

— Что будет через пять лет? — спросила Мурка.

— Хороший вопрос, Мура. Вот именно, что?.. Через пять лет тебе будет тридцать. Я имею в виду двадцать восемь. Ты и оглянуться не успеешь, как зима катит в глаза. У меня, между прочим, к двадцати восьми годам был второй брак, диссертация, два высших образования. А у тебя что будет?!

Мурка испуганно сморщилась, заморгала, и мне показалось, что я воспитательница в детском саду и в раздевалке напала на беззащитного ребенка, ору на него за то, что он плохо завязал тесемки на шапочке. Перед этим не выпускала из-за стола, *пока все не съест*, последнюю ложку каши насильно запихнула в рот. Зубы разжимала ложкой.

...Марфа говорит: «У каждого человека свой собственный путь развития, ребенок должен расти как цветок в комфортной среде... может быть». Она ко всему добавляет «может быть» или «возможно», и голос у нее тихий, и вид *начинающий*, — а ведь она уже давно работает с детьми, отстающими в развитии. Ой!... Марфа не разрешает говорить «отстающие в развитии», нужно говорить «особенные дети».

Марфа говорит, что с особенными детьми главное — ни на чем не настаивать. Нельзя ругать — и хвалить нельзя, чтобы ребенок не воспринял чужую систему ценностей и не сбился с собственного ритма. Воспитатель, чересчур энергично желающий ребенку добра — добра по *своему* разумению, стремящийся вырастить его *по своему* образу и подобию, приносит вред. Марфа говорит: «Цветок не наказывают и не поощряют, он просто растет». Если ребенок не хочет учиться читать, хочет строить башню, пусть строит.

Вот если бы Мурка была *как Марфа*! Сколько детей благодаря ей стали счастливей? Марфа каждый день понемножку спасает человечество, а Мурка — человек-цветок, растет, и все. Мурка даже на симпозиум не хочет пойти, а Марфа, помимо работы в садике, опекает нескольких «своих» детей, тех, кому дома уделяют мало внимания. По субботам водит «своих» детей в бассейн, в музеи. Я иногда хожу с ними, детям особенно нравится Этнографический музей, особенно чукчи в юрте, мне тоже нравятся чукчи в юрте.

Согласно Марфиной теории: *может быть*, необходимо оградить Мурку от меня, чересчур энергичной личности, *возможно*, желающей реализовать за ее счет собственные амбиции (белый халат, бормашина, все боятся). Я — неправильная мать? Я ни на чем не должна настаивать, несмотря на то что у меня на Муру определенные планы — чтобы стала врачом, лечила кариес и пульпит...

— Мура, Мура... Смысл жизни в труде. Для людей. Сколько нужно объяснять?..

Мурка в ответ загадочно улыбнулась, как будто знает, *сколько* нужно объяснять, но не скажет.

— Посмотри на Марфу! Она любит свою работу, любит детей, любит людей! А ты?..

— Я люблю людей!.. Но не всех, только здоровых, — уточнила Мурка, — тех, у кого нет кариеса и пульпита.

И у меня закончилось терпение. Как будто терпение — это сахар или мука, был целый пакет с этикеткой «терпение» и вдруг закончился. Моя дочь будет строить башню, вместо того чтобы работать?! Ну нет!..

И я холодно произнесла: «Мура». Если честно, я завизжала, как поросенок: «Мура!.. Мура!..» И Мурка испугалась — ура! Если вы никогда не кричите на ребенка, *возможно,* стоит попробовать, — *может быть*, испугается и начнет лечить зубы?

Мурка испугалась!.. И быстро обрисовала свое будущее, в общих чертах:

— Мам?.. Не расстраивайся! Я буду учиться. Я *всегда* буду учиться. Есть много вариантов учебы: аспирантура, докторантура, профессантура, академикантура...

Профессантура? Ясно как день: врач России Мура не собирается приступать к трудовой деятельности. Она будет всегда учиться тому, чем никогда не станет заниматься.

На ВВ оставалось полторы минуты.

— Мура! Скажи честно: тебя вообще интересуют зубы?

— Только мои, — быстро ответила Мурка.

Итог Вразумляющего Внушения: кажется, Мура — трутень.

...В машине на светофоре набрала в Яндексе «трутень». Так... «глаза у трутней большие, соприкасающиеся сверху между собой; усики сравнительно длинные; хоботок короткий; грудь широкая с длинными крыльями; аппарата для собирания цветочной пыльцы у них нет, жала также нет; брюшко имеет овальную форму».

Из данной информации со всей очевидностью следует — не стоит обольщаться насчет Муры: аппарата для собирания цветочной пыльцы нет.

Но, если отвлечься от привычной негативной коннотации, «трутень» — такое толстенькое, уютное слово. Трутень, жизнерадостный и доброжелательный, в пижаме, приносит рабочим пчелам поднос, на подносе чай и роза, — розу трутень выдернул из огромного, вчера подаренного ему кем-то букета...

...Но все-таки почему Мурка и Марфа такие разные?!

Почему-почему... Потому.

Потому что Мура у меня родилась, а Марфа возникла из фейсбука. В фейсбуке кто угодно может послать личное сообщение. Однажды я получила сообщение: «Когда я читаю Ваши книги, мне кажется, что Вы моя подруга». Моя новая подруга прислала фотографию: старый деревянный дом, на стене табличка «В этом доме жил предводитель дворянства Голенищев-Кутузов». Написала о себе: она правнучка предводителя дворянства, родилась и жила в этом доме, в городе Торопец (никто не слышал об этом городе, но он есть), сбежала в Питер, когда забеременела, — «от стыда», после долгих лет вернулась в Торопец, оставив взрослую дочь в Петербурге. Я послала в ответ улыбающуюся рожицу, «рожица» означает, что вы человек вежливый, но занятой.

Через какое-то время я получила сообщение: «Мама любила Ваши книги, большое Вам спасибо. Марфа».

Я ведь не должна печалиться о смерти читателя, не должна отвечать? Но тут все дело в возможностях фейсбука: нет значка, означающего «соболезную». Не посылать же в ответ плачущую рожицу. Я написала Марфе: «Хотите увидеться и поговорить о Вашей маме?» Марфа с нами уже два года.

Мне нравится имя Марфа, как будто персонаж романа Лескова (к примеру, внебрачный ребенок из знатного рода Голенищевых-Кутузовых в городе Торопец).

Марфа никогда не упоминает о своем дворянском происхождении. Мурка же, напротив, упоминает. Пытается из Марфиного дворянства получить бонусы для себя: «Это моя... э-э... как бы кузина, Голенищева-Кутузова, дочь предводителя дворянства». Один Мурин приятель, политически продвинутый, решил, что предводитель дворянства — это спикер Государственной думы, другой, литературно продвинутый, всерьез спросил Марфу: «Твоего папу зовут Ипполит Матвеевич?» И ни один — ни один человек! — не сказал, что если Марфа — *дочь* предводителя дворянства, то ей должно быть никак не меньше девяноста семи лет, ведь должность предводителя дворянства существовала только в Российской империи. ...Мурка мечтательно говорит: «Если бы я была Мура Голенищева-Кутузова, я бы... ух!» Если бы Мура была потомком предводителя дворянства, она бы при знакомстве протягивала руку для поцелуя.

Самое простое — предположить, что Марфу *воспитывали*, и оттого она выросла скромным ответственным человеком, а Мурку растила я, и оттого она выросла Муркой. Но *не все дело* в воспитании — это мой главный принцип в воспитании детей.

Психофизические характеристики, вот что действительно важно. Иначе говоря, кто каким уродился. Мурка — типичная личность из учебника психологии, ее можно было классифицировать в годовалом возрасте: ярко выраженный гипертимный тип — болтлива, кудрява, нахальна, склонна к озорству, не понимает дистанции между собой и взрослыми. Воспитательница в детском саду говорила мне: «У нее всегда такое хорошее, приподнятое настроение, она у вас прелесть, вы не могли бы забирать ее пораньше или хотя бы раз в неделю не приводить?..» Мура сейчас — увеличенный портрет самой себя в детском саду: прекрасно себя чувствует, имеет высокий жизненный тонус, хороший аппетит, цветущий внешний вид, — и внутренний тоже, и такое приподнятое настроение, что иногда хочется, чтобы ее раз в неделю *не приводили*.

Совсем иное Марфа. Я не могу ее классифицировать. Выглядит она так, будто где-то витает, — где? Мечтает о небесных кренделях, как говорила моя бабушка. Мурка мечтает о конкретном оранжевом браслете «Balenciaga», о серебристой «Ауди RS6», а Марфа — о небесных кренделях, о неведомом, чего никто никогда не видел, и она тоже. Казалось бы, мечтательница Марфа — чувствительный тип. Но *чувствительный тип* не станет целыми днями носиться по городу, решая проблемы особенных детей, — кого в театр, кого к врачу, кого в бассейн. Мечтательница, но ответственная и здравомыслящая, — вот такая противоречивая личность.

То, о чем не говорят

Неужели это ТО, О ЧЕМ НЕ ГОВОРЯТ? Возрастные изменения. Проявились резко, во время тренинга. Говорят, что именно так и бывает: проснулся, подошел к зеркалу, а там — ужас! Или вдруг начинаешь забывать слова.

Я не запомнила по имени ни одну девушку на тренинге, не считая Зарины (потому что так называется сеть магазинов), которую я назвала Земфирой (потому что я люблю Земфиру), Зинаидой и один раз Зоей.

Буду тренировать память, как старушка, заучивать на ночь стихотворение или три иностранных слова. Пока память не улучшится, смогу различать девушек по одежде.

Драма у каждой девушки своя (Синяя Кофта — «он не хочет жениться», Платье в горошек — «он не хочет жить вместе», Черный Свитер — «он не хочет серьезных отношений»), но психологическая причина драмы у всех одинаковая.

Синяя Кофта: мама говорила, что ее нельзя любить. Платье в горошек: мама не хвалила ее, не ласкала, не целовала. Черный Свитер: мама говорила, что она некрасивая. Как будто у Синей Кофты, Платья в горошек и Черного Свитера (и у остальных девушек, а также у девушек с предыдущих тренингов) была *одна* мама.

Как психолог я не удивлена: интрапсихический опыт, проективная идентификация, активация идентификации в трансферентных отношениях, интеллектуализация и реактивные образования как невротическая защита... иначе говоря, главная причина любовных неудач девушки — это мать девушки. Но как человек я не перестаю *очень* удивляться. Почему бы девушкам НЕ:

— забыть, что им говорили мамы, ведь это было так давно (я всегда забываю неприятное),

— перестать метаться в своих отношениях с мужчинами между «меня нельзя любить» и «я достойна *большей* любви» (любить самим, верить, что их любят),

— перестать жаловаться на своих мам,

— перестать ходить на тренинги.

Я бы на их месте так и поступила.

Может показаться, что я, психолог, вообще *против психологии*. Я не против. Просто считаю, что лучше не вглядываться в родственников чересчур пристально, — фотографии с родными всегда *нерезкие*. Если чересчур пристально вглядываться в родственников, они покажутся невыносимыми. Считаю, лучше принимать неодобрение родственников за комплимент, *вообще все неприятное принимать за приятное,* это очень облегчает жизнь. Но, конечно, всегда найдутся люди, которые любят, чтобы жизнь казалась трудной, — на всякий случай. Может быть, они более благоразумны, а может быть, я.

...У Марфы тоже есть небольшая обида на маму: мама отдала ее не в обычную школу, а в престижную гимназию. Синяя Кофта сказала: «Я все время просила маму "купи, купи, у всех девочек есть", а мама отвечала "мы не можем тратить на одежду немыслимые деньги"».

Это ТО, О ЧЕМ НЕ ГОВОРЯТ. У нас не принято говорить «богатые» и «бедные», не принято знать, что *бедный* ребенок страдает. Но, конечно, страдает! Разве ребенок может иметь достаточно душевных сил, чтобы понять, почему «мы не можем тратить на одежду немыслимые деньги»? Почему на соседке по парте новые красивые платья, почему заколочки, почему туфельки, почему она на зимних каникулах купалась в океане, а не болталась в грязном дворе?..

Однажды — Мурка училась в гимназии, в первом классе — я пришла за ней в школу и увидела, что половина детей из Муркиного класса сидит в раздевалке.

— А ваша Мурка сейчас на уроке для богатых, — сообщили дети.

Оказалось, «урок для богатых» — это платный предмет «этикет».

Прозвенел звонок, и в раздевалку ворвалась Мурка:

— Нас учили здороваться с царем! Мальчики бьют челом, а девочки делают сникерс... — Мурка заплела ногу за ногу, пытаясь сделать книксен, и упала.

— А как мальчики здороваются с царем? — спросила я, и Мурка с пола снисходительно ответила:

— Очень просто... Берут чело и бьют им по царю.

Появилась учительница этикета, сказала мне:

— Не удивляйтесь, если Мура попросит папу выйти к завтраку в галстуке... на столе должна быть белая накрахмаленная скатерть и чайный сервиз.

— А у нас нет папы, — сказала одна девочка, из тех, *бедных* детей, а другая *бедная* девочка сказала:

— А у нас нет стола...

Что чувствует *бедная* девочка? Недоумение, обиду, злость, ее как будто наказали — она ничего плохого не сделала, но, очевидно, все же сделала... что она *хуже* богатой девочки. Или что она *лучше*. Бедная девочка восхищается или презирает. Это плохо для *бедных* и очень плохо для *богатых* — когда ими восхищаются или презирают.

Я виновата. Оплачивая «этикет», не подумала, что *бедные,* вместо того чтобы делать сникерс и бить челом царю, будут сидеть в раздевалке! Просто не подумала — ведь мы в нашем советском детстве все были одинаково небедные, небогатые. В поколении моих родителей было неравенство «отец жив» или «отец погиб на войне»; папин отец был жив, и у папы был велосипед, а мамин погиб, у нее велосипеда не было и коньки похуже, но уроки, учебники, книжки для всех были одинаковые, и спортивные секции бесплатные... А мы уже были одинаковые, — а если у кого-то больше, то это было *не видно.*

— Я понимаю, что сейчас эпоха накопления капитала, но мы все должны нести ответственность... — сказала я учительнице. — Мура не будет ходить на этикет, она будет сидеть в раздевалке с другими детьми.

— Правильно, — кивнула учительница, — зачем вам платить?.. Вы такая интеллигентная, ваша Мура научится манерам дома.

Я схватила Мурку за руку и перевела через дорогу — на другой стороне улицы была частная школа. Решила, пусть Мурка учится там, где дети одинаковые, одинаково богатые. Бывает, что мы делаем выбор равнодушно, поскольку необходимо что-то выбрать, а бывает, что наш выбор сопровождается метаниями и переживаниями, — потому что именно в этот момент выбираешь то, что радикально скажется на твоей дальнейшей жизни. Где будет обучаться и воспитываться Мура — именно такой выбор, и я очень волновалась.

Через неделю посещения частной школы Мурка сказала мне: «А где наш ч*е*стный борт? ...У нас нет ч*е*стного борта?! Мы, что ли, бедные?» ...Частный борт? Почему родители в частной школе не воспитывают своих детей?! В западном мире богатые люди хотят, чтобы дети не чванились (это чуть ли не самый важный момент в воспитании), особенно если это старые деньги: не случайно заработанные, а принадлежавшие семье в нескольких поколениях, деньги плюс образование и положение в обществе.

Я еще раз перевела Мурку через улицу. Решила: лучше она будет *богатой,* чем *бедной,* — лучше плохо, чем очень плохо. Решила: не могу нести ответственности за эпоху накопления капитала. К тому же правильный выбор всегда сопровождается внутренними метаниями, вот я и металась с одной стороны улицы на другую.

Я была уверена, что смогу внушить Мурке, что она, потомственный питерский интеллигент, профессорская внучка, правнучка академика, — «старые деньги» и должна соблюдать наши семейные правила, правила нашего круга. Когда я росла, мы и правда были *круг.* Все ходили в филармонию на *свои места,* в Эрмитажный кружок, у всех были одни и те же «англичанки», «математики» и учителя музыки. Если я отправлялась в университет на лекцию какой-нибудь знаменитости, то знаменитость всегда оказывалась *не чужим человеком,* а дедом какой-нибудь моей подруги, — а мой дед в это время читал лекцию другим моим друзьям... Все деды написали учебники, все деды читали лекции своим внукам, и в любой компании находился тот, кто учился у моего папы, — все всем были *не чужие.* От бесконечного кружения по одним и тем же тропам: художка — Эрмитажный кружок — филармония — у нас образовались схожие вкусы, мнения, стиль беседы, ирония, особый язык, полный ассоциаций и намеков, язык, по которому можно было безошибочно узнать своих. Ирка-хомяк говорит, я сноб. Но что плохого в том, чтобы иметь *своих?* У всех в мире есть свои! Чтобы все одинаковое: происхождение, бесконечное чтение, «гармоничное развитие», культурный капитал, — старые деньги.

Я была уверена, что легко смогу внушить малолетней Мурке:

— подчеркивать свое материальное благосостояние — стыдно, НЕЛЬЗЯ,

— вообще упоминать любые материальные блага — дурной тон, НЕЛЬЗЯ,

— у нее должно быть меньше одежды, чем у девочек из малообеспеченных семей, именно потому, что мы можем купить ей сколько угодно юбочек-кофточек-заколочек,

— прочие интеллигентские ценности.

Я не разрешала Мурке надевать в школу новое платье (кто-то расстроится, что новое платье у Муры, а не у него), ругала за то, что она брала в школу новую Барби (у кого-то нет Барби), и за барское обращение к домработнице «очень прошу быстро принесите мне кашу», объясняя, что это не прислуга, а помощь по хозяйству, потому что мы много работаем. Мурка кивала, как будто все понимает.

Но она не совсем поняла. Потому что невозможно противостоять ценностям среды. Мура росла среди тех, кто платно обучался бить челом царю. Как, к примеру, оставаться худышкой среди толстяков?..

И вот, касательно Муриного собственного чела: сверху кудри, внутри убеждение — Мура элита, Мура не как все.

Ирка-хомяк говорит, это генетическое, от меня. Но, во-первых, нет, а во-вторых, допустим, от меня. Но мое «я не как все» — это *со мной не может случиться ничего плохого, некрасивого*. Муркино «я не как все» распространяется только на материальный мир, с материального мира Мурка требует очень строго: одежда может быть только определенных марок, машина бывает «супер» и «на этом ездить стыдно», «у меня *очень старый* айфон, сегодня уже продается новая модель!».

55

Мурка не виновата, что выросла в эпоху накопления капитала. Она *хорошая девочка*, в ней нет ни заносчивости, ни снисходительности, она не считает себя золотой молодежью, — она и есть золотая молодежь.

При всех различиях у Мурки и Марфы есть кое-что общее: отношение к материальной стороне жизни. Они обе материально независимы: Мурка материально независима, потому что ей не нужно просить денег, Андрей дает ей сам. Марфа материально независима, потому что эта сторона жизни ее не интересует. Ей каким-то чудесным образом — каким? — хватает ее крошечной зарплаты. Порхает по городу на своей скрипучей восьмерке, купленной на деньги от продажи дворянского гнезда в городе Торопец, питается пыльцой.

По последним американским исследованиям, человек всю жизнь воспроизводит «модель школьного класса», то есть воспроизводит самого себя в школьной иерархии. Кто был в классе звездой — на всю жизнь звезда, кто чувствовал себя ущемленным, продолжает доказывать, что он не хуже других. Интересно, проводил ли кто-нибудь исследование, — что сейчас с *бедными детьми* девяностых, с теми, что сидели в раздевалке? По последним американским исследованиям, *бедные дети* вырастают с душевной травмой. Бедность отрицательно влияет на подсознание, межнейронные связи образуются медленней, и, как результат, у взрослых *бедных детей* постоянное ожидание плохого, боязнь «у меня не получится», пониженная жизнестойкость.

...К чему это я?.. А-а, да. К тому, что у Марфы есть небольшая обида на маму: мама отдала ее в гимназию, где Марфа была *бедной*.

...Звонок — Марфа, легка на помине.

— Помните, вы вчера расстроились из-за отзыва на форуме?..

Помню, еще бы. На читательском форуме кто-то написал про одну из моих книг «безнравственная жуть». Пусть «жуть», о вкусах не спорят, но «безнравственная»?! У меня нет сцен секса или насилия, так почему, почему?! Я плакала. Ночью тоже плакала. Стыдно рассказать об этом Андрею и Мурке: стыдно, что я читаю форумы про себя, *очень* стыдно, что плакала. Почему-то не могу быть с ними слабой. Обиженной не могу быть. С мамой особенно не могу быть слабой, потому что у нее чуть что — опрокинутые глаза. Только Марфе не стыдно рассказать. Марфа добрая. Рядом с Марфой я чувствую себя цветком в комфортной среде. Марфе можно сказать «знаешь, Марфа, я...» или «я переживаю...».

Я не жалуюсь на недостаток любви, что касается любви, я живу в достатке. Если я скажу «я переживаю...», Мурка радостно откликнется, и, как ручеек, потечет разговор, но уже через минуту окажется, что это *разговор о Муре*. В беседе с Марфой встретишь понимание, а с Мурой встретишь Муру. Андрюшечка еще маленький, и он мальчик, Андрей на работе, а маме я и сама не скажу — она ответит «вот видишь, я же тебе говорила» (неприятно, когда мама оказывается права). А Марфа меня *видит*, впрочем, как и всех остальных.

— Я нашла в интернете полный текст: «Прочитала аннотацию к книге, какой ужас: две семейные пары и измена крест-накрест. Какая-то безнравственная жуть. А книга оказалась очень хорошей, грустной, смешной, доброй, честной. Книга очень светлая. В ней есть надежда на счастье».

Ох!.. Я... я счастлива!!! Даже вспотела от счастья.

Никому другому не пришло бы в голову сделать это для меня: запомнить, что я расстроилась, поискать в интернете отзыв, позвонить и прочитать. Ангел Марфа.

...У *всех* есть небольшая обида на маму. У меня вот какая: когда я была невзрослой и мы с мамой ходили куда-нибудь вместе, в театр или в поликлинику, или просто шли по улице, люди часто подходили к нам и говорили маме «какая у вас красивая девочка», или просто «красивая девочка, похожа на Нефертити» («Нефертити» тогда висела в каждом доме, как портрет Хемингуэя с трубкой) — и во мне тут же все начинало кричать «ура, ура!..» — а мама, краснея и дрожа губами, словно ее поставили в неловкое положение, отвечала «ну что вы, она *совершенно обычная*». И мне, неестественным голосом: «Нужно учиться и всего добиваться трудом, а не красотой... тем более у тебя длинный нос. Помни, нос растет всю жизнь». ...Почему, почему?! Меня до сих пор мучает — *почему* мама не хотела, чтобы я считала себя красивой? Боялась, что я буду гордиться красотой? Считала, что на красоту *нельзя полагаться*? И прочие интеллигентские штучки: ее долг подготовить меня к трудностям, я должна войти в жизнь, помня, что у меня длинный нос и он *еще вырастет*. ...Я измеряла нос линейкой. 5 см 6 мм. У Вики 5 см 3 мм.

Все детство, отрочество и юность я измеряла нос, как другие измеряют рост зарубками на двери. И обводила нос карандашом, ложась лицом на тетрадочный лист, — вела наблюдения за формой носа.

Не забыть спросить у Мурки, есть ли у нее детская обида на меня.

— Мурка, у тебя случайно нет давней детской обиды на меня, небольшой, но мучительной?.. Конечно, нет.

— Ну как же, есть! У меня есть давняя детская обида!.. Сегодня утром ты сказала: «Нужно учиться и всего добиваться трудом, а не красотой... Тем более у тебя длинный нос».

— Я не говорила! Ну, возможно, я сказала, просто из вредности. Я имела в виду... Сократ, к примеру, рассматривает красоту не только в онтологическом смысле, но и как категорию разума. Я имела в виду, твоя красота не идеальна в смысле разума.

— Я мерила нос рулеткой.

Хорошо. В каждой семье есть традиции, передаются из поколения в поколение, в традициях нашей семьи измерять нос. ...Боюсь, при измерении рулеткой получается большая погрешность, лучше линейкой. Традиция нашей семьи — измерять нос линейкой.

Пятница, 14 февраля. Нравоучительное Наставление Марфе

Бывает, что начинаешь что-то делать и увлекаешься, не можешь остановиться. Например, долго не куришь, а потом в виде исключения (нервы или просто захотелось) выкуришь одну сигарету, — и куришь одну сигарету за другой, как будто с цепи сорвался. Или: сделаешь Вразумляющее Внушение Муре, а потом делаешь Нравоучительное Наставление Марфе.

У нас была пижамная вечеринка. В честь Дня влюбленных (мы все любим друг друга). Марфа плюс Такс пришла к нам ночевать, и мы — я, Мурка, Марфа плюс Такс — переоделись в пижамы и устроились на Муркином диване. Мурка красиво накрыла стул. Положила на стул свою футболку, как будто это белая скатерть, поставила коробку «Вишня в шоколаде», вазу с мандаринами, сбоку притулился шоколадный заяц в блестящей фольге. Надо отдать Мурке должное — она умеет каждое мгновение превратить в Новый год.

Не то чтобы мы устраиваем пижамную вечеринку всякий раз, когда Марфа ночует у нас, — это невозможно, потому что Марфе рано на работу. Марфа работает в детском саду для особенных детей. Мурка еще спит, а Марфа уже кормит детей кашей, рисует, лепит, показывает кукольные представления. Пока Мурка спит, Марфа подметает свой кусочек мира, спасает человечество.

Днем Марфа работает в детском саду для особенных детей, а вечерами — в Центре развития для особенных детей «Дети дождя» (название в честь фильма «Человек дождя»). ...Утром в садик, вечером в Центр, утром в садик, вечером в Центр, утром в садик... Садик и «Дети дождя» по соседству от нас, через Фонтанку, — зачем Марфе ехать домой? Марфа ночует у нас от двух до четырех раз в неделю, ее постельное белье и пижама лежат в диване в гостиной.

«Кто она тебе — друг, родственник?» — говорит мама. Не понимает, почему кто-то чужой телепортировался из виртуального пространства на диван в гостиной. Маме нужны слова, названия: сын троюродной племянницы из Одессы или внучка из Америки, что-то, подтверждающее право находиться на моем диване. А без названия нельзя. Почему нельзя? «Слишком уж быстро эта девочка вошла в вашу жизнь», — говорит мама. Как будто сын племянницы из Одессы и внучка из Америки *медленно* входили в нашу жизнь, а не свалились, как снег на голову, с вещами — один на месяц, другая на полгода.

Мама упрекает меня, как Вронский Анну: «Ты полюбила чужую девочку как своего ребенка».

Нет! Я не полюбила чужую девочку как своего ребенка, у меня не такое большое сердце! Скорее, маленькое. Я люблю Марфу не как своего ребенка, а как Марфу.

К тому же Марфе двадцать девять лет, она слишком взрослая, чтобы *ни с того ни с сего* стать моим ребенком. Мурка тоже взрослая, но это не так бросается в глаза: когда кто-то с тобой всегда, не замечаешь, что он взрослый или старый, если речь идет о маме.

«Почему ты полюбила чужую девочку?» — говорит мама.

«Не знаю я!! Мне радостно ее видеть. Мне с ней спокойно. Я могу с ней поделиться».

«А меня тебе не радостно видеть? А со мной что, нервно? А со мной ты не можешь поделиться?»

...Почему нужно все называть словами?.. Почему я полюбила чужую девочку? Любовь живет, где хочет. Дружба тоже живет, где хочет. ПОЧЕМУ НУЖНО ВСЕ ОБЪЯСНЯТЬ МАМЕ?

«Мурка ревнует тебя к Марфе», — говорит мама.

Это не так. Мурке полезно иметь перед глазами положительный пример. Отношения Мурки и Марфы очень хорошие. Но немного как будто отношения родного ребенка и приемного: родной ребенок относится к приемному доброжелательно и покровительственно, ожидает от него, что тот будет хорошим, но сам он при этом может быть каким угодно. Приемный ребенок относится к родному не без осмотрительности.

Мы измеряли носы линейкой.

Мурка: 5 см 2 мм.

Марфа: 4 см 60 мм.

Шоколадный заяц: 5 мм.

У меня 5 см 7 мм (неприятно, что мама всегда права, — нос растет всю жизнь, мой вырос на 1 мм), у Такса 11 см (приятно, что самый длинный нос не у меня).

Такс — карликовая такса трудной судьбы. Марфа взяла его в приюте для собак. Пришла выбрать собаку для кого-то из своих особенных детей, увидела больную таксу, взяла на руки. В приюте сказали, что таксе осталось жить пару часов. На мой вопрос, зачем брать умирающую собаку, Марфа неопределенно ответила: «Ну, я же взяла его на руки...» Я понимаю: если кого-то возьмешь на руки, он уже думает, что он твой, мы в ответе за тех, кого приручили, и так далее, — но взять *чужую* таксу, которая спустя пару часов умрет у меня на руках... Нет. ...Это было полгода назад. Такс прекрасно себя чувствует, дай ему бог долгих лет жизни.

Карликовые таксы настойчивые, упрямые, переубедить их невозможно. Конкретно этот Такс уверен, что его место — у Марфы на руках, отказывается спускаться на пол. Выглядит печальным и беззащитным, лает на Льва Евгеньича с Марфиных рук. Марфа с Таксом похожи: огромные карие глаза, выглядят печальными и беззащитными. На Марфе розовые джинсы, зеленая кофточка, желтые бусы. Марфа всегда одета разноцветно, как персонаж мультфильма: считает, что яркие цвета улучшают настроение детей.

Мурка читала ленту новостей в моем фейсбуке, одновременно разговаривала по телефону, шуршала конфетными обертками, чавкала мандаринами. Мурка всегда занимает все пространство: все пространство разговора, весь диван. Мурка как два человека или три, а Марфа как будто невидимка, занимает в пространстве меньше места, чем ее небольшое физическое тело, она аудиально, визуально и тактильно удивительно тактичная, словно ее воспитывали, как графа Вишенку, — не кричит, не смеется громко и даже случайно ни с кем не столкнется. Возможно, это наследственность, ее аристократические предки не кричали, не хохотали во все горло, не толкались.

— Слушайте: «По мнению известного блогера, девушки около тридцати — подпорченный товар, девушки вынуждены опускаться все ниже и ниже, и принцем для них становится любой Ваня из Урюпинска, — читала Мурка. — И вскоре девушкам уже тридцать, впереди одиночество, мрак, тоска, и в конце концов их съест метафорическая овчарка...» Что такое «метафорическая овчарка»?

— Это такое выражение, — сказала Марфа. — Выражение «съест овчарка» означает, что человек одинокий, у него никого нет, кроме овчарки, и, когда он умрет, овчарку будет некому кормить и она съест своего хозяина. Это метафора. На самом деле овчарки не едят своих хозяев.

Марфа всегда подробно отвечает на любой вопрос, повторяет, объясняет, поясняет, успокаивает. Это профессиональная деформация: она разговаривает со всеми, как с особенными детьми. Могла бы просто сказать: «Некому будет подать стакан воды, кроме овчарки».

— Марфа! Ты выйдешь замуж в этом году? Говори, иначе тебя прямо сейчас съест овчарка! — верещала Мурка.

Марфа неопределенно улыбалась, делая вид, что речь не о ней, пока Мурка не принялась тявкать, изображая овчарку, и с криком «гав-гав, укушу!» не столкнула ее с дивана.

— Я не выйду замуж в этом году, я никого не люблю, мне никто не нравится, не надо меня кусать... — сидя на полу, полным ответом ответила Марфа.

Марфа, настежь открытая к проблемам других людей, во всем, что касается ее самой, сдержанная, даже скрытная, она будто цветок на холсте: знаешь о нем только то, что видишь. Но у Марфы не может быть личной жизни: у Марфы утром садик, вечером Центр, утром садик, вечером Центр...

На самом деле, если опустить пошлость этого блогера, я с ним согласна: к тридцати годам *нужно* выйти замуж. После тридцати начинается «Секс в большом городе»: любовь как шахматная партия, нападение — отступление — засада, надежда — сомнения — разочарования, примирение — расставание... и что в итоге? Статус «в поиске», или «все сложно», или «нахожусь в отношениях». Не люблю фразу «нахожусь в отношениях», люблю слово «люблю». Не хочу, чтобы Марфа «находилась в отношениях», чтобы пополнила ряды девушек «Секс в большом городе», умных, красивых, — одиноких.

Марфа *предрасположена* к тому, чтобы остаться одинокой. Девушки помогающего, жертвенного типа — идеалистки, романтики, мечтают о Большой Любви и заранее убеждены, что Большая Любовь *не придет*.

Думаю, настало время сделать Марфе Нравоучительное Наставление.

Думаю, это мой долг.

...Нравоучительное Наставление Марфе не такое простое дело, как Вразумляющее Внушение Муре. Мурка и Марфа — парочка как Винни-Пух и Пятачок. Мурка, с ее веселой склонностью к приключениям, добродушно идет напролом, Марфа разумно осторожна, на всякий случай побаивается всего. К разного типа личностям требуется разный подход: на Мурку можно наскочить с разбега, а к Марфе нужно подкрасться, петляя и заметая за собой следы. Чтобы Пятачок не понял, что на него наскочили.

Тем не менее план Нравоучительного Наставления, для краткости «план НН Марфе».

1. Быстро объяснить Марфе, что необходимо изменить ее отношения с миром, с самой собой. Указать, что все, что с нами происходит, это реализация наших мыслей, — с нами происходит именно то, что находится в нашем сфокусированном сознании, то, чего мы ожидаем и боимся. Иначе толка не будет (овчарка).

2. Нужно обратить свой взор внутрь себя, дать себе другие установки, прекратить так много работать. Нельзя только работать (повторить с выражением).

3. Нужно завести роман и выйти замуж (повторить не меньше трех раз).

Результат: Марфа изменяет отношения с миром, с самой собой.

Примечание: вот-вот начнется новая серия «Игры престолов». Я должна передать Марфе свой женский опыт до начала сериала, у меня есть десять минут, как раз успею.

— Марфа, ты знаешь, что открытие зеркальных нейронов не уступает по значимости открытию ДНК? Нет?.. Зеркальные нейроны автоматически воссоздают ментальные паттерны процессов, происходящих в мозгу других, — люди чувствуют чужие ощущения так, словно пережили их сами. Это означает, что любовь возникает в ответ на любовь. Марфа, ты поняла, что я хочу тебе сказать?

Марфа вежливо кивнула, Мура зевнула. Попробую объяснить иначе.

— Когда весна придет, не знаю, пройдут дожди, сойдут снега, но ты мне, улица родная, и в непогоду дорога... — пропела я, стараясь не обращать внимания на то, что Мурка демонстративно заткнула уши, я ведь пою не просто так, я пою в рамках Нравоучительного Наставления. — На этой у-улице подро-остком, гонял по кры-ышам голубе-ей, и здесь, на э-этом перекрестке, с любовью встре-етился свое-е-ей... Надеюсь, теперь все понятно.

Марфа — в глазах тихое удивление — вежливо кивнула.

— Марфа! Ты ждешь Большую Любовь, единственного человека из миллиардов живущих на земле? Но лирический герой этой песни встретил Большую Любовь на улице, где он гонял голубей, *вот тут, на этом перекрестке*. Ты думаешь, там оказался единственный из миллиардов? Нет! Это был случайный человек! ...Понимаешь, Марфа? Лирическому герою пришло время полюбить, он и полюбил. А его полюбили — в ответ. Вот в чем дело, Марфа: чтобы встретить Большую Любовь, нужно *твое* желание. Жизнь дает нам то, что мы ожидаем получить.

Мурка — на хитрой физиономии сильнейшая заинтересованность — закричала:

— Чтобы меня полюбили, я должна сама полюбить? И всего-то?!

— Марфа! Знаменитый, только что мной сформулированный, принцип перекрестка говорит: «Посмотри на тех, кто рядом». Но не все так просто, Марфа. На этом перекрестке *много народу*. Необходимо правильно выбрать. И тут есть один секрет.

— Какой секрет, какой?.. — подпрыгнула Мурка, и у Марфы в глазах волнение: девочки любят волшебные секреты, я тоже люблю.

— Марфа! Существуют два типа мужчин: для брака и для романа. Мужчины, рядом с которыми всегда немного дрожишь, как будто по тебе пустили ток, — для романа. Мужчины для брака — безопасные, с ними чувствуешь себя расслабленно, комфортно. Такого мужчину *можно* полюбить. Тебе нужно торопиться, Марфа, потому что среди тридцатилетних мужчин немного безопасных. Понимаешь, Марфа?

— Безопасных немного, сколько? — озабоченно спросила Мурка, словно опасаясь, что ей не хватит.

— Можно я утром возьму одну картошину, одну морковку и немного капусты? — спросила Марфа.

Ну вот! Мурка прикидывает, как из всех людей на перекрестке выбрать себе кого-то получше, а Марфа, которой предназначается НН, обдумывает, как сварить овощной суп. Марфа говорит, что главное в работе с особенными детьми — научить их бытовым навыкам, поэтому играет с детьми в кукольную семью: вместе с детьми делает куклам чай и бутерброды и, если кукла облилась чаем, вместе с детьми стирает кукольную одежду. Недавно отнесла в Центр настоящую куриную ножку, сварила куклам бульон.

— Марфа! Тридцать — опасный возраст. «Безопасные» мужчины настроены на спокойную любовь, на брак, к тридцати они уже женаты. Тебе тридцать, поэтому ты встречаешь «опасного», и начинаются «отношения». Как в «Сексе в большом городе»: девушки все время оценивают, анализируют, и у них никогда ничего не получается. Я не хочу, чтобы ты, Марфа, попала в этот замкнутый круг.

— Но, если я кого-то полюбила, почему он должен полюбить меня? У меня так не получится. Он вообще меня не заметит...

— Ты просто реши, что он тебя любит, и все! И он тебя полюбит! — посоветовала Мурка.

— Мы не все можем контролировать...

— Нет, все!

Американские исследования говорят, что легкость, которая дается детской уверенностью в жизненном благополучии, приводит к более высокой степени уверенности в себе. *Пока Мура училась делать сникерс царю, Марфа сидела в раздевалке,* они росли по разные стороны двери, — и вот результат: Мурка — самоуверенный Трутень, счастливый Трутень, а Марфа через слово повторяет «у меня не получится». ...Ну, что же, мое влияние на Мурку и Марфу — это *половина пути,* свою половину пути они должны пройти сами. «Игра престолов» начнется через несколько минут.

— Мура и Марфа! Ты, Марфа, помни: *нельзя* работать, нужно выйти замуж. А ты, Мура, помни: *нужно* работать, смысл жизни в труде. У Марфы есть смысл жизни, а у тебя?..

Мурка выглядела слегка обескураженной: Мурка тревожится, когда у кого-то что-то есть, а у нее нет. Марфа тоже выглядела обескураженной: ей неловко, что у нее есть что-то, чего нет у Мурки.

... — Вы не сказали, как узнать, кто опасный, а кто безопасный? — спросила Марфа. Нравоучительное Наставление не прошло даром.

— Как узнать?.. О-о, это просто. Почувствовать. Если
не сможете почувствовать сами, придете ко мне, и я почувствую за вас.

...Остаток вечера прошел очень приятно: «Игра престолов» — мандарины — конфеты — бутерброды — мандарины — френд-лента фейсбука, потом «Интерны», —
Марфа тихонько смеялась, Мурка хохотала до икоты, и мы
так увлеклись, что не заметили, что уже совсем поздно, и не
услышали, как хлопнула входная дверь. Пришел Андрей.
Принес подарки (в честь Дня влюбленных!): Марфе сте-
кляшку в ее коллекцию, пузырек бутылочного цвета с надписью «1 Мая», советский китч, мне гиацинт (розовый),
Мурке лупу (зачем? надеется, что она будет диагностиро-
вать кариес в домашних условиях?). А мы подарили ему воблеров: я красного, Мурка желтого, Марфа фиолетового,
завернули в подарочную бумагу, сверху написали «С любовью, карась, подлещик и ряпушка».

— ...Нет, Мура, я не буду есть с вами мандарины и смотреть «Интернов», — сказал Андрей, — мне еще нужно
поработать.

Еще поработать? Мне кажется, он много времени тратит впустую, зачем, к примеру, каждый вечер подробно записывать все, что было днем (14.02: пузырек, гиацинт,
лупа)...

— Сколько вы мандаринов съели, три килограмма или
четыре? Давайте очистки, я выкину. ...Я заплатил за Мурин
телефон.

Вот кто во всем виноват — Андрей! Он плохо воспитал
Муру. Заплатить за телефон, заправить машину, дать денег
на новую шляпку — тут и святой станет трутнем.

— Марфа, в кабинете пожарная машина. Купил Мишеньке.

Андрею недосуг думать о какой-то «любви», он не упрекает меня, как мама и как Вронский Анну: «Почему ты любишь чужую девочку?», не задается вопросом, кто нам Марфа. Он заметил Марфу в доме и начал о ней заботиться. Покрикивает на Марфу, как будто она у нас родилась. Привозит ей отовсюду стеклянные фигурки, бутылочки и пузырьки — Марфа собирает коллекцию маленьких стеклянных предметов. Покупает игрушки для Мишеньки. Мишенька ходит в Марфин садик, живет в соседнем с нами доме. Когда Марфа работает в садике во вторую смену, она утром возит Мишеньку в бассейн в Институт Лесгафта, единственный бассейн в городе, где тренер занимается с детьми-аутистами. Мишеньке нравится плавать. Марфе нравится, что Мишеньке нравится плавать.

— Возьми Мишеньке шоколадного зайца, — предложила я.

— Он не будет есть зайца, — сказала Марфа, — я бы тоже не смогла.

Мишенька не сможет отъесть зайцу голову, Марфа тоже. Она и в метафизическом смысле *не может укусить зайца в голову,* не может сделать гадость. Мурка и я, мы можем съесть шоколадного зайца — в метафизическом смысле. Можем сделать гадость, но не хотим: кусающие чью-то голову — плохие, мы перестанем себе нравиться. Это принципиально иной тип нравственности, чем у Марфы, хуже качеством. Марфа родилась хорошей, а мы знаем, что хорошими быть правильно.

В материалистическом смысле мы с Муркой не станем кусать зайца, потому что заяц из молочного шоколада, а мы любим горький шоколад.

23.55

Муркина комната, комната невесты. Если взглянуть глазами посторонних людей, немного неубрано: на полу Куча — джинсы, кофточки, туфли, лекции, старые школьные тетрадки, яблочные огрызки. Мурин шкаф совершенно пуст, Мура говорит: «Куча гораздо удобней, все сразу видишь». Над Кучей висит акварель Бенуа из серии «Последние прогулки Людовика XIV», подарок лично Муре от моей бабушки, и Целков без названия, ярко-красный низколобый яйцеголовый человек, подарок лично Муре от моего папы. («Как можно смотреть на эту, простите за выражение, картину», — проворчал Главный.)

Я споткнулась о Мурины лекции, пробормотала «твою мать...», и Главный впервые взглянул на меня как на вполне симпатичного человека.

Однажды, классе в пятом, меня отправили в пионерский лагерь, с того единственного раза я знаю, что дурные привычки (мат, курение, алкоголь) очень способствуют установлению контакта, а хорошие привычки (чтение книг, игра на пианино, помощь вожатым), напротив, отдаляют от тебя людей. Уже в середине смены я ругалась как дворник, курила за сараем, пила со всеми портвейн — и завела сто друзей. Вот и сейчас мы с Главным из отдела по борьбе с организованной преступностью мгновенно стали ближе на одну маленькую «твою мать».

— Вот это бардак! — восхищенно сказал Главный. — А еще зубник!

Откуда ему знать, что Мура — стоматолог, врач России?.. Отдел по борьбе с организованной преступностью всерьез интересовался нашей семьей?.. Не буду об этом думать.

В Муриной комнате мы с Главным еще больше сблизились. Главный ворчал «вот неряха, как она будет замужем жить?», я кивала, он сочувственно цокал языком, мы дружили, и это было как-то очень по-русски — дружба Обыскивающего с Обыскиваемым. Интересно, что происходит в других культурах, дружит ли Полицейский с Преступником, Охотник с Дичью, Волк с Ягненком? Беспокоится ли Волк, как будет жить дочь Ягненка замужем?

Люди Главного вяло, без энтузиазма осматривали Муркин письменный стол (бусы, заколочки, сережки), а Лев Евгеньич вдруг развеселился, носился по комнате, прыгал через Кучу, как цирковой пудель, и наконец зарылся в Кучу и принялся упоенно болтать лапами... и вдруг вытащил со дна Кучи, из-под груды Муркиных джинсов и кофточек, прозрачный пластиковый пакетик, в пакетике белый порошок.

— Книжка! — вскричал Старательный Придурок.

Бедный, не может отличить книжку от пакетика с порошком! Возможно, у него галлюцинации. Зачем брать на обыск больного человека?.. Увольнять его, конечно, жалко... он мог бы что-нибудь *переписывать*.

— Внимание, — сказал Главный с загоревшимися глазами, и его люди сделали на пакетик стойку. Содержимое пакетика рассматривали на свет, по очереди нюхали и пробовали на вкус.

И вдруг меня осенила страшная догадка по поводу пакетика: Мура совсем не интересуется наукой. Пакетик лежит здесь с ее десяти лет, это крайний возраст, когда она интересовалась наукой... Получается, что наша семья деградирует: мой дед — академик, папа — профессор, я доцент, а Мура потеряла интерес к науке в возрасте десяти лет.

— Это не кокс, — сказал Придурок.

...Кокс — это кокаин. Неужели они подумали, что Мура зарыла в Кучу кокаин? Когда в доме ребенок и звери? Какая наивность!.. Это сахарная пудра для опытов. Андрей показывал десятилетней Муре опыт: сахарную пудру заливают серной кислотой, получается красивая черная лава.

— Пойду на лестницу покурю, — сказал Главный.

— Идите осторожно, в коридоре танки... — предупредила я. — А хотите, пойдем на кухню, вместе покурим... Или можете здесь покурить, Мура иногда курит в окно, хотя я ее ругаю, — понимаете, Бенуа, «Людовик Четырнадцатый», дым плохо влияет на холст.

— Нет. Зачем вам со мной курить... Пойду на лестницу. Главный ушел курить на лестницу.

А мне стало стыдно. Он даже покурить со мной не хочет. Я разговариваю с ним, как будто он Шариков, унижаю своим вербальным превосходством, своими дипломами, библиотекой, картинами. Почему? Потому что у меня на лбу кровь и его люди ищут наркотики в моих колготках?..

Это вечный русский вопрос: как относиться к человеку, который по долгу службы против нас? Кто он, монстр, злобный палач, или у него *просто такая работа*? Мы априори считаем, что порядочный человек не пойдет *на такую работу*. Но мы с рождения знали, что хорошо — что плохо, а если Главный — человек трудной судьбы, если у него было тяжелое бескнижное детство?.. И он не знал, что порядочный человек... и так далее. И подумал: «Вот какую хорошую я нашел работу!» Мне нужно не играть дворянку, а попытаться его как-то развить, дать что-нибудь почитать, рассказать про Бенуа и Целкова. Правильно, что интеллигенция всегда испытывает чувство вины перед народом, потому что народ всегда в душе хороший... народ интуитивно всегда становится на сторону невинных, и я *чувствую*, что Главный в душе на моей стороне!.. Но почему он так долго курит?

— Можно я пойду в спальне уберу, пока вы тут нюхаете пакетик? — спросила я. — ...А где, кстати, пакетик?

Наш охранник-понятой взглянул на меня с жалостью, как на юродивую.

— Таких идиотов, как вы, свет не видывал.

Почему не видывал?.. То есть почему я идиот?..

Главный вошел в комнату, вынул из кармана наш пакетик с сахарной пудрой и протянул Старательному Придурку:

— Проверь-ка еще раз.

Охранник-понятой дернулся в мою сторону, Главный тихо сказал «только пикни мне тут!..», и охранник от меня отвернулся.

Все же я была не совсем в здравом уме: обыск продолжался уже два с лишним часа, у меня болела голова, и мое сознание раздвоилось или даже растроилось, одна часть меня боялась, другая смеялась, а третья, как водится, глядела на все это со стороны, и все мои части были плохо пригнаны друг к другу, как это бывает во сне. Но во сне включаются другие, особенные механизмы, приходит озарение, и на меня снизошло озарение, — я догадалась, почему я идиот. Охранник-понятой пытался намекнуть, что мне нельзя оставлять людей Главного без присмотра: в мое отсутствие они могут подложить в Муркину Кучу наркотики. Но во время такого хаотичного обыска, при таком количестве людей, шныряющих по большой, с закоулками, квартире, в Муркину Кучу можно было бы подкинуть БТР. Они могли бы подкинуть БТР даже на моих глазах, я ведь была одна, а их много!..

Смешливая часть меня хихикала: всем известно, что полиция подкидывает наркотики подросткам и затем шантажирует родителей, но в данном случае их старания напрасны — Мура даже в подростковом возрасте не попадала ни в какие истории. Деньги клянчила, это да, а в истории — нет. Трусливая часть меня боялась: моя Мура, врач России, может соприкоснуться с шантажом, с этой немыслимой грязью... Ну, а рациональная часть меня поняла: в то время как я всецело погрузилась в вину интеллигенции перед народом, Главный раздумывал, не подбросить ли мне наркотики. Что он сейчас и сделает. Охранник *не пикнет*. Он лицо не титульной национальности, ему нельзя пикать. Он не пикнет, и я не пикну, — их много, а я одна.

На самом деле все эти мысли пронеслись во мне мгновенно. И моя реакция была мгновенная, — меня вытошнило. Прямо под ноги Главному, отчасти даже на его ботинок. Неловко вышло.

Вышло, конечно, неловко, но эта пара секунд всеобщего замешательства решила дело. Главный недоброжелательно рассматривал попеременно то ботинок, то меня, — и тут у него зазвонил телефон.

— ...Понял. Никакой личной инициативы. Понял... — повторял в трубку Главный. — *Сам* взял дело под личный контроль, — пояснил своим людям Главный. С сожалением взглянув на пакетик, сунул его в карман.

НО РАЗВЕ ТАК МОЖЕТ БЫТЬ? Что такой «Главный» может втоптать в грязь любого одним движением руки?! У него с собой всегда есть наркотики? Чтобы объявить какую-нибудь невинную Муру хранителем наркотиков? А захочет, объявит распространителем. А захочет — продавцом. Что захочет, то и сделает. Каждому человеку. Главный и его начальник понимали друг друга с полуслова, значит... они как Лев Евгеньич и Савва?! Лев Евгеньич ждет внизу, а Савва забирается на кухонный стол и скидывает еду вниз, а потом они вдвоем едят награбленное. Я хотела закричать: разве у нас сейчас тридцать седьмой год?! Разве у нас всегда тридцать седьмой год?!

А кто этот Сам, который взял дело под личный контроль?.. Когда говорят «личный контроль», правосудие становится невозможным. ...Господи, *зачем* мне их правосудие, мы же ни в чем не виноваты! Но чисто теоретически: когда звучат слова «личный контроль», речь уже идет не о правосудии, а о личных интересах.

...Очевидно, указания подкидывать не было. Это была личная коммерческая инициатива Главного. Начальник велел ему *не подкидывать*, потому что Сам взял дело под личный контроль, и не нужно загромождать масштабное батальное полотно лишними деталями. Значит, нас берегут для чего-то *еще более страшного?*..

— ...У вас сотрясение мозга, вот и стошнило, — сказал охранник.

Сотрясение? Нет, не думаю. Думаю, меня стошнило от мгновенной перемены участи: только что была одна я, профессорская дочка, защищенная своими книгами, Бенуа и Целковым, и вдруг разверзлись небеса — и оттуда высунулся Главный, чтобы на глазах Людовика XIV подбросить мне наркотики... И стала другая я, с которой можно что угодно сделать. Это было настоящее сотрясение моего мозга.

Четверг, 27 февраля.
Внезапные последствия
Вразумляющего Внушения Муре

— На этот раз все всерьез, честное стоматологиче-ское!.. — проникновенно сказала Мурка. — Ты говорила, что мне скоро будет тридцать, что мне нужно измениться? Ты рада, что я хочу измениться?

Ну конечно, я рада! Вразумляющее Внушение Муре от 10 февраля не прошло даром: Мура, тонкая чувствительная девочка, поняла, как сильно я недовольна тем, что она не работает. Никогда не поздно поменять свое отношение к жизни, к труду, даже в старости можно измениться!

— Я счастлива, Мура! ...Где ты собираешься изме-няться, Мура, в районной поликлинике или в частной фирме?

— В ресторане. Конечно, в ресторане, где же еще?..

Мура будет лечить зубы в ресторане?.. Хм... в этом есть смысл: человек поел, у него заболел зуб — а медицинская помощь рядом, — вот она, Мура, в белом халате сидит за столиком в углу зала, натачивает бормашину. Или можно прямо у входа поставить кресло, чтобы люди знали: в этом ресторане комплексное обслуживание.

— Ты сама сказала: мне скоро тридцать, через семь лет. Ты сказала: нужно думать о будущем. Вот я и выхожу замуж за Павлика. Я всегда все делаю, как ты хочешь!

Вот оно что. В ресторане не бормашина, а свадьба. С Мурой всегда как будто в романтической комедии: радуешься, что она наконец-то собралась работать, а она собралась замуж.

— Я *правда* выхожу замуж. Это не каприз, это мое желание, — басом сказала Мура. Насупилась, как в игрушечном магазине, когда я не купила ей коляску для куклы. Она умеет так укоризненно смотреть печальными глазами, что немедленно понимаешь «без коляски НИКАК». Меня до сих пор мучает совесть за коляску для куклы, — я всегда покупала ей все, что она попросит, но в тот раз у меня не было с собой денег.

— Это глупый каприз... то есть это отличная идея, — сказала я, — но у нее есть некоторые недостатки...

Главное правило манипулятора — не говорить «нет», сначала нужно сказать «это отличная идея» и только потом вскользь добавить «есть некоторые недостатки».

— Какие недостатки?.. Ну, к примеру... а вот, пожалуйста, — Павлику всего двадцать пять, родители Павлика наверняка считают, что ему рано жениться.

— Ха! Они *не считают*! Они переживали, что Павлику уже двадцать пять, а он не женится! Они сами поженились в институте, как ты с моим папой, только не развелись. Они все втроем меня любят! Папа Павлика называет меня «наша прекрасная Мурочка», а мама Павлика называет меня «наша славная Мурочка». И ты должна разрешить...

— Нет, Мура. Я не разрешаю.

— Разрешить конфликт. Его родители спорят: папа хочет отдать мне свою старую машину «бентли» 2012 года, а его мама хочет отдать мне свою старую машину «мерседес»

2012 года. Я хочу «бентли», но не хочу обижать маму Павлика. Насчет свадьбы тоже конфликт: папа Павлика хочет свадьбу на острове в Тихом океане, он уже присмотрел частный самолет, который будет летать с гостями туда-сюда, а мама Павлика хочет свадьбу во дворце в Италии.

На мое недоуменное бормотание: «...“Бентли”, почему “бентли”, почему остров в Тихом океане, почему дворец в Италии? Папа Павлика — принц? Звезда эстрады?..» — Мурка ответила: «У мамы сеть по продаже катеров и яхт, у папы сеть магазинов нижнего белья. Павлик работает с мамой».

Мурка прежде говорила, что Павлик «менеджер не знаю чего». Это звучало расплывчато, но все Муркины мальчики окончили «*какой-то* институт», или «организуют *какой-то* собственный бизнес», или хотят уехать «*куда-нибудь* в Европу» — такая уж нынче расплывчатая жизнь. А теперь у Павлика оказалась *определенная* профессия — «работает с мамой». Ну... хорошо, что с мамой, а не с папой. Не то чтобы я имела что-то против нижнего белья, но Павлик — *мальчик*, мальчику лучше иметь дело с яхтами, а не с лифчиками.

— Нет, Мура. Нет. Я всегда тебя во всем поддерживала, — вспомни, как я годами подписывала *два* дневника, как я писала тебе сочинения и справки «освобождение от физкультуры», — я всегда была тебе другом. Но сейчас — нет. Замуж за Павлика — нет, нет и нет! Неужели ты не понимаешь, что я не могу говорить вслух о причине, что мне неловко?.. Ну, хорошо, Мура, я скажу это вслух: я не разрешаю тебе выходить за Павлика, потому что он хороший мальчик и любит тебя. Он тебя любит, а если вы поженитесь, полюбит еще больше. У него нежная душа. Им нельзя играть, как девочка с мячиком. Он *хороший* мальчик, а ты... Ты тоже хорошая девочка, избалованная, капризная, легкомысленная. Ты *легкомысленная*, Мура, и мне известны твои легкие мысли: чем работать, лучше выйти замуж за «бентли», и дело в шляпе. Но это никак нельзя, Мура, потому что Павлик тебя любит. А ты, Мура, — то тебе так, а то тебе раз — и этак!

Мура посмотрела на меня взглядом «без коляски НИ-КАК».

— Я все делаю, как ты хочешь!.. Ты говорила: правило перекрестка «нужно вглядеться в того, кто рядом». Я вгляделась — рядом Павлик. Ты говорила: есть мужчины для брака и для романа. Павлик — для брака! Я правильно выбрала! Я... я стесняюсь сказать... Я тоже его люблю... — Мурка порозовела и потупилась, как будто она юная леди и признается, что всем на радость любит наследника поместья.

И я сказала как мать юной леди:

— Если ты его любишь, я не буду препятствовать вашему счастью. Но у меня есть условие, три условия. Первое: ты будешь работать, второе: никаких «бентли» и «мерседесов».

— Третье условие какое? — Мурка перешла с лирического тона на деловой. — Говори скорей, Павлик как раз сейчас будет здесь через пять минут.

У Муры всегда все «как раз сейчас».

Третье условие — важное. Какое именно? ...Забыла.

...Ну вот... Мурка выходит замуж.

Чтобы не расплакаться, я по очереди представляла: Мура в итальянском дворце в платье из средневековых кружев, Мура на острове в Тихом океане в парео, Мура в итальянском дворце в парео...

Вечером того же дня

Андрей смотрел сквозь меня с непроницаемым лицом.

— Почему ты не радуешься? Тебе же нравится Павлик?.. Не помнишь его?.. Павлик — это не Костя, не Олег и не Витя. Никого из них не помнишь? Ну все равно радуйся. Представляешь, сбыть с рук Муру? В итальянском дворце или на острове в Тихом океане. Ты рад? Почему ты молчишь? Все в порядке?

— Кхе-кхе... Да.

Хороший собеседник не говорит подряд больше трех минут, его речи внятны, ненавязчивы, разнообразны. Андрей — хороший собеседник.

— Нет, — сказал Андрей.

— Господи, «нет»? А что случилось? А что тогда «да»?

— Ты спросила «все в порядке?», я ответил «да». У меня все в порядке.

Уфф... Может быть, *не показывать* Андрея нашим новым родственникам? Сказать, что я растила Муру одна. Представить им Андрея на свадьбе, сказать, что недавно познакомилась с хорошим человеком, — вот он, зовут Андреем, он э-э... молчаливый.

— Итальянский дворец — нет. Остров в Тихом океане — нет, — сказал Андрей, выставив вперед подбородок. — Свадьба будет такая, за которую я *сам* смогу заплатить. Я, а не какие-то владельцы яхт и катеров.

Мы еще не успели познакомиться с новыми родственниками, а уже назревает мировоззренческий конфликт. Наши новые родственники простодушно подыскивают частный самолет, не подозревая, что на их пути возникло препятствие — Андрей выставил вперед подбородок, и это препятствие им не обойти.

Мужчины различаются по скорости доставания кошелька. Когда путешествуешь или гуляешь в дружеской компании, возникает множество ситуаций, в которых платит тот, кто достает кошелек первым: общий счет в ресторане, общее такси, билеты в музей. У Андрея, такого медлительного, самая большая скорость доставания кошелька. Я ни разу в жизни не видела, чтобы кому-то удалось перейти ему дорогу в смысле оплаты общего счета. Кажется, что он ушел в себя, дремлет, но как только нужно заплатить — встрепенется, раз — и достал бумажник быстрей всех.

— Хорошо, ты сам заплатишь, только не волнуйся.

Я знаю, как избежать конфликта с нашими новыми родственниками. В европейской культуре считается, что свадьба — это показатель состоятельности жениха, а в восточных культурах, к примеру, по индийскому обычаю, свадьбу оплачивают родители невесты. Имеется в виду, что свадьба — это последнее вложение родителей в дочь. Мы скажем, что мы индийцы. Не можем отойти от нашего обычая сделать последнее вложение в Муру.

Согласно обычаю, необходимо дать за Мурой приличное приданое. За образованную невесту дают меньше, чем за необразованную, за врача России можно дать меньше буйволов и верблюдов, чем, к примеру, за экономиста, окончившего какой-нибудь левый вуз.

Это и было моим третьим условием, очень важным, тем, что я забыла и не могла вспомнить: свадьба будет в городе на Неве. Интеллигентная свадьба, скромная, но очаровательная и очень-очень питерская. Андрей будет приветствовать гостей согласно нашим обычаям: поднимать соединенные ладони к подбородку и покачивать головой со словами «намасте». Муркино приданое нужно украсить согласно обычаям: буйволам позолотить рога, на верблюдов надеть вышитые шапочки.

Ради экономии проведем свадьбу в пятницу, по пятницам нам нельзя употреблять алкоголь.

Следующие несколько дней в начале марта — ГДЕ-ГДЕ-ГДЕ?!

...Где будет наша интеллигентная свадьба, скромная, но очаровательная?

Если бы можно было обсудить это *всем вместе!* Мы годами обсуждали все вместе: куда поехать отдыхать, где детям учиться, дома или за границей, делать ремонт или можно еще пожить так; и еще у нас был обычай праздновать ВСЕ: новый сериал Ильи, премьеру у Додина (к каждой премьере Ирка-хомяк придумывает новое меню в буфете), выход моей новой книги, начало ремонта в новой недвижимости Никиты и Алены, окончание ремонта в новой недвижимости... если бы мы могли обсудить, где будет наша интеллигентная свадьба, *все вместе!*.. Но мы не можем. Мои прекрасные друзья в ссоре между собой.

Нет ничего более болезненного, чем ссора старых друзей. Я не вынесла бы этой боли и дня. Попросила бы прощения, и все, — даже если не виновата.

У меня есть дни для дружбы с Никитой — Аленой и Иркой-хомяком — Ильей. И знаете, что происходит: Алена нарочито безразлично, как будто это просто светская беседа, спрашивает невпопад посреди разговора: «Ну, а как там

83

твоя Ирка?», Ирка-хомяк никогда не спрашивает напрямую, но окольными путями все время выводит разговор на Алену, и в глазах у нее такой странный блеск, и она как будто оглядывается, не стоит ли Алена за моей спиной. А я чувствую себя как хромая табуретка, под ножку которой подложили бумажку... и она все время валится набок, то на один бок, то на другой.

Мужчины, конечно, более сдержанны в проявлении чувств. Илья говорит мне: «Как ты можешь дружить с этим орангутангом?! С этим коррупционером, жуликом и вором!» Никита говорит об Илье «эта двуликая лиса», при этом угрожающе сопит. Никита имеет в виду, что Илья — двуликий Янус или двуличная лиса: с одной стороны, он публичный интеллектуал, рассуждает о культуре, о настоящем кино, о пошлости сериалов для домохозяек, а с другой стороны, сам *снимает эти сериалы*. Под другой фамилией.

Никита говорит «эта семья оборотней». Не в том, конечно, смысле, что Илья с Иркой — вурдалаки или вампиры, а что они семья вымышленных существ: Ирка — буфетчица, притворяющаяся актрисой, Илья — публичный интеллектуал, он же тайный сценарист стрелялок.

Конечно, наша компания с социологической точки зрения очень противоречивая. Никита — грузный, с тяжелым взглядом, всегда в костюме — белой рубашке — галстуке, с лицом человека, умеющего получать удовольствие от жизни (еды, пития, рыбалки, охоты, копания грядок), — «чиновник федерального уровня» или «чиновник достаточно высокого ранга», как пишут о нем в газетах, зампред не помню чего. Патриот, государственник, сторонник президента, существующего режима и прочего порядка. Считает, что власть всегда права, существующий порядок лучше, чем протест, традиционная семья лучше, чем нетрадиционная сексуальная ориентация, цензура лучше, чем ругаться матом. Илья — худощавый, сутуловатый, в модных проволочных очках, всегда в свитере грубой вязки, с лицом человека, ежеминутно страдающего от жизни, — представитель либеральной интеллигенции, задыхается в атмосфере лжи и глупости власти, ему невыносимо ВСЕ, включая запрещение публичного использования четырех основополагающих матерных слов.

Никита считает, что *все советское было лучше*: комплекс ГТО, моя милиция меня бережет. Илья говорит: «Никита, тебя недосбросили с корабля современности». То есть *говорил*, пока все еще дружили. Никита отвечал: «Сам лети отсюда вверх тормашками». Не знал, что это отсылка к известной цитате.

В быту они тоже очень разные и такие *типичные*, как будто я их придумала. Илья любит меню кафе «Жан-Жак», Никита любит «жаренку» (это жареная картошка с грибами). Никита, выпив, орет «Вы-ха-а-ди-ила на берег Катюша», Илья всегда только что с концерта классической музыки или из оперы и говорит «легато», «стаккато», «крещендо». Илья знает наизусть все сонеты Джона Донна, Никита одно стихотворение Есенина.

Илья считает, что Никита — часть системы, разрушающей страну, Никита считает, что это Илья вместе со всей либеральной интеллигенцией разрушает страну. А я считаю, что дело вовсе не в приверженности какой-то идее, а в структуре личности: Никита, бывший командир звездочки, председатель пионерского отряда, комсорг, — всегда у власти, а Илья — всегда в оппозиции. Когда Илья стонет «эта подлая власть...», Никита — а он и есть *эта подлая власть* — делает вид, что не слышит. (Бедный Никита, представляю, как невыносимо жить, если не можешь сказать: «Какой кошмар творится в этой стране!..») Но мы же дружили, годами сидели за одним столом!

Нет ничего болезненней, чем ссора старых друзей, к тому же это очень *неудобно*, — вместо того чтобы собраться всем вместе и принять решение, где будет Муркина интеллигентная свадьба, скромная, но очаровательная, приходится ходить от одного к другому со словами «Алена считает...», «А Ирка сказала...».

За три дня я обсуждала Муркину свадьбу не припомню сколько раз, сто тысяч раз...

С Аленой.

— Я знаю один новый модный ресторан, о-очень модный, зал человек на восемьдесят, тебе больше и не нужно, — сказала Алена и завистливо добавила: — У некоторых людей на удивление нет родственников...

У Алены много Никитиных родственников, кого-то из них Никита называет «свояк», а кого-то «шуряк». У Алены особенно много Никитиных родственниц, все они называются «сноха». Алена не смогла разобраться, кто из них «братняя сноха», кто «деверняя сноха», просто смирилась с тем, что сама является снохой половине деревни. А у нас нет ни одной снохи, нет ни одного родственника, кроме Муркиной как бы кузины Марфы.

...Звонок — Никита. Очень возбужден.

— Крым наш! Путин молодец! Вернул нам Крым! Без капли крови! Блестящая операция! ...Американки думали, мы им позволим, чтобы корабли НАТО были у нас под боком, ха-ха! ...Представь — корабли НАТО в Севастополе, городе нашей славы!! Представила?.. Мы не позволим, чтобы ущемляли наши геополитические интересы!.. Мы все наши земли соберем!.. Россия встала с колен! Ты рада, что

Россия встала с колен?.. Все-таки мы — великая страна! Ты рада, что мы все-таки великая страна?.. Я горжусь, что я россиянин!.. А ты гордишься?..

С Иркой-хомяком.

— Новым модным ресторанам — мое решительное нет, — сказала Ирка-хомяк. — Мура — девочка из хорошей семьи, внучка профессора, правнучка академика. Мы культурные ленинградцы, не какие-нибудь нувориши. То, что у них яхты и магазины нижнего белья, не означает, что они могут навязывать нам свои стандарты. У них свои стандарты, у нас свои.

Родители Павлика — нувориши, потому что у них есть яхты и катера, и «бентли», и нижнее белье? Это клише, *неточное клише*. Нувориш — это быстро разбогатевший человек, пробивающийся в высшее общество. Но у нас все разбогатели быстро! К тому же родители Павлика не пробиваются в наше с Хомяком высшее общество. Они просто хотят жениться на Муре. Возможно, они даже не знают, что Мура — потомственный профессор.

— Муркина свадьба должна быть там, где прошла наша юность, в месте, с которым у нас связано... В общем, это должно быть памятное место, — настаивал Хомяк.

— Крейсер «Аврора». «Аврора» — памятное место, нас там в пионеры принимали.

Хомяк холодно фыркнул, показывая лицом, что не приемлет глупых шуток, когда речь идет о стандартах.

У Ирки — стандарты. Ирка говорит: «Люди делятся на простых людей, как Алена с Никитой, и творцов, как мы с Ильей...» Представляясь актрисой у Додина, Ирка-хомяк *верит*, что Додин не дает ей главных ролей. Почему?.. Может быть, каждому хочется того, чего у него нет? Может быть, Ирке хочется жалости, понимания? В настоящей, непридуманной Иркиной жизни ее не за что жалеть. В антракте Ирка стоит за стойкой, продает бутерброды, и пирожные, и чудный шоколадный торт с вишнями, и это счастливо совпадает с ее увлечениями, — она любит театр и любит вкусно кормить гостей. В Иркиной жизни нет ни намека на покорность судьбе, в ее жизни есть только то, что она хочет. Ирка-хомяк — стрелок, глаза намертво вцепились в мишень, мозг усиленно работает, чтобы выстрелить на поражение: если Хомяк решил с вами дружить, вы будете дружить, если Хомяк решил выйти за вас замуж, вы женитесь. Ирка придумала выйти замуж за Илью, находясь с ним по разные стороны буфетной стойки: изнемогающий от усталости Илья протянул ей деньги со словами «будьте добры, рюмку коньяка», а Ирка уже знала, что они будут вместе и каждый день по дороге к себе на третий этаж Илья будет *подниматься на два лишних пролета*, чтобы зайти ко мне на четвертый.

Нехорошо делить друзей на тех, кто нам суждены, и оказавшихся рядом по воле случая, — как будто наша дружба — это награда и мы свысока рассматриваем кандидатов. Но Ирка не была мне суждена, это была именно что *воля случая* (квартира в нашем доме досталась Ирке от мимолетного брака девяностых, Ирка не рассказывает о своем предыдущем муже, говорит: «Так, гримасы бандитского капитализма») — дружба с Иркой возникла благодаря косметическим технологиям. Ирка, флагман косметических технологий, залила ботокс в носогубные складки. Ботокс заполнил не столько Иркины носогубные складки, сколько щеки, и мы с Мурой за глаза называли ее «хомяком».

Однажды, встретившись с Иркой у лифта (*гримаса капитализма* к тому времени уже исчез), Мурка сказала: «Здравствуйте, Хомяк». Мурка была ребенком и не понимала, что существует разница между «говорить о человеке» и «говорить с человеком». Я шипела: «Не здравствуйте, Хомяк, а просто здравствуйте», Ирка смеялась, — я давно заметила, что красавицы не так обидчивы, как дурнушки, — и тут же, у лифта, мы из соседей стали подругами. Первое, что Ирка сказала мне в качестве подруги: «Ты сама виновата, что попала в неловкое положение, — сплетничала о соседях с ребенком. Не обижайся, я твой друг и говорю это *для тебя*. Друг должен быть критичным, чтобы ты могла исправить свои недостатки».

Ирка — друг, она всегда не на моей стороне. Всегда говорит «ты сама виновата». Строго относится ко мне как к писателю. Любит хвалить других. Часто говорит «читаю — не оторваться!», и только во мне все запоет, что это *моя* книга, как оказывается, что нет, не моя. Иногда говорит: «Прочитала твою книгу — не обижайся, но *могло быть лучше*». Я не обижаюсь, Ирка говорит это *для меня*, чтобы я больше старалась.

Ирка не приходит на мои встречи с читателями, последний раз не пришла под предлогом «у меня худсовет». Но у буфетчиц не бывает худсоветов! Тем более додинский театр в это время был на гастролях в Москве. Софья Марковна, Иркина свекровь, сказала: «Я бы на твоем месте обиделась. Обязанность друзей — сидеть на творческих вечерах своих друзей в первом ряду с цветами». Мне совсем не помешал бы Хомяк с цветами в первом ряду, и я уже начала копить обиду, но вовремя совершила инверсию пространства. Давным-давно, когда девочка в песочнице ударила меня лопаткой, папа сказал мне: «Соверши инверсию пространства: поставь себя на ее место и поймешь, почему она это сделала». Я последовала папиному совету и поняла: перед тем как девочка ударила меня лопаткой, я сломала ее куличик.

Я совершила инверсию пространства, поставила себя на Иркино место, — и, находясь на Иркином месте, начала встревоженно думать: «Ирка превратилась из моей просто подруги в писателя, а вдруг Ирка думает, что теперь она *лучше меня*? А может, она и правда *лучше*?.. Не пойду на Иркину встречу с читателями, не хочу стоять в толпе вместе со всеми, скажу, что у меня худсовет».

Считается, что ревновать к успеху не по-дружески, но, находясь на Иркином месте, я поняла: ревновать к успеху — это по-дружески. Мы ведь не ревнуем к успеху чужих людей, он не радует нас и не печалит, мы просто им пользуемся — читаем книги чужих людей, аплодируем чужим людям в театре. А по поводу близких друзей у нас есть сложившиеся стереотипы и ожидания. Став писательницей, я *не оправдала Иркиных ожиданий*. Так что не Ирка передо мной виновата, а я перед ней. А Софья Марковна, как Макиавелли, хочет разделить нас с Иркой и властвовать: надо мной с помощью пряника, над Хомяком с помощью кнута.

Мне казалось, что матери, сын которой уже был дважды женат, — не страшна его новая женитьба, — регулярные действия снижают настороженность, и человек уже не чувствует опасности. Мне казалось, у Софьи Марковны должна была выработаться привычка к новым невесткам. Но не тут-то было! Софья Марковна не могла смириться, что прежде Илья был женат на докторах наук, а Ирка — директор буфета.

Илья с Иркой, как подростки, взяли меня с собой — знакомиться с мамой.

— Мама, это Ира-Хомяк, то есть Ира, а это ее подруга, кандидат наук, наполовину еврейка.

— Ну, хотя бы, — сказала Софья Марковна. И тут же поманила меня к себе, прошептала: — Деточка, зачем мой Илюша женится на этой... на этом?.. Боже мой, если бы мой муж увидел, что его ребенок женат на хомяке... а теперь он мне привел хомяка без степени. Илюша — принц, все мои невестки были доктора наук, а она — вы понимаете?.. На букву «б»! К тому же она русская!..

Я поняла: Илья — еврейский принц, Ирка — русский хомяк без степени.

— Софья Марковна, почему на букву «б»?! Ирка очень хороший человек, она собирается прожить с Ильей всю свою жизнь...

— Вы имеете в виду с *моим* Ильей? — переспросила Софья Марковна. — Она собирается прожить с Илюшей всю мою жизнь? А «б» — это вовсе не то, что вы подумали, «б» — это буфетчица... Буфетчица — неплохая профессия, но при чем тут мы?.. Мы ходим в театр, а не в буфет! Мы не женимся на хомяках другого круга!

Илья сидел, расслабленно замерев с выражением «я в домике» — он в безопасности, а мир обтекает его со всех сторон, Ирка изо всех сил улыбалась будущей свекрови, но ничего не вышло: Софья Марковна запретила.

Илья хотел жениться и одновременно не ослушаться маму. Сидел у меня часами и говорил, что мама права, что, по словам Хайдеггера, «данная проблема приобретает особое значение в познании всего универсума нашего бытия», что, женившись на Хомяке, он подвергнется воздействию других социальных норм и конвенций и трансформация представлений о себе приведет его к кризису аутентичности. Настроение Софьи Марковны улучшалось с каждым днем, Ирка страдала, — и мне пришлось почитать Хайдеггера и от имени Хайдеггера убеждать Илью, что только женившись на Хомяке он в полной мере осознает уникальные возможности своего индивидуального бытия. А если Софья Марковна не примет Ирку, то пусть он, как сказано в Библии, прилепится к Хомяку, а к маме приходит один, в рамках аутентичности своего существования. Ну, и Илья женился и уже десять лет счастлив, по-своему: есть люди, которым для счастья нужно немного несчастья. Несчастье Ильи в том, что «мама так ее и не приняла».

Софья Марковна беспомощным голосом говорит «я так ее и не приняла», — как будто она существует отдельно от своих желаний, как будто ею правят высшие силы, которые не позволяют ей принять Ирку. Говорит: «Ради Илюши я требую от нее совсем немного, *немного уважения*, и все». Ирка каждый вечер берет Софью Марковну с собой на работу, словно ее нельзя *оставлять одну*, — у Софьи Марковны есть свое постоянное место в первом ряду. В свободные вечера Ирка водит Софью Марковну в другие театры. У Ирки так много обязательств перед Софьей Марковной, словно вдруг нашлась потерянная ею в детстве мать, — нашлась, требует *немного уважения*.

Илья счастлив, что немного несчастлив. Софья Марковна счастлива тем, что Илья озабочен ее отношениями с Иркой. Ирка счастлива, что она в центре интриги. ...Интересно, кто-нибудь справлял свадьбу на «Авроре»?..

...Звонок — Илья. Возбужден.

— Аннексия Крыма — *это все*. ...Нам не простят нарушения международного права... Путин думает, что цивилизованный мир смирится с этим безобразием?! Мне стыдно, что я россиянин... А санкции, ты представляешь, что такое санкции?! Представила? У нас будет железный занавес! Представила железный занавес?.. «Крым наш» — это конец демократии, конец России... Мы превратимся в осажденную крепость, Россия погибнет, Россия неотделима от Европы...

С Аленой.

— «Европа», — сказала Алена.

Правильно. «Европа» — памятное место. В ностальгическом смысле. Мы провели там свою юность, в кафе внизу, покуривая длинные ментоловые сигаретки «Моге».

— «Астория», — сказала Алена.

Да. В «Астории» мы тоже провели свою юность, в баре наверху, покуривая ментоловые сигаретки «Моге».

Вспомнили еще несколько памятных мест, где прошла моя юность: любимая Муркина песочница в Александровском саду, у которой я часами торчала с конспектами, детская поликлиника № 2 на Фонтанке. Алена предложила особенно памятное место — на третьем этаже у кабинета физиотерапии, куда мы с ней по очереди водили Муру «греть нос».

С Иркой-хомяком.

— «Метрополь», — сказала Ирка.

«Метрополь»?.. Это, без сомнения, памятное место. В «Метрополе» была моя свадьба с Муркиным отцом.

Это была хорошая свадьба.

Невеста: 18 лет, белое платье от знаменитой в городе портнихи Эллочки, фата, прическа от знаменитого в городе парикмахера Гриши Фарбера. Жених: 18 лет, югославский черный костюм, финская белая рубашка, галстук. Гости: сто человек моих близких друзей.

Белая «Волга» с кольцами. Возложение цветов к Вечному огню на Марсовом поле. Первый танец жениха и невесты. Пшено. Нам кидали пшено, как будто мы голодные курицы. Возможно, это было какое-то другое зерно на счастье — гречка?.. Брак получился счастливый. И долгий, два года. Для студенческого брака неплохо.

С Никитой.

Никита предлагает справлять свадьбу в Валенсии.

Алена с Никитой несколько лет уговаривали Андрея вместе купить «недвижимость за границей, хоть что-нибудь», аргументы: «у всех есть» и «в этой стране в любую минуту может случиться все что угодно». Андрей на Аленины предложения — Рим, Лондон, Вена, Ницца, Хельсинки, Барселона — отвечал «кхе-кхе...». «Кхе-кхе» означало, что он равнодушен к «у всех есть» и хочет жить в «этой стране», где у него работа.

Но — тунец. Все дело в тунце. Красный тунец весом до 400 килограммов. И рыба-меч, но в меньшей степени. Желтохвостик. Макрель, морской окунь. Морской угорь. Дорада, бонито.

Когда Алена предложила купить дома в Валенсии, Андрей мечтательно сказал: «Валенсия?.. Красный тунец весом до четырехсот килограммов. Рыба-меч. Рыба-меч, стремительная и агрессивная, взмывает над морем, мчится за летучими рыбами, настигая их своим заостренным плоским мечом... кхе-кхе».

Поэма, посвященная рыбе-меч, подсказала Алене, что — ура, в этой стране случится все что угодно, а мы спасемся в нашей недвижимости за границей, и на обед у нас будет рыба-меч, стремительная и агрессивная.

Никита с Аленой свой дом в Валенсии обставили, полюбили, завели там хозяйство: Никита русскую баню, Алена грядки с клубникой. Чтобы все было, как на даче. У них есть Ближняя дача и Дальняя дача. «Ближняя дача» в историческом контексте звучит неприятно, — «Сталин работает на Ближней даче». Но Алене с Никитой нужно различать Ближнюю дачу в Зеленогорске и Дальнюю дачу в деревне Малиновка Псковской области, Никитино родовое гнездо.

В Никитино родовое гнездо можно проехать только летом, — весной, зимой и осенью там бездорожье. Алена с Никитой построили в родовом гнезде огромный дом с колоннами, на фронтоне — античный бог, сидит на троне. Алена специально заказывала скульптору античного бога с Никитиной фигурой и профилем. По-моему, мило, что у античного бога животик и курносый нос.

Никита с Аленой полюбили дом в Валенсии как свое второе родовое гнездо, даже подумывали заказать местному скульптору еще одного античного бога с Никитиным профилем. А мы в нашем доме-спасении — когда в этой стране случится все что угодно — были всего один раз. В сезон рыбалки, с марта по сентябрь, Андрей *не поедет* — много работы, а в другое время он не поедет, потому что это уже не сезон рыбалки.

— Ты уже заказала рыбалку для гостей? — строго спросил Никита. — Напишешь на приглашениях «тунец, рыба-меч, морской угорь».

Чиновник, ничего не поделаешь: он принял решение, а исполнять должны другие, причем *вчера*. Кстати, на месте Никиты я бы не вспоминала о морском угре. В тот единственный раз, что мы были в нашем доме в Валенсии, Никита чуть не погиб в море: резко бросился за морским угрем, запутался в леске и перевернул лодку, — а плавать он не умеет. Андрей вытащил Никиту вместе с морским угрем — вес угря 30 килограммов, вес Никиты 120 килограммов, разумно было бы бросить угря, но от угря никак нельзя было отказаться.

... — Я понимаю, что Ирка должна быть, они с Аленой Муру вырастили, но *этот*?! *Этого*, оборотня, надеюсь, не будет?.. Ты ведь можешь его не приглашать?..

...Почему Ирка с Аленой вырастили Муру? Я сама вырастила Муру. Растить Муру было одно удовольствие... Мурка была *совершенно невыносимой*, рядом с ней нельзя было читать, смотреть кино, думать, — если бы она болтала, не умолкая, сама по себе, но Мурка все время требовала «давай поразговариваем». Но одно удовольствие точно было — когда я отдавала ее Ирке и Алене с Никитой и некоторое время *просто молчала*... а Ильи тогда еще не было с нами.

С Ильей.

— Ты можешь его не приглашать? Я понимаю, что Алена должна быть, но...

Воспитанность не позволяет Илье назвать человека «*этот*», поэтому Илья называет Никиту «но». Как дети, право.

— ...Быстро дай мне кофе... я так устал, что не смогу даже кофе выпить... у тебя есть пирожки?.. — Илья упал на диван, прикрыл глаза, забормотал: — Утром проснулся с чувством, что все ужасно, все позади, дальше лучше не будет, только хуже...

Илья невысокий, с умным благородным лицом, сутулится, скрючивается, сплетает ноги и руки, нервно поправляет очки, — типичный постаревший еврейский мальчик, который читал книжки, пока все ребята носились по двору. Но, если приглядеться, замечаешь, что он *притворяется типичным*, что он изящно сутулится, красиво сплетает ноги и руки, пластично скрючивается. Илья — фехтовальщик. В детстве и юности занимался фехтованием, а несколько лет назад занял третье место в ветеранском турнире сеньоров Европы. Сеньор Европы, — должен визжать от счастья! Но Илья, показывая серебряный кубок, не визжал, а печально улыбался. Прекратил тренировки и больше не вспоминает про фехтование. Думаю, мама привила ему привычку считать, что фехтование не настоящее достижение, а просто кружок, и главное — хорошо учиться.

— Убери животных, не терплю собак... и котов, — слабо вскрикнул Илья.

Лев Евгеньич деликатно тронул Илью лапой — «гладь, не останавливайся», Савва Игнатьич мяукнул, Илья, вздохнув, принялся гладить обоих левой рукой. Его правая рука всегда занята фейсбуком. Илья проверяет свой фейсбук каждые полчаса. У него пять тысяч друзей и так много подписчиков, что он мог бы считаться газетой или журналом с приличным тиражом. Кажется, что у публичного человека должно быть много друзей, но это не так: в фейсбуке его поздравили с днем рождения сто пятьдесят восемь близких друзей, а в жизни — мама, Ирка и я, мама и Ирка не считаются.

Звонок — Софья Марковна.

— Деточка, кошмар! Я уже больше часа не знаю, где Илюша!.. Ах, у вас? Передайте ему привет от мамы.

Софья Марковна всегда знает, где Илья. Илья читает лекции на филфаке, у Софьи Марковны есть университетское расписание. Илья читает лекции в разных «культурных пространствах», куда взрослые люди приходят, чтобы стать умней, у Софьи Марковны есть расписание. Во время прямого эфира Софья Марковна звонит на радио: задает вопросы, притворяясь слушателем.

Я включила громкую связь и сказала:

— Илья, это твоя мама.

— Мама, — нежно сказал Илья, не отрываясь от фейсбука.

— Илю-юша! — отозвалась Софья Марковна, и другим, спокойным тоном: — ...А для вас, деточка, у меня есть кое-что очень приятное. Одна моя приятельница перенесла операцию — аппендицит. Представьте себе — после операции у нее разошлись швы, и ее снова повезли в операционную!.. Ну что, я вас обрадовала?

— Э-э... да... спасибо.

Вот что оказалось: Софья Марковна вчера принесла мою новую книжку приятельнице, лежащей в больнице.

Приятельница, профессор филологии, презрительно фыркнула «зачем мне романтическая комедия?», а вечером начала читать от больничной скуки, — и так смеялась, что у нее разошлись швы.

Прекрасная и одновременно ужасная история. Профессора филологии читают Гаспарова и Мамардашвили, не смеются над ироничными романчиками «про жизнь», а этот конкретный профессор с аппендицитом смеялась, значит, моя книга — хорошая!.. Но *из-за меня* профессору филологии под наркозом зашивали швы. Наркоз небезопасен для организма. Если бы она читала Гаспарова, Мамардашвили, Эйдельмана, Проппа, этого бы не случилось.

— Я записала ее слова, чтобы вам было приятно: «С трудом верится, что автор — взрослый человек». Вам приятно?.. Она спрашивала, есть ли у вас муж, я сказала, что я прекрасно с ним знакома и мне удалось разглядеть за его суровостью нежную душу... Уж я-то, слава богу, знаю, он носил меня на руках!

Андрей носил Софью Марковну на руках не потому, что у него нежная душа, а потому, что наша районная травма находится на третьем этаже в старом здании без лифта. Софья Марковна сломала ногу, у Ильи был прямой эфир, и Андрей возил ее в травму.

— Ах, деточка, как вам повезло... Ваш Андрей красив, как бог, и при этом надежный, порядочный, верный... вот бы моему Илюше такого!

Посторонний человек мог бы подумать, что ее Илюша — гей.

— Софья Марковна, Андрей никогда не смог бы полюбить Илью. Андрей — нормальной ориентации. Он равнодушен к фигурному катанию, моде, опере, скучает даже на «Травиате», не говоря уж о Вагнере, недавно проспал всего «Лоэнгрина»...

Софья Марковна снисходительно хмыкнула:

— Деточка, у вас избитое представление о геях. Они *не обязательно* любят оперу. Так вот, я о вашем Андрее, — вот бы моему Илюше такого, а он женился на хомяке.

Посторонний человек подумал бы, что ее Илюша мог бы, к ее радости, быть геем, но разочаровал ее, став зоофилом.

— Деточка, еще кое-что приятное, — профессиональный вердикт от профессора филологии: ваша книжка никому не нужна. Ирония, детское восприятие жизни, подтекст, ненавязчивые культурные аллюзии — это не для массового читателя, все это только для нас, для своих. ...Деточка, вы тут?.. Сколько я вам сегодня наговорила приятного! Скажите мне «спасибо» и можете попрощаться.

— Спасибо, Софья Марковна, до свидания, Софья Марковна.

Моя книжка не нужна никому, кроме меня самой, Софьи Марковны и дважды зашитого профессора филологии...

— ...Деточка, скажите, только честно, — вы *хотите*, чтобы Крым был наш?.. Я хочу. У меня имперское сознание. Я хочу, чтобы *все* было наше. Только не говорите Илье. Кроме того, Крым всегда был наш, — я за восстановление исторической справедливости. Только не говорите Илье, не скажете?..

— Не скажу. До свидания, Софья Марковна.

— ...Не отключайтесь! — вскричала Софья Марковна. — Дайте мне еще раз Илюшу!.. Илюша!..

— Мама, — нежно отозвался Илья.

... — А мама не звонила? — оторвавшись наконец от фейсбука, спросил Илья. — Ты с кем-то разговаривала?

— С твоей мамой про свою новую книжку. Знаешь, когда выходит книжка, я начинаю думать, о чем будет следующая... У меня такое счастливое настроение, как будто начинается новое, прекрасное!

— Что новое?! Прекрасное что?! — возмутился Илья. — Счастливое настроение?! Человек несчастен большую часть жизни, ему всегда либо слишком холодно, либо слишком жарко, — в ментальном смысле, если ты понимаешь, о чем я.

— Точно. Безусловно. А Новый год? Первое сентября? Я всегда счастлива первого сентября!

— Врешь... Ты и второго счастлива, и третьего... — печально сказал Илья. — А я... много видело сердце мое и мудрости, и знанья, так предам же я сердце тому, чтобы мудрость познать, но, познав и безумье, и глупость, я узнал, что и это пустое томленье, ибо от многой мудрости много скорби, и умножающий знанье умножает печаль... Хайдеггер называет это ощущение «брошенность» или «не по себе», если ты понимаешь, о чем я.

Как признанному, публичному интеллектуалу, Илье не с руки говорить со мной об умном, со мной он говорит только о себе: о своей Я-концепции, о своей эмпатии. И все время приговаривает «если ты понимаешь, о чем я». Сова тоже все время повторяла «если ты понимаешь, о чем я, маленький Пятачок». ...Я и не заметила, как сказала «хрю», а потом еще раз, тихо, «хрю», и громко «ХРЮ».

На третьем «хрю» Илья встал и направился к выходу, обиженно бормоча «Ах вот ты как, — хрю?! ...Я пришел к тебе поделиться, обсудить, а ты хрюкаешь», а я шла за ним и виновато говорила:

— Подумаешь, хрюкнула один раз... Я очень внимательно тебя слушала, — у тебя пустое томленье и много скорби... Ничего страшного, что у тебя томленье и много скорби, это просто повышенная тревожность, — можно лечить, но можно и не лечить... ты тяжело переживаешь экзистенциальные проблемы, но ведь их нельзя разрешить по дороге домой, они требуют постоянной внутренней работы... экзистенциальные проблемы вообще нельзя решить...

— Вообще нельзя решить?.. Это хорошо, — удовлетворенно сказал Илья. — ...Может, у тебя все-таки в голове мозги?

— Нет, солома.

— Ладно, я пойду. До встречи в 21.45 на канале «СТО»... У меня вечером эфир, а я уже устал, и завтра мне опять просыпаться!.. Ненавижу просыпаться.

Илья не любит просыпаться, а я люблю. Особенно я люблю просыпаться первого сентября, — внутри меня носятся вихри счастья, как будто катер разгоняется и летит стрелой, и брызги во все стороны... Неловко перед Ильей, но во мне не только первого сентября носятся вихри счастья. И второго сентября носятся, и третьего, и каждый день. ...Может быть, Илья похож на хрупкий осенний лист, бледно усталый, безутешно погруженный в себя, потому что публичность и сериалы-стрелялки не соответствуют его типу личности? Может быть, ему нужно на время перестать быть Модным Питерским Интеллектуалом и тайным сценаристом сериалов-стрелялок и сделать что-нибудь, что приносит счастье... к примеру, написать роман. Больше всего на свете я люблю писать романы и читать романы. Моя диссертация называлась «Лирико-психологическая проза как инструмент формирования Я-концепции и эмпатии». В каждой диссертации есть пункт «научная новизна». Ученый совет не заметил, что научная новизна моей диссертации сводится к мысли «чем больше человек читает, тем умнее и добрее становится», и мне присвоили степень кандидата наук.

... — Пока ты разговаривала с моей мамой, я удалил из своей френд-ленты всех, кто за Путина и Крымнаш, — на прощанье сказал Илья. — Всех! Удалил! И еще удалю! Всех!

Илья немного перевозбужден, как ребенок на дне рождения или как генерал на передовой, стоит на решающем рубеже, отдает команды — «удалить из фейсбука!».

— Ты — генерал ФБ. Генерал фейсбука.

С Аленой.

... — Может быть, в каком-нибудь музее?.. Сейчас это модно. В Зоологическом музее, в Музее Арктики и Антарктики?

— В театральном музее, — предложила Алена.

Почему в театральном? Что это, неосознанное желание подлизаться к Хомяку?

— Не хочу больше обсуждать свадьбу. Я думаю: *мы* у них Крым забрали или они *у нас* забрали?

На первый взгляд странная мысль, но только на первый взгляд: Алена все детство провела на Украине (Аленина мама из Киева), — получается, это ее Крым. А Никита забрал. Но Алена родилась и училась в Питере, поэтому теперь она находится в затруднительном положении: что ей думать, кто *они,* а кто мы?

— Алена, не начинай... У тебя мама из Киева, а папа из Питера. Не начинай, Алена, сама знаешь, только начни, не сможешь закончить. Мир в семье, Алена. Придерживайся нейтральной позиции, Алена. ...Пусть у Никиты будет Крым, а ты... а у тебя остался дом в Валенсии.

Алена вздохнула с видом «о, это драма моей жизни».

Драма Алениной жизни: Алена с Никитой недавно развелись.

У них, конечно, бывали разногласия по поводу воспитания детей, секса, денег, ведения хозяйства на Ближней даче, ведения хозяйства на Дальней даче, но это были незначащие поводы, потому что — любовь. Алена с Никитой — самая нежная пара на свете, Алена называет Никиту «Папочка» и «Пусечка», а Никита Алену — «Мамочка» и «Мусечка». И вдруг произошло страшное: чиновникам запретили иметь активы за границей.

Алена с Никитой мгновенно развелись. Чтобы сохранить дом в Валенсии. Дом в Валенсии — это активы, счета — это активы. Спустя какое-то время власть решила, что чиновникам все же можно иметь недвижимость за границей. Но Алена-то уже развелась!

И тут случился удивительный психологический феномен.

Алена — счастливая. Она счастлива всем: Никитой, когда он был удачливым предпринимателем, Никитой, когда он был неудачливым предпринимателем, Никитой — чиновником федерального значения, счастлива своим сыном-отличником и сыном-двоечником, дачами, банями, фронтонами, грядками, античным богом. Алена — самый счастливый человек из всех, кого я знаю.

И вдруг! Как психолог я часто сталкивалась с психологическими последствиями развода: депрессия, понижение самооценки, неуверенность в себе, тревожность, страх одиночества. Но ведь *Аленин* развод был фиктивный!

Фиктивный развод очень сильно повлиял на Аленино мироощущение. В ней появилось нервное беспокойство, как будто она и правда только что развелась. Алене кажется, что их с Никитой брак теперь не совсем брак, а она сама — разведенная женщина, одинокая неудачница. Алена хочет опять выйти замуж. За Никиту. А Никита отказывается жениться. Никитин аргумент: «Вдруг опять запретят, а я ко всему готов, к любым законодательным актам».

Она могла бы — если уж для нее так важно быть в браке — однажды по дороге на дачу завести Никиту в ЗАГС и заставить расписаться в книге актов гражданского состояния. Но Алена хочет, «чтобы это был его осознанный выбор». Не разрешает мне поговорить с ним. Страдает. Живет с пониженной самооценкой. Алена уверена, что Никита не хочет жениться *на ней*, хочет быть свободным *от нее*.

Осталось добавить, что в тот момент, когда Алене ставили в паспорт штамп о разводе, она возненавидела дом в Валенсии. И с момента развода — уже больше двух месяцев — там не была. «Не могу, ненавижу, даже не хочу знать, что там с клубникой», — говорит Алена. Говорит: «Нам, русским, не нужна недвижимость за границей».

... — Ну не знаю, не уверена, что это моя позиция, — сказала Алена, — но и мир в семье — это, конечно...

Кто-то скажет: Алена — блондинка. Глупая. О, нет, Алена — крашеная. Умная, отличница. Ездила в «Артек» как отличница, пела у костра «Взвейтесь кострами, синие ночи».

С Ильей.

... — Ты читала мой пост в фейсбуке?.. Да не тот, который я утром написал, и не тот, где я пишу, что я европеец, а новый, только что написал... Читала?

— Илья! Свадьба, где будет свадьба?!

— Какая разница, где будет свадьба, все равно разведутся. Где-нибудь, неважно, любой ресторан, где два зала. Зачем два? Затем, чтобы мы с *этим* сидели в разных залах.

Конечно, Илья дружил с Никитой немного как интеллигенция с народом, свысока, Никита дружил с Ильей как народ с интеллигенцией, немного с опаской, и, конечно, они ни в чем не могли друг с другом согласиться, — если один за любовь, дружбу, жвачку, то другой против, если один против колхозов, то другой за. Но они не были *друг против друга*!

Сама с собой.

Я входила в подъезд и думала: а ведь никто, ни Илья, ни Никита, ни европеец, ни россиянин, не спросили меня: «А ты, что ты думаешь?»

Я думаю: оба хороши. Оба считают: нужен порядок, иначе наступит конец света, но для Никиты порядок — это говорить «да», а для Ильи — говорить «нет», и для обоих шаг влево — расстрел, шаг вправо — расстрел.

Я думаю... а что я думаю?..

КАК я могу думать, если они бубнят мне в оба уха: Путин-Путин, Путин — собиратель земель русских, Путин сошел с ума, Путин-Путин, Путин-Путин, путинпутин, путинпутин... А Илья еще: санкции-санкции-санкции.

— С Крымом тебя! — высунулась из своей будки тетя Катя. — Что молчишь, скажи, как положено, «и вас также». А насчет санкций — наплевать мне на санкции! А тебе, тебе наплевать или боишься?

...Тетя Катя светится счастьем, — почему?.. Тетя Катя не очень счастливый человек, у нее много бед (она мне рассказывает — у нее в семье *все* пьют, и муж, и сын, и дочь). Может быть, она притворяется перед собой, что интересуется Крымом, как будто смотрит, как полыхает пожар, на озаренные красным светом облака, *отвлекается*, и ее беды кажутся ей меньше? А то и совсем забываются.

В любом случае, она единственный человек, которому интересно мое мнение.

С Андреем.

...Андрей приехал почти ночью. *Не спросил* меня, что я думаю про Крым.

Почему он не обсуждает Крым?

— У тебя дед — моряк, и отец — моряк, Севастополь — русский город, ВСЕ обсуждают, а ты нет, почему? Мне *нужно* знать твое мнение. Ты европеец, как Илья, или россиянин, как Никита?

...Он не обсуждает, потому что у него работают люди, за которых он отвечает (в том числе украинская бригада), эти люди от него зависят, а ситуация с Крымом от него не зависит. Украинцы волнуются, собираются домой. А у одного из его рабочих-украинцев заболел сын в Харькове. В Харькове в детской больнице нет нужного лекарства, вводят заменитель с сильными побочными эффектами.

Мне показалось, Андрею *неприятно*, что ситуация с Крымом от него не зависит. Единственное, что удалось из него вытащить: Севастополь — русский город, но он бы подумал о последствиях для людей, для него страна — это люди. Не знаю, можно ли это считать мнением.

...И мне пришлось научиться разговаривать по двум линиям, потому что мои прекрасные друзья вдруг стали как Мура в детстве, *совершенно невыносимые*, все время хотели *поразговаривать*. Никита — был так счастлив, как будто приобрел Крым вместо дома в Валенсии, — о том, как он гордится Отечеством («наши геополитические интересы», «наши национальные интересы»), Илья — вел свою войну в фейсбуке, — о том, что у России нет будущего («наша бедная страна», «наши гуманистические интересы»). Не помню, чтобы когда-либо столько раз звучали слова «наш», «наша», «наши», как будто Никита плюс Илья, такие разные, вдруг стали *один народ*.

Здесь были Любовь и Дружба

Мои прекрасные друзья находятся в ссоре навсегда, и ничего тут не поделаешь. Взрослым не скажешь: «Мирись-мирись, до свадьбы не дерись», не скажешь: «А ну-ка, кто первый начал?!».

...А кто первый начал?..

Ирка.

Ирка сказала мне: «*Мы* не посвятили свою жизнь дачам, квартирам, устройству жизни вместо самой жизни. Если слишком заботиться о качестве жизни, забываешь о смысле жизни. Как будто не человек едет на «лексусе», а «лексус» едет на нем». У Никиты «лексус», и у Алены «лексус». С Иркиной стороны это не была пошлая зависть, это были размышления «правильно ли я живу?» и ответ «я живу правильно». Отчего-то эти вопросы-ответы возникли после сорока, а раньше все просто жили. Были темы, которые мы не обсуждали. Смысл жизни, деньги.

Может показаться — что это за дружба? Нормальная дружба взрослых людей.

Мы с Иркой никогда не говорили с Аленой о деньгах, потому что Никита — чиновник. Алена не может сказать: «Знаете, девочки, у нас сейчас сложности с деньгами». Никита не может назвать стоимость дома в Валенсии, это все равно что встать на стул и сказать: «Я беру взятки». Поэтому и дом в Валенсии, и античный бог, и все прочее как будто не имеет конкретного материального выражения.

Илья говорит: «Ты понимаешь, как тебе повезло? Андрей зарабатывает деньги и при этом порядочный человек, не чиновник, не берет взятки». Илья имеет в виду, что дом в Валенсии, «ренджровер» и сумка «Sonia Rykiel» не вступают в противоречие с моими культурными корнями, и я могу высоко нести знамя своей интеллигентской чести. *Могла бы* сказать «знаешь, у нас сейчас сложности с деньгами», если бы мне захотелось. Но мне не хотелось. Мы с Аленой никогда не говорили о деньгах с Иркой: у нас разный материальный уровень, совершенно противоположный.

Мы все вели себя так, как будто денег не существует: как будто дом в Валенсии упал на Алену с неба, как домик Элли в Волшебной стране, или достался ей как замок маркизу Карабасу, *по счастливой случайности*, как будто Ирка с Ильей тоже могут купить дом в Валенсии, вот только никак не найдут времени. (Домик Элли раздавил Гингему, а маркиз Карабас счастливо жил в замке, — бывает по-разному.)

Хорошо, когда каждый старается оберегать каждого и каждому есть чем гордиться. Никита гордится хозяйством, Илья происхождением из семьи с историей. Софья Марковна живет в их старой семейной квартире на Литейном. Дед Ильи, по книгам которого Никита учился в Политехе, получил охранную грамоту на эту квартиру от Ленина, но в тридцать шестом году семью уплотнили до кухаркиной каморки. «Слава богу, папочка был не настолько наивен, чтобы предъявлять охранную грамоту от Ленина, иначе Илюша родился бы в Магадане», — говорит Софья Марковна.

Квартира давно уже принадлежит Софье Марковне и Илье, но Софья Марковна по-прежнему ютится в каморке. Мечтает сделать из квартиры мемориальную квартиру своего отца, деда Ильи, по сохранившимся фотографиям воссоздает быт того времени: покупает предметы начала двадцатого века: зеркало, скатерти, лампу с зеленым абажуром. Недавно нашла комод «как на фотографии с папой», и теперь охранная грамота от Ленина хранится в комоде, в коробке из-под конфет «Белочка». Софья Марковна — романтик.

Кто первый начал?

Алена.

Алена сказала мне: «Посмотри на меня с социальной точки зрения. Я никто. Я ничего не достигла». Это был вовсе не приступ самоуничижения, а все те же размышления «правильно ли я живу?».

Я сказала: «Алена, ты достигла *всего*». Это правда! Алена — добрая, это достижение.

Никита сказал мне: «Илью приглашают на светские тусовки, на мероприятия, все хотят узнать, что он думает о... обо всем. Меня никто ни разу не спросил, что я думаю о том о сем. Никому не интересно, что я думаю. Илья считает, что я не совершил ничего значительного и вообще тупой».

Если человек хотел быть чиновником, то зампред не помню чего — это свершение. Тупой человек не чувствует, что к нему относятся снисходительно, Никита не тупой.

Это я тупая. Они говорили *мне* — а я думала: «Ерунда, кризис среднего возраста, кризис идентичности, пройдет, и все будет как было». ПОЧЕМУ НЕЛЬЗЯ, ЧТОБЫ ВСЕ ОСТАВАЛОСЬ КАК БЫЛО? Может быть, люди, как леопарды: с возрастом пятна проступают все ярче?

Ну, и мы все вместе встречались все реже. Я думала, что мои прекрасные друзья просто не совпадают между собой — то Алена с Никитой на даче, то Ирка с Софьей Марковной в театре, а у Ильи прямой эфир.

Мы встречались все реже и реже, но для того, чтобы официально прекратить отношения, нужен повод, который можно объявить ссорой навсегда. Последний раз мы сидели за одним столом год назад. И тут трудно сказать, кто первый начал, — можно считать, что Никита, а можно считать, что Илья.

Мы праздновали выход нового сериала Ильи. Смотрели первую серию. Никита очень любит сериалы Ильи, может сказать, кто в кого в каком сериале стрелял. Илья говорил «вот видишь, какое дерьмо ты любишь», и это было весело, — он упрекал Никиту в том, что тот любит кино его же собственного производства.

Но в этой первой серии все было не как всегда. Никита смотрел-смотрел первую серию, недоуменно поглядывал на Илью, морщился, как ребенок, который думал, ему кладут в рот леденец, а оказалось маслину, — и сказал «что за дрянь ты снял?». Неприлично, конечно, но я тоже ребенком не любила маслины. Никита первый начал.

Но Илья тоже первый начал. Он всегда говорил, что жизнь лишена смысла, а два года назад начал говорить, что *его* жизнь лишена смысла, что он в своем возрасте хочет снимать настоящее кино, а пишет одинаковые сценарии стрелялок пропитания ради... и вместе с режиссером попытался сделать из стрелялки настоящее кино, чтобы были как бы менты, а на самом деле артхаус.

Никита сказал: «Дрянь». Илья сказал: «Дрянь?! Это кино не для тебя. Это настоящее кино, а не жвачка для целевой аудитории. Ты — целевая аудитория для жвачки». Никита сказал: «А ты — сценарист жвачки». Алена сказала: «Ах, вот как?!» Ирка сказала: «Да, так». ...Разошлись, не попрощавшись.

Сериал даже не успел провалиться, канал снял его с показа. Для Ильи это была трагедия: растоптанные надежды о настоящем кино, кроме того, продюсер орал на них с режиссером «я вам доверял, а ВЫ ЧТО СНЯЛИ!» и не позвал Илью в следующий сериал. У Ильи и без того не всегда есть работа, а тут еще продюсер рассердился. Как Публичный Интеллектуал Илья очень успешен, но как сценарист стрелялок зарабатывает много больше. Никита теперь называет Илью «сценарист жвачки». Говорит «страдать страдает, а деньги за свою жвачку берет», говорит «с деньгами страдать легче». Это несправедливо: деньги за стрелялки Илья отдает Софье Марковне для создания мемориальной квартиры своего деда. Илья, как и Софья Марковна, романтик.

История с провалившимся сериалом была для Ильи очень обидной. В *очень обидной обиде* смещается прицел: вместо того чтобы смертельно обидеться на канал или на продюсера, Илья обиделся на Никиту. За то, что он *любит* его стрелялки. В психотерапии это называется перенос: перемещение чувств с реального объекта или бессознательных образов на объект-заместитель. Одна моя знакомая простила мужа, который ей изменил, но не простила близкую подругу, которая помогала ей пережить измену. Вот и Илья — прежде он думал, что все впереди, а теперь понял, что впереди — стрелялки, и ни за что не простит Никиту за свои растоптанные надежды. Чем громче кричит уязвленное самолюбие, тем более несправедливый перенос.

Илья сердится на Никиту за то, что он — сценарист стрелялок. Никита сердится на Илью за то, что никто не спрашивает его мнения о культуре и политике. Алена сердится на Ирку за то, что ее жизнь проходит на дачах, посреди грядок, впустую (я так не считаю). Ирка сердится на Алену за то, что у нее нет дачи. Все это выглядит крайне нелогичным, но на самом деле очень *логично*: каждый вдруг заподозрил, что живет неправильно. И начал мысленно защищать свои ценности, — а некоторые *начали вслух*. И что же делать, когда каждая встреча вызывает вопрос, правильно ли ты живешь? Это больно, и в какой-то момент не захочешь причинять себе боль. И нужно как-то на этот вопрос ответить... как? Каждый человек подсознательно стремится к successful identity, каждому хочется считать, что он *молодец*, поэтому каждый отвечает: я живу правильно, а другие неправильно.

Я, как и все, стремлюсь к успешной идентичности. Считаю, что я живу правильно. Вот пример: на прошлой неделе Алена собиралась лепить пельмени. Поручила мне купить мясо трех сортов: свинину, баранину и говядину. И вот — Алена уже сделала тесто и вся в муке и улыбке повернулась ко мне со словами «давай свое мясо, я буду делать фарш», и я отдала ей пакет с фаршем. Я хотела упростить задачу и вместо мяса купила в магазине готовый фарш; *я живу правильно*: готовый фарш *лучше*. Я же не виновата, что купила рыбный фарш.

Моей successful identity не мешает осознание, что кто-то превосходит меня: Марфа по своим нравственным качествам лучше меня, Ирка-хомяк худее меня, профессор филологии чаще читает Гаспарова, чем я, в сравнении с Аленой я ничто как кулинар. Но чувство юмора у меня лучше, чем у Алены: я смеялась над рыбным фаршем для пельменей, а Алена нет. Алена сердилась, намекала, что дыхание человеческой мысли проявляет себя в способности различать добро и зло, уродство и красоту, рыбу и мясо. (Я *умею* различать рыбу и мясо!) ...Вот что по-настоящему печально: Ирка-хомяк с Ильей любят Аленины пельмени больше жизни, но теперь из-за successful identity вынуждены покупать пельмени «Дарья», а это *совершенно не то*.

Все окончательно безнадежно. Будь это межличностный конфликт, конфликт интересов или ценностей — если бы мои прекрасные друзья поссорились из-за политики, денег или кому мыть посуду, — можно было бы приводить логичные аргументы, неотразимые доводы, рационализировать эмоции, сказать «мирись-мирись, до свадьбы не дерись!». Но это не межличностный, а *внутриличностный конфликт* каждого из моих прекрасных друзей: и Ильи, и Никиты, и Ирки, и Алены.

Зачем мои прекрасные друзья задумались о смысле жизни? Железный Дровосек говорил: «Мозги не приносят счастья».

ЛУЧШЕ БЫ МЫ ВООБЩЕ НЕ ДУМАЛИ ПРОСТО ЛЮБИЛИ ДРУГ ДРУГА И ВСЕ

С Викой.

...Дома? Свадьба дома?

Вика сказала: «Дома».

Дома тоже памятное место. У нас Андреем была свадьба дома.

Невеста: клетчатые штаны до колен, черный свитер. Жених: джинсы, легкая вчерашняя небритость. Мы забежали в ЗАГС на Невском по дороге на работу, — Андрей хотел расписаться в бумажках и убежать на работу. Расписались в бумажках, убежали, на улице спохватились, что потеряли свидетельство о браке, вернулись в ЗАГС, подняли с пола свидетельство о браке, поцеловались на Невском, разошлись, он на работу, я — купить докторскую колбасу и картошку для уютной домашней свадьбы для самых близких друзей.

Андрей не присутствовал на свадьбе. Сорок моих самых близких друзей так веселились, что не заметили, что у нас уютная домашняя свадьба без жениха. Поздно вечером, когда Андрей наконец пришел, сорок моих самых близких друзей удивились: кто этот, никому не известный новый гость, скромно примостился на краю стола, такой потрясающе красивый, мужественный, усталый, похожий на героя в советском кино, — комиссар, председатель колхоза, военврач? Андрей тоже был удивлен: почему у меня оказалось сорок самых близких друзей? ...Почему-почему, потому что с возрастом друзей становится меньше. Остальные мои близкие друзья к тому времени уже улетели в другие страны... Мура провела большую часть времени под столом, кусала гостей за ноги. Это была хорошая свадьба.

«...Знаешь что? У Муры есть отец, — сказала Вика. — Как Андрей скажет, так и будет».

Да, верно. Предложу ему несколько вариантов на выбор: «Астория», «Европейская», «Метрополь», новый модный ресторан, дома.

Кстати, деньги тоже имеют значение:

— «Метрополь» — 60 евро с человека без алкоголя,

— новый модный ресторан — 55 евро с человека без алк.,

— дома — цены в рублях,

— «Европейская» — 100 евро с человека без алк.,

— «Астория» — бюджетный вариант, 95 евро без алк.

Наверное, все-таки «Европа» (дороже всего). Или «Астория» — это все же бюджетный вариант. Или «Европа». В банкетном зале «Астории» нет окон, это минус. Можно выйти на Исаакиевскую, это плюс. Я не люблю Исаакиевскую, это минус.

...Пусть решает Андрей. Как Андрей скажет, так и будет.

Андрей сказал: «Просто скажи, сколько я должен».

...«Сколько я должен»?! Как будто мы у стойки в кафе! Кажется, он не хочет принимать активного участия в свадьбе. Не могу поверить, что его не интересует ни меню, ни украшение зала, ни даже будет ли у Муры фата.

Суббота, 8 марта. Позор в прямом эфире

Три часа ночи

Проснулась с мучительной мыслью: как мне быть с Крымом?

Обычно у меня есть мнение по любому поводу, — а если и нет, то меня не волнует, что его нет. Почему же я просыпаюсь каждую ночь и думаю, *что я думаю*? Илья — европеец, Никита — россиянин, Андрей работает, а я, где мое *свое мнение*?

В самых затруднительных случаях нужно использовать Гарвардскую методику принятия решения, и сейчас я так и поступлю. Перечислю все аргументы «за» (и все аргументы «против»), каждому — каждому! — аргументу присвою некое количество баллов, подсчитаю... затем сформулирую все — все! — последствия, еще раз подсчитаю... очень сложно, но решение выходит *обдуманное*.

...Приму решение по Гарвардской методике (сокращенно). Сама задам себе вопросы и отвечу честно. Без оглядки на Илью. (Илья говорит: «Все порядочные люди должны быть против», но я *знаю* много порядочных людей, которые «за».)

Почему Илья говорит мне, *что* я должна думать?! У меня есть *свое мнение*, вернее, сейчас я его наконец-то сформулирую при помощи Гарвардской методики.

Итак, считаю ли я (отвечать честно!), что Крым наш?

...Весь народ выбрал имперские, государственные интересы, — у народа есть инстинкт национального самосохранения, весь народ *знает, что делает*. Это аргумент «за».

...Весь народ не знает, что делает, весь народ *глупый*?.. Ну, а Пушкин? Пушкин был на стороне имперских интересов («Клеветникам России», «Бородинская годовщина»). Это аргумент «за».

...Вот я, сижу за первой партой, пишу чернильной ручкой «широка страна моя родная», в той стране — наш Крым: башня из песка, ракушки, утром занять лежак на пляже, обгорели — намазались, «ты перекупался, быстро выходи!». Весь народ скрипел чернильной ручкой «широка страна моя родная». Это аргумент «за».

...Восстановить историческую справедливость — это аргумент «за».

...Быть сильным — это аргумент «за».

...Но *взять чужое*... Мы же договорились, что Крым *не наш*. Жалко ужасно, но *мы договорились*. Это аргумент «против».

...Тем более *взять у слабого*. Это аргумент «против».

...Нарушать договоренности — дурной пример. Если нарушать договоренности, можно дойти до чего угодно. В большом мире и в маленьком мире, нашем. Во дворе нашего дома идет борьба между кланами за парковку машин, и тот клан, кому она прежде принадлежала, вывесил объявление: «Вернули Крым, вернем и парковку!» А если кто-то в пылу борьбы за возвращение парковки стрельнет рогаткой из окна? Почему-то теперь каждому агрессивному кажется, что ему все можно. Но что тогда может случиться в большом мире?! Это аргумент «против».

Итак. Вот мое обдуманное решение по Гарвардской методике: с одной стороны... с другой стороны, конечно...

...Хорошо, что я не такая известная персона, от которой требуют «подпишите то, скажите это», хорошо, что *меня никто не спросит*. Завтра (нет, уже сегодня!) я иду на передачу «Женский клуб», это *женская* передача, посвященная Восьмому марта, на тему «Как быть счастливой». Ведущий и радиослушатели спросят, как именно быть счастливой, и тут мне есть что сказать.

...Вечером, после передачи

Интересно, как долго передачи хранятся в архивах? Год-другой или вечно?..

На передаче «Женский клуб», посвященной Восьмому марта, мы с ведущим мирно обсуждали, чем женское счастье отличается от мужского, — и вдруг один чересчур политизированный радиослушатель (зачем, зачем врываться в передачу о женском счастье с такими вопросами?!) спросил меня, стала ли я счастливей оттого, что у нас есть Крым, и «вообще хотелось бы услышать *ваше личное мнение* по проблеме Крыма». И теперь запись моего позора сохранится навеки, по крайней мере на год-другой.

Я покраснела, привстала, приняла решительную позу (хорошо, что это не останется в архивах) и сказала:

— Я, как вся либеральная интеллигенция...

Немного подумала и сказала:

— Я, как весь народ...

И, вдруг рассердившись, сказала:

— Нет! *Я как я*... — И быстро перечислила свои аргументы «за» и «против». И затем сказала: — Думаю, медвежонок. ...Собачка, кот. Ядовитые цвета не подходят.

Ведущий заметил: «Наша гостья устала» (эвфемизм, обозначающий, что гость лишился рассудка в прямом эфире?).

Оказалось, что мое личное мнение не попало в прямой эфир: принимая решительную позу, я смахнула с себя микрофон. В эфир попала только фраза «...медвежонок. ...Собачка, кот. Ядовитые цвета не подходят». Получилось, что на вопрос «ваше личное мнение» я ответила сначала долгим молчанием (как будто у меня нет моего личного мнения), затем странной фразой про животных (как будто я идиот, не понимаю обращенных ко мне вопросов и думаю, что нахожусь на передаче «Ребятам о зверятах»).

— Наша гостья *сейчас попрощается* с радиослушателями, — сказал ведущий.

На этом передача закончилась, и я не успела объяснить, что имела в виду. Моя идея в том, чтобы всем поставить на телевизор любимую плюшевую игрушку. Чтобы, когда смотришь новости, иногда переводить взгляд на нее. Бабушкины фарфоровые слоники, любимый елочный шарик, мамина вазочка, шкатулочка из детства, — у кого что есть, кому что дорого, но лучше плюшевую игрушку. Ведущий (после эфира мы с ним обсудили мою идею) согласен, что при взгляде на мягкие игрушки *пушистеешь*.

А я уже начала злиться, и на всю либеральную интеллигенцию в лице Ильи (чересчур самонадеянно считать свой личный выбор билетом в порядочные люди, знаком ума и нравственности, ну нет!), и на весь народ в лице тети Кати (на фоне пожара собственные беды меньше), — я *уже начала злиться*. Мне нужно поставить на компьютер медведя (я новости смотрю в Интернете)... да, медведя, есть у меня один, в красных штанах, с *очень доброй мордой*.

Пятница, 14 марта.
Прием Наших Новых Родственников

Капусту положить в кипяток, варить пять минут, затем отбить до мягкости. Мякиш хлеба измельчить, залить теплым молоком и перемешать. Когда масса слегка остынет, добавить взбитые яйца, тертый сыр, соль, перец и тщательно перемешать. На каждый капустный лист положить подготовленный фарш и завернуть в виде конвертика. Подготовленные голубцы перевязать ниткой и запечь в духовке, залив соусом. Приготовление томатного соуса: очищенные помидоры нарезать кубиками, пассеровать на маргарине, добавить томатную пасту, тимьян, сахар, соль и прогреть. Затем влить концентрированное молоко и прокипятить в течение 5 минут. Закрепить каждый голубец деревянной шпажкой.

Прием Наших Новых Родственников завтра.

Ох, уже завтра... Главное блюдо — итальянские голубцы в томатном соусе.

От голубцов зависит:

— Муркина жизнь в браке. У детей меньше поводов обсуждать, чья мама ужасней, если родители дружат. Они смогут обсуждать, что обе мамы ужасны;

— моя жизнь в Муркином браке. Дело в том, что я по уважительным причинам не хочу сидеть с Муркиными детьми: я отвыкла от младенцев и мне лень. Но если мы с родителями Павлика станем друзьями, то дело будет в шляпе: мама Павлика погуляет с детьми и сварит детям бульон, а я приду почитать им «Винни-Пуха», «Карлсона»... и «Мэри Поппинс» можно почитать, и «Алису», и Тургенева я давно не перечитывала. Муркины младенцы — это хороший повод перечитать старое любимое, летом «Обрыв», зимой «Обломова», Лескова я бы перечитала, Чехова. Конечно, лучше было бы читать младенцам не вслух, а про себя.

Мурка с Павликом не приглашены на прием. Взрослые без детей чувствуют себя более раскованно. Я смогу вообразить, что родители Павлика не мои новые родственники, в чьей компании я буду вынуждена сидеть с внуками, а новые приятели Хомяка, с которыми у меня не будет ни общего бульона, ни общих внуков, — и почувствую себя более раскованно.

Поэтому — голубцы. Не только эскалопы по-болонски, карпаччо из клубники с пармезаном и ньокки под соусом из спаржи, а еще итальянские голубцы в томатном соусе. Все это приготовит Алена. Алена ездила в кулинарный тур в Италию учиться у итальянских поваров.

На приеме Наших Новых Родственников, невзирая на ссору навсегда, будут мои прекрасные друзья: Ирка-хомяк с Ильей и Алена с Никитой.

Тут вот в чем дело:

— не могу принимать Наших Новых Родственников одна, без моих прекрасных друзей, мне необходима поддержка,

— не могу принимать Наших Новых Родственников с кем-то из моих прекрасных друзей, выберешь одних, другие насмерть обидятся,

— белые крысы.

Я считаю, в вульгарном бихевиоризме много хорошего: чем анализировать подсознание человека, лучше создать условия, когда он будет вести себя так, как нужно. Эксперименты с белыми крысами, подтверждающие эту теорию, кажутся мне убедительными: белая крыса всегда бежит по лабиринту направо, к сыру, и никогда не бежит налево, где однажды получила удар током. Мы тоже всегда бежим к сыру и не хотим получить удар тока по лапам. На приеме Илья с Иркой и Никита с Аленой будут вынуждены вести себя как будто они близкие друзья, — *а притворяясь кем-то, мы становимся этим кем-то.* Мы все ведем себя как белые крысы, как Лев Евгеньич: утром притворялся, что составляет мне компанию за завтраком бескорыстно, и так вошел в роль, что украл лишь один сырник, а другой оставил мне.

Как мне удалось добиться от моих навсегда поссорившихся друзей согласия прийти на прием Наших Новых Родственников? Очень просто. Хитростью.

Илья оказался чувствителен к методу медитативного погружения. Когда-то давно один психодилетант применял ко мне метод медитативного погружения, чтобы я бросила курить: выл замогильным голосом: «Ваши руки тяжелеют, ваши ноги тяжелеют» и вдруг резко рявкнул: «Курить НЕЛЬЗЯ!». Вот и я: долго погружала Илью в транс разговорами о его идентичности и вдруг рявкнула: «В субботу в семь!». «Лежа», — из транса сказал Илья. Илья хочет принимать Наших Новых Родственников лежа, чтобы все мы сидели за столом, а он лежал за столом. Договорились, что придвинем стол к дивану.

Алена и Ирка-хомяк придут, потому что «*рядом с тобой в такую важную минуту должна быть самая близкая подруга*». Хомяк принесет кузнецовский сервиз моей бабушки. Я подарила Ирке сервиз на свадьбу с Ильей: тарелки, супницу, блюдо для жаркого, блюдо для рыбы, селедоч-ницу, салатницы, а соусники потерялись. Ирке пришлось долго разыскивать соусники в моем буфете, в кладовке, пока весь сервиз не оказался у Хомяка. Торжественный Прием Наших Новых Родственников станет еще более торжественным.

Я не помню, как добилась согласия от Никиты... кажется, просто попросила.

Все придут, как в старые времена! Я взяла слово с моих прекрасных друзей, что на приеме никто не станет касаться: политики, геополитики, оборотней, европейских ценностей, кинематографа.

...Итак, голубцы. Голубцы Алена будет делать при гостях. Готовить основное блюдо при гостях модно и подходит к случаю: если родители Павлика окажутся неприятными людьми или нам не о чем будет поговорить, мы сможем вместе наблюдать за Аленой и комментировать ее действия.

Вечером с девочками, естественно с каждой в отдельности, обсудили подробности приема, кто за что отвечает.

Ирка-хомяк — кузнецовский сервиз, шоколадный торт из театрального буфета.

Алена — эскалопы по-болонски, карпаччо из клубники с пармезаном, ньокки под соусом из спаржи, фарш для голубцов.

Я — капуста.

Мне Алена велела купить капусту. Сказала: «Мне от тебя больше ничего не нужно». И через минуту перезвонила: «Капуста отменяется. Я не могу тебе доверять».

Ах-ах, какой пафос! Алена не доверяет мне купить капусту!.. И тут есть место для горьких размышлений. О человеческой природе, об умении прощать, о рыбном фарше.

Все люди ошибаются! И даже Алена, такая безупречная, ошибается! Кто поехал в кулинарный тур в Италию учиться у итальянских поваров? Кто только в Италии сообразил, что это не кулинарный тур, а гастрономический? Кого возили из города в город и кормили, кормили... паста, пицца, брускеты, карпаччо, ньокки? Кто после этого приветливого тура поправился на пять килограммов, возненавидел итальянскую кухню и только сейчас возвращается к голубцам в томатном соусе? Во время гастрономического тура Алене рассказали, что, когда покупаешь продукты и готовишь, нужно с любовью думать о людях, которые будут есть твою еду, — с любовью, а не с мыслью «все сожрут за пять минут, а мне мыть посуду». А я, видите ли, с любовью думаю только о сюжетах и персонажах, поэтому мне нельзя доверить даже капусту!

— Алена, как ты относишься к Макаренко? Никак не относишься? Макаренко не напоминал беспризорникам об ошибках прошлого, он исправлял их *доверием*. И трудотерапией. Разреши мне купить фарш в качестве трудотерапии. Не разрешаешь? Хорошо. Допустим, ты права и я не могу рассчитывать на фарш, но на капусту?! Разреши мне купить капусту.

— Ну... Давай попробуем начать с капусты... Ты знаешь, как правильно выбрать белокочанную капусту? Ты должна купить ярко-зеленый крепкий плотный кочанчик. Большие кочаны горчат, чем мельче кочанчик, тем лучше. Но совсем маленькие кочанчики не подойдут из-за размера листьев. Поняла?

— Поняла. Большой кочанчик, но маленький в разумных пределах. Какие пределы кочанчика ты считаешь разумными?

Алена передумала меня прощать. Ярко-зеленый крепкий плотный кочанчик перепоручен Алениной домработнице. Ну, и пожалуйста, им же хуже. Тем более мне не до кочанчиков. Я очень волнуюсь. Завтра я увижу бабушку и дедушку моих внуков.

...Посмотрю перед сном рейтинги продаж. Не то чтобы я так тщеславна, чтобы смотреть рейтинги продаж целыми днями, — я выше такой суеты, просто иногда, несколько раз в день, заглядываю на все книжные сайты. Впервые моя книга имеет такой успех! Может быть, читателей привлекает название «Дневник сорокалетнего мужчины», а может быть, читатели открывают книгу в магазине, начинают смеяться — и покупают. «Дневник» на первых местах в рейтинге продаж!

Спокойной ночи, дорогая я, так умно придумавшая превратить глупое натужное мероприятие «знакомство родителей» в дружескую вечеринку в теплой неформальной атмосфере. Завтра будет теплый розовый вечер. Наши Новые Родственники, увидев моих прекрасных друзей, восхитятся нашей прекрасной дружбой — и станут нашими новыми друзьями. А у моих внуков будет бульон.

Суббота, 15 марта.
Всем хочется чего-то другого

Розовый вечер?.. Как бы не так! Мои прекрасные друзья на других посмотрели и себя показали. С неожиданной стороны. В этот вечер как будто приоткрыли бутылку, где прячутся злые духи. В этот вечер все вдруг захотели чего-то другого, чего у них нет.

Почему? Случайные подземные толчки? Рассеянный в воздухе кризис среднего возраста? Или просто иногда случаются нервные, чего-нибудь — другого — хотящие дни?..

Представьте большую квадратную прихожую в Толстовском доме. Я как хозяйка дома — мать невесты с приятной улыбкой, переходящей в напряженную гримасу, давно уже переминаюсь у двери. Хомяк как лучшая подруга переминается рядом. ...Звонок! Вот они, мои бабушка и дедушка, то есть бабушка и дедушка моих внуков. Бедные, стоят там за дверью, волнуются, конечно, — тоже не хотят сидеть с Муркиными детьми.

— Открывай, — зашипела Ирка.

— Замок заедает, — прошипела я. Открыла дверь.

На лестничной площадке Зимний дворец. Построен Растрелли в 1754-1762 годах в стиле елизаветинского барокко с элементами рококо в интерьерах, имеет форму каре из четырех флигелей с внутренним двором и фасадами, обращенными к Неве, Адмиралтейству и Дворцовой площади, во дворце 1084 комнаты, 117 лестниц, — я помню это с тех пор, как водила экскурсии в Эрмитаже. Мы с Хомяком из прихожей увидели дворец со стороны главного фасада, через арку проглядывал внутренний двор.

Торт! Никогда не видела торт, в который можно было бы зайти. Зайти в торт, подняться по Иорданской лестнице и дальше — Фельдмаршальский зал, Петровский зал, Гербовый... хотя я так никогда не хожу, я сначала иду к испанцам и долго стою у «Петра и Павла». Когда я водила экскурсии, то врала туристам, что у нас в Эрмитаже одна из самых больших коллекций испанской живописи вне Испании, вообще все время намекала, что «у нас в Эрмитаже все лучше всех».

Четверо мужчин внесли Зимний дворец в прихожую и исчезли.

На пороге гости, гость и гостья.

— Добрый вечер! Я... — начала я, но не успела назвать свое имя. В прихожую вылетела Алена, распаренная, злая, вся в муке, с криком «Ты бестолочь!».

... — Ой, простите, я не знала, что вы уже тут... Просто эта бестолочь купила неправильный кочанчик! Я знала, что ей нельзя доверять, но моя домработница заболела... Еще раз извините.

Несветский человек отличается от светского тем, что простодушно сообщает о своих проблемах. Объясняет свои промахи. Извиняется, вместо того чтобы настоять на своем промахе чем-то вроде «проходите, через некоторое время вам станет ясно, что она бестолочь». Еще раз извиняется. Алена совершенно несветская.

— Красивый торт, — вежливо сказала Ирка-хомяк. — Я Ирина, актриса у Додина, в последнем спектакле у меня э-э... неплохая роль.

Вот Хомяк — светский человек. Светский человек ни при каких обстоятельствах не выглядит озадаченным, не показывает виду, что ему не съесть такой огромный торт, и не спрашивает, из чего крем. Произносит «я Ирина» так уверенно, как будто все знают ее и ее роль.

— Я — мама Муры, — сказала я.

Что я говорю?! Почему меня зовут Мамамуры? Как будто я на елке в детском саду знакомлюсь с другими мамами, и у всех отнялся разум, и все представляются по именам детей. И гостья сейчас ответит: «А я Мамапавлика, а это Папапавлика».

— Тата, генеральный директор компании «Марина», официального дилера компании «Катера и яхты» в России, — представилась гостья.

«Она мне не нравится!» — глазами сказала Ирка-хомяк. «Нельзя сразу же говорить себе *плохое*», — глазами сказала я. «Себе нельзя, но тебе-то можно. И не ври, что она понравилась тебе с первого взгляда!» — глазами сказала Ирка.

А я и не вру. С первого взгляда мне нравятся только мужчины.

— Ну, сватья, будем знакомы, я Игорь Юрьевич, — представился гость.

Стыдно признаться, я пока не испытываю к Нашим Новым Родственникам родственных чувств. Почему Тата, а не Таня? Почему Игорь Юрьевич, а не Игорь? Почему Тата в «Armani», я не люблю «Armani» за то, что их самый большой размер сороковой. Что же касается Игоря Юрьевича, не могу сказать о нем ничего, кроме хорошего: хороший костюм, хороший галстук, хорошие очки. Почему я *сватья*, это просторечие... Почему Наши Новые Родственники такие *взрослые*? ПОЧЕМУ ЛЮДИ НЕ НРАВЯТСЯ ДРУГ ДРУГУ БОЛЬШЕ, ЧЕМ НРАВЯТСЯ?

После нескольких минут неловкого топтания присутствующие распределились по квартире: Зимний дворец в прихожей, Алена на кухне, остальные в гостиной. Илья — полулежа на диване, как одалиска Энгра, отстраненный и томный. Никита — мрачно набычился. Ирка — актриса э-э... неплохой роли у Додина. Игорь Юрьевич (будущий дедушка моих внуков). Бабушка Тата, генеральный директор компании «Марина», официального дилера компании «Катера и яхты» в России. Мамамуры.

Илья поприветствовал гостей, опустился на диван и начал потихоньку клониться набок. «Пожалуйста, только не сейчас!» — взглядом попросила я. Но даже тонкие, нежные душой, как Илья, мужчины не понимают испуганно вскинутый взгляд «пожалуйста, только не сейчас!». Оставив всякое стеснение, Илья кульком повалился набок, прикрыл глаза. Никита немедленно навис над диваном в позе боксера, с красным, будто распаренным лицом, заклокотал агрессивно: «Обществу нужны духовные скрепы, а *некоторые* против религии, семьи и школы...» Илья, не открывая глаз, вяло отмахнулся: «Дать бы *кое-кому* духовной скрепой по тупой башке». Ну... для начала неплохо. Илья с Никитой выполняют свое обещание не говорить о политике и о геополитике: не разговаривают друг с другом, каждый говорит сам с собой.

— Покину вас на минутку, — светски сказала я и отвернулась с телефоном, как будто мне нужно позвонить. Почувствовала срочную необходимость посмотреть рейтинги, чтобы перестать нервничать, набраться уверенности в себе.

И вот: в нашем Доме книги второе место после Акунина, в магазине «Москва» третье место после Акунина и Донцовой, — ох! Счастливые пузырьки забурлили во мне так сильно, что вырвались наружу, и я неожиданно для себя громко сказала «Р-р-р-р!», и еще раз «Р-р-р-р!».

— С вами все в порядке? — поинтересовалась Тата, посмотрела холодно, возможно, ей не нравятся рычащие сватьи.

На самом деле я знаю, почему *люди не нравятся друг другу больше, чем нравятся*. Когда мы с Викой смотрим друг на друга, каждая из нас видит себя, как в зеркале, — девочку с книжкой и с линейкой для измерения носа. Когда я смотрю на Алену, я вижу Алену — университетскую красавицу — спортсменку — отличницу... а Тата с Игорем Юрьевичем видят толстую крашеную блондинку. Когда я смотрю на Никиту, я вижу, как он взлетает по трубе на третий этаж роддома, нянечка пихает его из окна шваброй, как навязчивую кошку, и он кричит «Але-ена!», ловко уворачиваясь от швабры, — а Тата с Игорем Юрьевичем видят пыхтящего краснолицего дядьку с животом. Мы чужие взрослые, не видим друг друга *по-настоящему* и от этого друг другу не нравимся. По очереди посылаем друг другу негативные сигналы. А ведь если мы делаем козью морду, козья морда возвращается к нам с еще более угрожающим выражением. В своей неприязни мы с Нашими Новыми Родственниками можем встать на скользкую дорожку и дойти по ней до опасной черты — мне придется сидеть с Муркиными детьми одной.

Чтобы не сидеть с внуками одной, быстро представила Игоря Юрьевича в сером костюмчике с гладиолусами в руках первого сентября, учительницу опасается, хочет играть в футбол, и Тату — у нее низкий голос, какой почему-то часто бывает у невысоких хрупких женщин, — на уроке пения, поет детским баском «То березка, то рябина...».

Хорошие дети. Я улыбнулась Нашим Новым Родственникам, и они осторожно улыбнулись мне: если мы посылаем позитивный импульс, к нам возвращается позитивный ответ. Как правило.

... — За знакомство! — сказал Никита, и все чокнулись Иркиным компотом.

Это была ошибка — поручить алкоголь Андрею. Виски для Ильи, водку для Никиты, красное вино для Хомяка, мартини для Алены, а вкусов гостей мы не знаем, — из магазина «Ароматный мир» напротив дома. Алкоголя нет, Андрея тоже нет.

Я вышла из-за стола, как будто мне нужно в туалет, — проверить, не изменились ли рейтинги, и позвонить Андрею.

Я вышла как будто в туалет, — посмотреть рейтинги. Ура, ура, я по-прежнему на первых местах! Позвонила Андрею — сказать, что я на первых местах! И мои счастливые пузырьки как будто кто-то залил водой, и обида затяжелела внутри и поднялась в горло так, что затошнило... Ведь все, что я делаю, я делаю для него! Чтобы он сказал «молодец», или «здорово!», или «ну надо же, кто бы мог подумать», не обязательно словами, можно взглядом или каким-нибудь подарком... А он сказал «у меня работа».

— У меня работа.

— Где ты? Где ты, где ты, где ты?! Когда ты придешь?!

— Когда справлюсь.

Придет, *когда справится*? Как будто ему поручено копать от обеда до забора, и он не знает, *где* этот забор.

— У кого-то опять что-то случилось? Кто на этот раз — водитель, бригадир, третья жена бригадира?! — шипела я в телефон. — Ты хочешь быть лордом, отцом для крестьян и солдат, для водителей и бригадиров, а я принимаю Наших Новых Родственников одна!

КАК жить с человеком, у которого адрес подвига — везде?

Я вернулась к гостям. В комнате висело гробовое молчание: мои прекрасные друзья не разговаривают друг с другом.

...Почему бы не завести какой-нибудь общий милый разговор?

— Сегодня Путин... — начал Игорь Юрьевич, протянув руку к карпаччо из клубники.

— Нет! Нельзя! Про Путина нельзя!.. — Я взвыла, как героиня фильма «Москва слезам не верит»: «Не-ет! Мне рыбу нельзя!».

Игорь Юрьевич вздрогнул, уронил на стол карпаччо.

— Мы не говорим о политике. У нас нет политических взглядов. Про Путина — нельзя.

Игорь Юрьевич подобрал со стола карпаччо и обратился к Никите:

— Что слышно в коридорах нашей питерской власти?..

Мужчины как-то умудряются *представиться,* — я и не заметила, что Никита успел назвать свою должность. Мужчины как-то умудряются *запомнить*, кто есть кто, а я не уверена, что смогу правильно назвать Никитину должность: вице-губернатор, председатель земного шара или Союзпотребпушнины.

— Простите, мы не говорим о нашей питерской власти, — сказала я, — мы *не* говорим о чиновниках, о коррупции. Нельзя.

...Тата рассказала о своих домах в Вене, Ницце и Лондоне, это было не хвастовство, а радостное изумление. Их жизнь начиналась в углу, — они с Игорем Юрьевичем сни-

мали угол, мечтали о докторской колбасе, затем снимали
однокомнатную квартиру на Гражданке, а теперь у них дома
в Вене, в Лондоне, в Ницце. Тата рассказывала — смотрите, что было, а что стало! — и мы радовались вместе с ней,
только на лице Ильи было выражение Иа-Иа — «все это
вызывает, конечно, радость, но не *такую* радость». Никита хозяйственно сказал «много домов — много проблем».
Тата радостно согласилась — да, есть проблемы, в Ницце
плохо растут глицинии, в лондонском доме плохо перестро-
или кухню, в Вене что-то с канализацией.

В ней чувствуется сильный характер, цепкий ум, умение
четко мыслить и решать проблемы. Я бы запуталась в
стольких домах, стояла бы в аэропорту и думала: «Господи
боже мой, где у меня канализация, где глицинии? А ведь у
меня, кажется, есть еще бизнес, катера и яхты, или, может,
сеть цветочных магазинов?» У Таты, в отличие от меня, есть
биография. Тата боролась, добивалась, а я что? Родилась в
Толстовском доме у мамы с папой на виду и живу, как рас-
тение мимоза в ботаническом саду. И я мысленно произносила уничижительное *про себя* «только он глаза откроет,
ставят градусник ему, обувают, одевают и всегда, в любом
часу, что попросит, то несут», и дело уже начало клониться
к голубцам, как вдруг... Как вдруг я заметила, что Алена
плачет. Не слезами, конечно, а так, в душе.

— Простите, Тата... Мы не говорим о недвижимости за
границей, — сказала я.

Ирка-хомяк и Илья удивленно на меня посмотрели —
мы не говорим о недвижимости за границей?

Они не знают об Аленином разводе из-за дома в Валенсии, никто не знает о драме Алениной жизни, кроме меня.

... — Простите, Тата, мы не говорим о недвижимости за
границей, — сказала я.

— Вы не говорите о политике, — напомнила Тата.

— Да. Вот именно. О политике и о недвижимости за границей. Нельзя.

— Про Путина нельзя, про Ходорковского нельзя, про «Пусси райот» нельзя, про недвижимость за границей нельзя... давайте поговорим про свадьбу, — предложила Тата.

Милая женщина эта Тата. С опытом организационной работы.

— Что подарить детям? Кроме «бентли», конечно, «бентли» не в счет. Хочется придумать что-то особенное, на счастье.

Тата предложила подарить звезду (за пять тысяч долларов звезду назовут в честь Муры) или слона из зоопарка (его будут кормить за наш счет за то, что он будет хранителем очага).

— Я, конечно, имею в виду, что мы сами подарим детям слона на счастье, его дорого кормить, — деликатно сказала Тата. — Ну, а главный подарок, кроме «бентли» и слона, — квартира.

Тата с Игорем хотят купить детям квартиру в Толстовском доме («Мурочка будет рядом с вами. Мурочкина жизнь начнется не с угла в коммуналке», «Квартира в Толстовском доме — это хорошая инвестиция».)

— Но вы же понимаете, сейчас столько разводов... Квартиру, не в обиду Мурочке, оформим на Павлика.

Квартира? В Толстовском доме? Оформить на Павлика?.. Ну нет! Я — Мамамуры. Я должна защищать Мурины интересы.

— Я не знаю, дорого ли нам кормить слона. Зависит от того, сколько он ест. Но если вы считаете, что дело того стоит, чтобы у входа в зоопарк был указатель «Слон Мура»... Слон Мура — хорошо, пусть. Но «бентли», квартира в Толстовском доме — нет. Муре это *вредно*. Она и без того не хочет работать. «Бентли» и роскошная квартира — для Муры яд. Приведет к интоксикации и патологическим состояниям.

Тата и Игорь Юрьевич смотрели на меня с упреком, как будто я хочу запихнуть Муру в угол. Но у Мурки есть квартира! Досталась от моей двоюродной тети, прекрасная однокомнатная на Литейном, в третьем дворе, шестой этаж без лифта, окна в стену, ванна на кухне, от нас десять минут пешком.

— Квартиры в Толстовском доме стоят около миллиона. Я имею в виду миллион долларов, а не евро. Я могу себе позволить купить детям квартиру за миллион долларов. За миллион евро, конечно, тоже... — дружески улыбнулся Игорь Юрьевич.

Все молчали. Миллион долларов как будто повис в воздухе, распространяя вокруг себя неловкость. «Богатые — это другие люди», говорил Фицджеральд. Когда человек рядом с вами так просто произносит «миллион долларов», на мгновение может показаться, что этот человек чем-то отличается от вас в лучшую сторону. Мне было настолько не по себе, что срочно понадобилось выйти в туалет — посмотреть рейтинги.

Гримасы сюжета

... — Кстати, никто не знает, почему не переиздают Гарина-Михайловского? — сказала Ирка. — Кстати, у меня еще нет твоей новой книги.

На первый взгляд ни то, ни другое не было *кстати*, но лишь на первый взгляд. Хомяк постарался деликатно намекнуть, что мы в своей компании обычно разговариваем о различных видах искусства, а не о миллионах долларов.

Игорь Юрьевич удивился, что я писательница, а он никогда о такой писательнице не слышал. Это было *неприятно*.

А Тата сказала: «Это вы?! Ваши книги лежат у меня на тумбочке в Вене, в Лондоне, в Ницце! Вы моя любимая писательница! И всех моих подруг! Странно, что я вас сразу не узнала!»

Все еще не могу привыкнуть к тому, что я чья-то любимая писательница, рр-р-рр! Но в том, что она меня не узнала, нет ничего странного: на всех обложках моя фотография со школьного выпускного бала, я там с другой прической.

Вот тут, когда интонация вечера наконец-то изменилась — Наши Новые Родственники стали такими же теплыми и любящими, как мои прекрасные друзья, — и произошел скандал.

Конечно, у меня есть психологическое объяснение этого скандала, — приведу его ниже, но прежде всего хочу сказать: со стороны Хомяка неуместно выплескивать долго копившуюся в душе обиду на близкого друга непосредственно на приеме его Новых Родственников.

... — Я давно хочу тебе сказать — ты совсем сошла с ума от своей славы! — Ирка заговорила низким сдавленным голосом, каким люди говорят в состоянии глубокой обиды. — Вот скажи всем, куда ты все время бегаешь? В туалет?.. Нет! Ты бегаешь смотреть рейтинги! А почему тебя так радуют рейтинги? Если твой рейтинг выше Толстого, значит, ты лучше Толстого?.. Скажи при всех, ты считаешь себя лучше Толстого? Лучше Гарина-Михайловского?

— Ирка... — ошеломленно прошептала я. Я растерялась, я всегда теряюсь, когда на меня наскакивают с разбега. Тем более за столом чужие люди, Наши Новые Родственники, и нужно сохранять лицо, свое и Хомяка.

— Вот и дружи теперь с Татой, раз она твоя поклонница! Я знаю тебя как облупленную — теперь ты будешь дружить с Татой и Игорем Юрьевичем, потому что тебе нужны новые люди, чтобы их очаровывать! ...А со мной можно как угодно?! Ты считаешь, что ты меня уже очаровала! И теперь со мной можно поступать как придется?! Ты вообще видишь людей рядом с собой?! Для тебя дружба что-нибудь значит?! Или только твоя слава?! — Ирка уже почти кричала, у нее тряслись губы.

— Ирка, что я сделала, Ирка?

— ТЫ МНЕ НЕ ПОЗВОНИЛА.

Вчера мы разговаривали пять раз, из них два раза у меня дома, один раз у нее и два раза по телефону.

Но вот что я поняла из ее нервных выкриков.

Вчера вечером кто-то сказал Ирке, что у меня плохое настроение и дурные предчувствия: Андрей опоздает на прием, а Мура никогда не будет работать. Что эти люди (Андрей и Мура) нанесли мне глубокую эмоциональную травму, не пожелав прочитать мою новую книжку, как, впрочем, все предыдущие. Что я больше не могу жить в невыносимой обстановке равнодушия. Что в этом мире у меня нет никого, кроме Льва Евгеньича и Ирки. Лев Евгеньич стареет, и скоро в этом мире у меня не останется никого, кроме Ирки. Ирка уверяет, что все это ей сказала *я* около десяти вечера.

Ирка уверяет, что я говорила трагическим голосом и весь мой вид (по телефону) взывал о помощи. Ирка думала, что мне нужна ее поддержка, и хотела мне ее оказать. Звонила мне — по телефону, в дверь, — но я не открыла.

— А ты преспокойно спала и утром НЕ ПОЗВОНИЛА. Я из-за тебя переживаю, а ты?! Ты хотя бы спросила меня, как я жила все эти дни, например, сегодня утром? Ты знаешь, что у меня недостача? Во вчерашней выручке не хватает трех тысяч! Куда они делись, а?! Тебе вообще интересна моя жизнь?! Я вот из-за тебя всю ночь не спала, представляла тебя в будущем: Андрей на работе, Мура замужем, Лев Евгеньич совсем старый...

Мне было невыносимо стыдно. Мои тайные страхи оказались выложены перед Нашими Новыми Родственниками, как на выставке, они могли их рассматривать, перебирать, *жалеть* меня...

— Мурочка обязательно прочитает ваши произведения, и муж тоже найдет время, — вмешался Игорь Юрьевич, — а Льва Евгеньича можно будет положить в хорошую клинику, есть специальные клиники для пожилых, дорого, конечно, но зато они там играют в шахматы, в домино, даже романы заводят... И с недостачей в принципе можно помочь.

— Пусть сначала покажет бухгалтерию, — деловито сказала Тата.

— Но какая недостача у актрисы? — удивился Игорь Юрьевич. Мягкий нежный человек, и бизнес у него мягкий, нежный — белье, а Тата жесткая, у нее катера и яхты.

— Антреприза, сама играю, сама собираю деньги, мне как творческому человеку трудно обращаться с деньгами, — отмахнулась Ирка, вскочила из-за стола и, вытащив с полки мою новую книжку, бросилась в наступление: — Есть еще кое-что! И я тебе сегодня все скажу! Как ты могла поступить так некрасиво, так бестактно? Объясни сейчас при всех, как ты могла назвать персонажа моим именем?! ...Да, я сказала «можешь назвать своего персонажа Ирка-хомяк, это мой вклад в литературу». А теперь передумала. Из-за тебя я навсегда останусь в литературе хомяком! Кроме того, это неделикатно по отношению к Илье: Илья — публичный человек, а его жена — хомяк. Люди подумают, что мне тоже вводили ботокс в носогубные складки! Получается, ты открыла мои секреты! Стольким людям! ...А кстати, *скольким* людям?? Ну-ка, посмотрим, какой тираж... о боже!..

Илья примирительно сказал:

— Персонаж — это семиотический объект, обладающий определенным набором свойств и культурными кодами.

«Хомяк» в качестве культурного кода передает содержащиеся в нем свойства: неприхотливость, дружелюбие, способность обходиться незначительным количеством пищи.

Ирка благодарно кивнула — да, точно.

Если честно, правда *не совсем* на моей стороне.

Ирка сказала: «Я требую полного соблюдения частичного инкогнито» — разрешила назвать персонажа в ее честь, но без интимных деталей. Еще Аристотель говорил, что произведение — это живое существо, живет по своим правилам, оторвавшись от автора, иными словами, носогубные складки *написались сами*. Но Ирке нет дела до литературы, она просто хотела дарить знакомым книжку со словами «я здесь фигурирую». ...Известен случай, когда один политический деятель собрался писать автобиографическую книгу, но его друзья не хотели фигурировать в книге и собрали деньги, чтобы он *не писал книгу,* и отдали ему вместо гонорара. Если бы Ирка отдала мне дневную выручку, я бы согласилась не писать?.. Думаю... нет. Тем не менее упомянуть носогубные складки было *не совсем* порядочно.

Я зажмурилась и начала повторять про себя спасительные слова «фиеста, фиеста...». Я не имела в виду, что мне пора на полуденный отдых, и не сравнивала себя с Хемингуэем, просто успокаивала себя историей романа «Фиеста». Хемингуэй описал в романе друзей и любовницу и почти дословно воспроизвел их разговоры. Его друзья были уязвлены и чувствовали себя оскорбленными перед столькими людьми! ...Перед *сколькими людьми?* Какой тираж был у Хемингуэя? А если учесть все переиздания? Аудиокниги? Переводы? «Фиеста» — один из самых переводимых американских романов. Это было *не совсем* порядочно.

— По статистике, каждую книгу читают три человека, умножим тираж на три... книжка продается хорошо, значит, будут переиздания, их тоже нужно умножить на три... Нужно было колоть не ботокс, а гиалуроновую кислоту, — бормотала Ирка.

Умберто Эко писал, что читатель использует текст «как проводник для собственных чувств, зародившихся вне текста или текстом случайно навеянных». Моя книжка пробудила в Ирке подсознательное чувство вины за то, что не сразу освоилась в мире косметологии.

— Ирка, прости меня, я была неправа, — сказала я.

Но это были не вполне искренние извинения, — а если бы друзья Хемингуэя посмотрели на это с другой стороны? Осознали, что теперь произнесенные ими слова не исчезнут, не растворятся в вечности, их страсти, ошибки, падения будут жить вечно, приблизительно вечно? У них бы голова закружилась при этой мысли!.. Вот и Ирка-хомяк, — кто вспомнит, что она вводила ботокс в носогубные складки? Никто. А благодаря моей книжке совершенно иная ситуация.

Я продолжала просить прощения, тупо твердила «прости меня за все, что я тебе сделала». Считаю, лучше не упираться и попросить прощения, даже если не чувствуешь своей вины, но — тогда тебя должны сразу же простить! А Ирка все не прощала меня! Атмосфера за столом оставалась напряженной, и Илья, заметив, что Иркина обида на меня уже переливается через край и моя обида на противного хомяка, испортившего прием Наших Новых Родственников, переливается через край, посмотрел на меня с выражением «что я тебе говорил, на свете счастья нет» и успокаивающе сказал:

— Девочки, все не так трагично... то есть, конечно, трагично, но *не так*. Ира не останется в литературе хомяком, потому что сиюминутное женское щебетанье — не литература. В литературе остаются произведения интеллектуально изощренные, с элементами самопознания и самобытной интерпретацией.

Я *знаю*, что в моих книгах нет интеллектуально изощренной интерпретации самопознания, всего лишь неприхотливость и дружелюбие, что по шкале номинаций и смыслов я не писатель, а хомяк. Но одно дело знать, и совсем другое, когда из бутылки выпускаются злые духи. И зачем обижать Тату, которой нравятся мои книги?

— Простите, Тата, но мы не говорим о книгах... о книгах нельзя. Сейчас будем подавать голубцы, — сказала я, стараясь замаскировать внезапным интересом к голубцам подступающие слезы.

Голубцы

Илья с отсутствующим видом смотрел в свой айфон. Из фейсбука Илья узнает все новости быстрее, чем из средств массовой информации.

— С каждым принятым законом Россия все дальше уходит от Европы, — сказал Илья и сам себе напомнил: — Мы не говорим о политике, мы едим голубцы.

— Зачем нам Европа, у нас особый путь развития, — сказал Никита, ни к кому не обращаясь.

— Особый путь, *какой именно*? — сказал Илья, ни к кому не обращаясь.

— Кому нравится, чтобы геи в церкви венчались, может валить в свою Европу, — сказал Никита, ни к кому не обращаясь. Злобно попробовал голубцы. — А где мясо?! — закричал Никита. — Мясо где?! На фига мне вегетарианские голубцы?!

Никита орал на Алену, как первобытный человек: «Где мя-ясо?!!» Алена кричала: «Не хочешь, не ешь!»

На лицах Наших Новых Родственников недоумение, испуг, ужас. Они не знают, что Никита и Алена — кричащая семья. Никита внезапно вскипает и орет «Ты!..», затем еще громче «А-а-а!», и когда со стороны кажется, что сейчас он ткнет в Алену вилкой, внезапно, как шарик, сдувается и шипит «Пусс-сечка...». Они не знают, что сейчас Никита кричит на Алену, потому что не может кричать на Илью, — они же не разговаривают.

Никита кричал:

— Я не хочу, не хочу!.. Не хочу итальянских голубцов!

Я прошептала Илье под Никитин крик:

— Ну вот, видишь? А ведь ты обещал вести себя дружески...

— Ага, ты бы и с фашистами дружила, — сказал Илья в полной тишине, нанес меткий точечный удар шпагой, он же сеньор Европы...

— Кажется, меня назвали фашистом? — Никита взвился так, будто Илья обернулся осой и укусил его в язык.

Я закричала:

— Нет! Конечно, нет!

— Конечно, нет, — меланхолически отозвался Илья. — Он не фашист, он сталинский недобиток.

То, что произошло вслед за этими словами, было похоже на блицтурнир сеньора Европы с медведем, как будто Илья делал в сторону медведя изящный выпад, а медведь рычал, отмахивался лапой.

— Да! Я из большинства! Да, я советский человек, ну и что?! Да, мне нравится сильная страна с армией и флотом! А ты, ты... наконец-то показал свою лисью морду — ты за Америку против нас!

Если люди хотят, чтобы иностранцы их поняли, они *кричат*. Россиянин Никита и европеец Илья кричали, — хотели понять друг друга?

— Конформист, не способный к анализу, недальновидный приспособленец, представитель тупой имперской позиции, — тупица, тупица! Европа тебе не нужна, ты с кем останешься, с Китаем? Будешь младшим братом Китая?

— Нет, старшим! Я — старший брат! — взревел Никита.

Илья попробовал голубцы, благовоспитанно кивнул Алене — «вкусно», и продолжил дискуссию:

— Ты разделяешь выбор власти, поскольку ты чиновник, а мой нравственный выбор независим, я не завишу от государства, в том числе экономически...

— Ага! Не зависит он! Тебе так *кажется,* независимый ты наш, либерал-европеец! Это пока мы вам позволяем! И что ты имеешь в виду? Свои стрелялки, что ли? *Бездарные* стрелялки?!

Ох, ну вот, на больное, на личное...

— На моей стороне интеллектуальное и нравственное преимущество, и мне больше не о чем с тобой говорить, — высокомерно сказал Илья и *плюнул.*

В салфетку, конечно, не в Никиту. Я и представить себе не могла, что *хорошо воспитанного* Илью можно довести до того, чтобы он плевал в салфетку!

Никита машинально вытащил из голубца маленькую деревянную шпажку, но не воткнул шпажку в Илью, замер с каменным лицом (настоящий мужчина умеет сдерживать эмоции) — и, размахнувшись, швырнул в Илью голубцом.

А я заплакала.

Ирка суетилась вокруг Ильи, пытаясь вытереть ему салфеткой лицо, Илья отстранялся, намекая, что голубец на его лице — знак непримиримого противостояния либералов и консерваторов, я плакала. Я так хотела, чтобы все понравились всем, чтобы Наши Новые Родственники восхитились моими прекрасными друзьями! А мы, как мы показали себя? Мы не говорим о политике, о недвижимости, о книгах. Выпускаем злых духов из бутылки. Скандалим. Называем мои книги «женским щебетаньем». Швыряемся голубцами в томатном соусе. Плачем.

143

В результате этого неудачного вечера я буду сидеть с Муркиными детьми одна, всегда одна...

Наши Новые Родственники собрались уходить, не дожидаясь чая с Зимним дворцом, — у них вдруг обнаружились срочные дела, о которых они прежде не знали, спасибо за приятный вечер. И тут пришел Андрей.

— Раздевайся скорей, иди к ним... Они бросаются голубцами, — шептала я Андрею в прихожей.

— Родителям Павлика не понравились голубцы? — удивился Андрей.

Надо заметить, что Андрей не лучшее средство сгладить неловкость. Скорее, худшее. Он — естественный человек: когда хочет молчать, молчит, не замечая, что неловкость обтекает его, как волны утес, когда хочет говорить — говорит «кхе-кхе». Мы показали себя Нашим Новым Родственникам во всей красе, а сейчас будет нанесен последний штрих: Андрей мрачно намолчит на прощание.

— ...Вот, — сказал Андрей, поставив на стол виски для Ильи, водку для Никиты, красное вино для Хомяка, мартини для Алены, вкусов гостей мы не знаем, но они все равно уже уходят.

...Игорь Юрьевич хлопал Андрея по плечу, приговаривая:

— Все девчонки в классе были в тебя влюблены, а ты, как дурак, не замечал...

Андрей хлопал Игоря Юрьевича по плечу молча. Обнимались, улыбались, вот как счастливо все решилось в одну минуту: мне не придется одной сидеть с Муркиными детьми!

— Мы в одном классе учились, — объяснил Андрей, как будто мы еще не поняли. — Игорь мой друг.

В моем понимании у Андрея нет друзей. Иногда в нашей жизни — ночным звонком «я попал в аварию» или телеграммой «срочно нужны деньги» — возникают люди, о которых я никогда не слышала. Андрей говорит: «Это мой друг». Для меня дружба — это вместе проживать жизнь, а для него дружба — это годами не видеться и по звонку помчаться сквозь ночь.

Воспоминания о двойках и влюбленных девочках разбудили сентиментальность во всех: злые духи спрятались обратно в бутылку, Никита разлил водку (Илье не налил), Илья сам вытер голубец с лица. И я была уверена, что мои прекрасные друзья идут по пути прощения и примирения, но не тут-то было.

«Илья, мне кажется, ты устал», — предположила Ирка, «Никита, домой!» — скомандовала Алена, и не успела я сказать: «Вы что, ребята?!», как они уже стояли в прихожей, старательно делая вид, что не видят друг друга и вежливо прощаются с хозяевами дома.

— Как ты можешь дружить с человеком диаметрально противоположных политических взглядов?.. — сказала Андрею Ирка.

Алена кивнула — вот именно, КАК ТЫ МОЖЕШЬ, с человеком диаметрально противоположных взглядов?.. Никита и Илья посмотрели на Андрея как на моральный ориентир.

В качестве морального ориентира Андрей сказал «кхе-кхе». Все ждали.

— Я бы не стал ссориться из-за политики, потому что... — сказал Андрей и замолчал (молчал долго, все ждали). — ...Потому что я выбрал.

— Выбрал что? Европейские ценности? — подсказала Ирка.

— Он выбрал патриотизм, — ответила Алена.

— Я... кхе-кхе... выбрал человека и дружу с ним... кхе-кхе... — сказал Андрей, воплощение толерантности, либерализма и прочих европейских ценностей.

145

Мои прекрасные друзья разошлись на лестничной площадке: Ирка с Ильей пошли к себе, вниз, а Никита с Аленой пошли *наверх*. Вместо того чтобы спуститься вниз и выйти во двор. Не захотели идти вместе с Иркой — Ильей даже до их третьего этажа, а ведь у Никиты одышка.

...Обсудили с Игорем и Татой спорные вопросы, связанные со свадьбой.

По поводу слона.

Андрей сказал Игорю: «Хочешь — корми слона, а лучше отдай эти деньги в детский дом».

По поводу квартиры за миллион долларов.

Андрей сказал Игорю: «Квартиру за миллион долларов можешь засунуть себе в задницу».

Игорь согласился. Друзья детства, встречаясь взрослыми, воспроизводят свои детские отношения: Игорь много лет списывал у Андрея алгебру и привык к его авторитету в смысле цифр и расчетов.

Оказалось, Мурка все перепутала (и я тоже, от волнения): жесткая Тата владеет мягким шелковым бизнесом, а мягкий Игорь владеет жестким бизнесом, катерами и яхтами. Игорь, в дополнение к яхтам и катерам, сооснователь банка.

Андрей называет Игоря «Банкир»: в школе у Игоря было прозвище Банкир за то, что давал деньги в долг под проценты, — вот он и стал банкиром. Павлик работает с папой, но не с катерами и яхтами, а в банке. ...Но что означает «работает в банке с папой»? Они вдвоем ходят на работу к девяти и сидят там до пяти в нарукавниках, как диккенсовские клерки, с перепачканными чернилами пальцами? И как человек, который списывал алгебру, — не пару раз списал трудную контрольную, а *всегда* списывал, — стал банкиром?

Но главное, что у нас больше нет Новых Родственников. У нас есть Новые Старые Друзья!

...Не могу поверить, что мне запрещено звонить Ирке и Алене. Не могу поверить, что мне предложено сделать между ними выбор. Обе — обе! — позвонили и сказали: «Тебе придется выбрать — мы или они».

Мне не разрешено звонить им, пока не сделаю выбор между Иркой — Ильей и Аленой — Никитой?.. Я даже между «куриной котлетой» и «котлетой домашней мясной» не могу сделать выбор, приходится спрашивать официанта, что вкусней, и он приносит мне стейк, который я не ем.

Ночь была мучительная. Очень хотелось позвонить — Ирке, Алене, Ирке, Алене... Выпила снотворное, *от одного раза ничего не будет*. Затем боролась со сном, *чтобы не привыкать к снотворному*. Проснулась утром с головной болью и телефоном в руке, набрала Аленин номер, затем Иркин, — очевидно, симптом, схожий с фантомной болью, ведь я знала, что звонить нельзя.

Спустилась на третий этаж, написала помадой на Иркиной двери «Любовь и Дружба были здесь». Если Хомяку неприятно *даже видеть мой почерк*, он сможет воспользоваться кремом для снятия макияжа.

Фата

— Мы с Игорем считаем, что фата немодно, — сказала Тата. — Зачем Мурочке фата?

Игорь, у которого и катера, и яхты, и банк (между собой мы с Андреем называем его школьным прозвищем Банкир), принимает большое участие в свадьбе. Чувствую себя одинокой, завидую Тате, много раз пробовала мысленно произнести «мы с Андреем считаем...», ни разу не вышло.

— На фате настаивает Вика, — объяснила я.

Все решается между Викой и Татой — Игорем. Вика считает, фата нужна, чтобы в следующий раз выходить замуж без фаты. Считает, человек должен испытать в жизни все. Задумчиво сказала, что не имеет в виду, что Мурка с Павликом разведутся, скорее, наоборот.

У Вики слабость. Химиотерапия очень тяжелая. Вика не говорит «у меня слабость», но по косвенным признакам я понимаю, *какая* это слабость: собиралась поехать на презентацию своей книги, встала, оделась и опять легла. Хочет устроить еще одну презентацию, когда курс химиотерапии

148

закончится. Вике приятно, что она главный распорядитель свадьбы.

Вика любит командовать мной, любит, когда я виноватым голосом говорю «только не ругай меня»; это игра, любовная игра, игра людей, которые любят друг друга без памяти, — подготовка к свадьбе дает Вике много поводов сказать мне «ты не понимаешь» или «опять?!». Викино руководство свадьбой — тайный код: когда мы говорим о фате, это жизнь, жизнь, жизнь!

Тата с Игорем удивляются, что вся власть в руках Вики, но как интеллигентные люди, толерантные и благорасположенные, не подают вида, что тоже хотели бы власти, так что ничего.

Прическа

— Попроси Вику, чтобы Мурочка распустила волосы, — сказала Тата. — У Мурочки роскошные кудри, она как Барби... Мы ей «бентли», а она нам — пусть будет на свадьбе как Барби.

Вика согласна. Сказала — хорошо, Мура будет на свадьбе как Барби.

Свадебное платье для меня

Кремовое, кружевное. В Гостином дворе, в дизайнерском отделе.

...Мурка, Марфа, Тата, Игорь (не могу поверить, что Игорь пришел смотреть платье). Кремовое, кружевное, до полу, юбка колоколом, шлейф.

— Вот оно на вешалке, а вот на мне, на мне ведь лучше, чем на вешалке?

— Красиво, — сказала Марфа.

— Купи, — сказала Мурка.

Игорь сфотографировал меня, послал фотографию Вике. Я фотографировалась в профиль, чтобы Вика не заметила шлейф.

— Купи себе к этому платью фату, — сказала Вика, — это *свадебное* платье. Нет.

— Может быть, убрать шлейф?

— Нет.

— Но, может быть...

— Нет.

Обидно, оно уже было почти моим, кремовое, кружевное... Обидно, что мать невесты не может быть в платье невесты.

Продавщица сказала: «Ваши дочери не похожи на вас, они похожи на Розочку и Беляночку из мультфильма». Розовая, младенчески толстощекая Мурка и хрупкая нежная Марфа действительно похожи на Розочку и Беляночку соответственно. ...Но вот что любопытно: почему говорят «деньги к деньгам», а «счастье к счастью» не говорят? Безоблачно счастливая Мурка решила выйти замуж, и — легкому человеку легкое счастье — тут же нашелся принц. Хочется обратиться к мирозданию с претензией — А МАРФА?!

Девочки похожи на Розочку и Беляночку, а я на кого похожа? В мультфильме есть и другие персонажи: Мама и Старая Карга.

Крылья ангела

Андрюшечка и Марфа в свадебной церемонии играют не последнюю роль: они ангелы. Будут парить над женихом и невестой. Андрюшечка побаивается быть ангелом, и Марфа составит ему компанию, — она любит играть с детьми.

Из чего сшить крылья ангела? Варианты: натуральный шелк, простыня, рыбацкая сетка. Крылья нужны такие, чтобы Андрюшечка и Марфа могли свободно летать по залу.

О размере крыльев ангела проконсультировалась с Андреем.

— Должен быть правильный размах крыльев. Размах — это расстояние между вершинами полностью расправленных крыльев. Крылья должны быть мускулистые, чтобы удержать тело при планирующем полете.

Наконец-то Андрей заинтересовался свадьбой! И я смогу небрежно сказать: «Мы с Андреем считаем, что размах — это расстояние между вершинами полностью расправленных крыльев».

— Ангел должен летать по залу, создавать атмосферу...

— Он должен правильно летать. Крылья должны быть в три раза больше, чем его рост. Как у странствующего альбатроса.

Странствующий альбатрос? Оказалось, это название птицы.

Наконец-то Андрей заинтересовался свадьбой: теперь я знаю, что размах крыльев странствующего альбатроса 358-363 сантиметров, на втором месте тристанский альбатрос, за ним амстердамский альбатрос (вид под угрозой исчезновения, их всего сто в мире), затем андский кондор — размах крыльев 320 сантиметров, это значительно больше, чем у калифорнийского кондора. А также кудрявый пеликан: 310 сантиметров. Кудрявый пеликан: машущий полет, иногда парит, в полете работает крыльями, согнув шею и вытянув лапы назад.

Андрюшечка будет парить над женихом и невестой ангелом, согнув шею и вытянув лапы назад. Размах крыльев 310 сантиметров.

Мама переживала за крылья ангела, — ребенок устанет их носить вплоть до искривления позвоночника. Я сказала:

«Андрюшечке не девять лет, ему десять, он занимается карате, он почти взрослый ангел, но я разделяю твои опасения». Мама успокоилась: достаточно дать понять человеку, что разделяешь его чувства, — и он в твоей власти.

Из чего сделать крылья ангела размером с крылья кудрявого пеликана? Андрей не уступит ни сантиметра.

...Из марли. Вика сказала, нужно сшить крылья из марли. По краям крылья будут обшиты атласными ленточками. У Андрюшечки голубыми, у Марфы розовыми.

Закулисные беседы

Вика позвонила Андрею, спросила: «Тебе нравится Павлик?» Андрей сказал: «Какой Павлик?» Вика сказала: «Жених». Андрей молчал. Вика терпеливо ждала. Андрей сказал: «Жених как жених».

Вика позвонила Андрею, спросила: «Тебе нравятся твои новые родственники?» Андрей сказал: «Игорь — мой друг». Вика спросила: «А Тата? Тебе нравится Тата?» Андрей сказал: «Почему она должна мне нравиться? У меня есть жена». С Андреем неинтересно вести закулисные беседы.

Вика позвонила маме, спросила: «Как вам Павлик?» Мама сказала: «Хороший мальчик, а Мурке только того и надо». Мама имела в виду, что Павлик в подчинении у Мурки. Слушается Мурку, как будто она его мама с папой. Мурка велит: «Павлик, туда! Павлик, сюда!», он отвечает: «Да, Мура, как скажешь, Мура». Павлик — хороший мальчик, любит мыло и зубной порошок, тычет в книжку пальчик, моет сам галоши, про такого говорят — он хороший мальчик. Мурка говорит: «Я все о нем знаю».

Разве интересно *все знать*? С Андреем была *тайна, загадка, секрет,* как прекрасен дальний замок, приближаться нету смысла... Надеюсь, что я и сейчас не все о нем знаю. Надеюсь, что Мурка *не все* знает о Павлике.

Не имеет отношения к свадьбе, просто решила записать

Во дворе ко мне подошел человек в панамке и сказал:

— Травлю клопов, разрешаю семейные проблемы, оказываю психологическую помощь людям с зависимостью, крашу окна...

Сумасшедшим нельзя смотреть в глаза, при соприкосновении взглядов психически нестабильный человек может проявить агрессию. Молчать тоже нельзя — человеку это обидно. Лучше всего несколько раз повторить его слова с успокаивающей интонацией.

— Вы красите окна? Вы красите окна?

— Да. Красить пол нет смысла.

Красить пол нет смысла. ...Посмотрела ему в глаза. Грустные. Почему у умных всегда грустные глаза?

Мне стало стыдно, что я думала о нем «городской сумасшедший». Я с ним согласна: нет смысла *тратить себя на не вечное*, на не важное. Просто нам с ним разные вещи кажутся важными. К примеру, я бы никогда не надела такую панамку, а он не стал бы уделять столько внимания крыльям ангела.

Раньше, когда можно было позвонить Вике только вечером из дома (как мы жили без мобильных телефонов?!), я весь день жила-смотрела на мир, словно записывала музыку, чтобы вечером сыграть ее Вике. А теперь можно сразу же позвонить и рассказать. Как бы я жила без Вики, СОВСЕМ ОДНА?

Приглашения на свадьбу

Вика придумала приглашения: картонная карточка в косую линейку, детским почерком написано «Мура+Павлик =любовь». Когда Вика примет решение, где будет свадьба — в «Европейской» или «Астории», можно будет печатать карточки.

Собираюсь послать приглашения без адреса Алене и Ирке в ближайшие дни, чтобы они растрогались и простили меня за то, что я не могу выбрать между ними. Рассчитываю на обеих в смысле крыльев ангела: Алена может сшить крылья, Ирка — взять напрокат в театре. Если меня в ближайшее время не простят, придется шить крылья ангела в ателье. Последнее, что я шила в ателье, было зимнее пальто с двойным ватином, — мама хотела, чтобы было потеплее. Почему я мучилась в двойном ватине, почему не использовала этот нехитрый прием: скажи «я разделяю твои опасения по поводу возможного обморожения», и человек в твоей власти, — почему плакала, спорила, злилась? Странно и волнующе думать, что мама могла бы всю жизнь быть в моей власти.

Отовсюду с любовью.
Ночь с пятницы 28 марта на субботу

Около часа ночи

Пафос обыска снижался от комнаты к комнате (в маленькой детской, Андрюшечкиной: энциклопедии, «Мифы и герои Древней Греции», контрольная по русскому — оценка «два с минусом», набор «Юный химик») и подскочил до небес на пороге кабинета Андрея. В кабинете: заваленный бумагами огромный письменный стол Организатора Преступной Группировки *с ящиками,* огромные шкафы *с ящиками,* диван Организатора Преступной Группировки *с ящиком,* удочки *в чехлах,* сейф, *еще один сейф.* Главный на несколько секунд застыл в упоении — *сколько всего!* Его супермозг был захвачен размышлениями о том, что наркотики точно где-то здесь, просто не бросаются ему в глаза. Но сейчас бросятся.

— Ключи от сейфов! Ключи от ящиков стола!.. Вы *не знаете,* где ключи?! — Главный посмотрел на меня с жалостью. Он думал, что я сообщник Организатора, *притворяющийся* безгрешным придурком в пижаме с зайчиками, и только сейчас понял, что я из тех жен, кто не имеет представления, какие дела проворачиваются прямо перед их невинными носами.

Стало очень нервно и суетно. Звонили начальству, начальство велело ломать замки. Взломать замки не вышло, в начале прошлого века делали надежные замки... Звонили начальству: как быть? Ломать стол. Но как сломать огромный антикварный стол? Распилить. Где взять пилу?

После долгих переговоров начальство попросило меня с телефона Главного позвонить мужу, Организатору Преступной Группировки, чтобы он сказал, где ключи.

... — Привет, ты где? — сказала я.

Главный стоял рядом и смотрел на меня немигающим взором рыцаря революции.

— ...Кхе-кхе... на работе. Недалеко, в пятистах километрах.

И мы тут же начали ссориться с того места, на котором остановились утром.

— Ты всегда недалеко — на работе, а у меня...

— На половине принцессы музыка, разговоры о прекрасных людях? — примирительно сказал Андрей.

— На половине принцессы обыск. Меня под конвоем водят в туалет.

— Хорошо, — рассеянно сказал Андрей.

— Что хорошо?!

После нескольких минут этого опереточного разговора Андрей *понял*, что у нас обыск, спросил «ты не знаешь, что ищут?» и сказал, где ключи.

Когда открывали запертые на ключ ящики, мне было страшно, — *что тут сейчас найдут*? Миллионы жен до меня были уверены, что у мужей нет секретов, а в запертых на ключ ящиках находили все что угодно (побочные семьи!).

Ну, и я боялась не напрасно, — нашли.

...И вдруг раздался звонок (звонок почему-то работал *без двери*, никогда я не пойму, как получается электриче-

ство), требовательный звонок, звонок, говорящий «пустите, а то хуже будет!». И я услышала Аленин крик: «Ты мужчина или нет?!», затем Никитин бас: «Я-то мужчина, а ты
кто?!», затем звуки борьбы, как будто Никита оттаскивает
Алену силой, затем Никита призвал всех соблюдать спо-
койствие и закон, затем Иркин крик «Наплевать мне на закон!», затем Илья нервно вскрикнул «Хомяк, ко мне!», —
а звонок все продолжал звенеть. Я представила: человек
Главного стоит на страже в прихожей, а Ирка на лестничной
площадке упорно звонит в звонок, глядя ему в глаза, ведь
между ними нет двери. Сюрреалистическая картина.

— Откуда хомяк? У вас что, дрессированный хомяк
есть? — Главный взглянул на меня дикими глазами.

— Это мои друзья, примчались меня поддержать. Пустите их, — попросила я, — вы же можете всех пускать,
никого не выпускать. Они не будут выносить из дома непро-
данные наркотики. Просто посидят на кухне. Они ведь немолодые, а на лестничной площадке даже сесть негде... у
Алены коленка больная, у Никиты спина, Илья устал.

Я забыла, что мои прекрасные друзья не разговаривают
между собой и лучше им посидеть в отдельных комнатах.

— Как вы им сообщили про обыск? Вы хотите, чтобы я
вас задержал на трое суток?! Как они узнали?!

— Ну... как-нибудь узнали. Дружеское сердце — вещун
и все такое... В чем вы меня подозреваете? Я не могла им
позвонить! Проверьте, где мой мобильный телефон. Он у
вас в кармане!

Я не могла позвонить. Мне нельзя звонить, нельзя закричать из окна «спасите-помогите!». ...Но в туалет мне
ходить можно! В туалете висел халат Андрея, а в кармане
халата — телефон! Я сунула в карман руку в надежде, что
Андрей забыл там телефон, у него их два или три, — ура,
забыл! Включить воду, под шум воды поскорей позвонить —

157

кому, где все? Никита с Аленой на даче? У Ильи эфир? У Ирки спектакль? После антракта она закрывает буфет, остается на второе действие, болтает с актерами... Кому мне звонить? Что, если никто из них не станет со мной разговаривать, ведь я так и не сделала выбор? А если будут, что сказать, чтобы они мне поверили?.. Что вообще делать человеку, который столько раз всех разыгрывал, что ему никто уже не верит? Тот бедный пастух все кричал «волки, волки!», и люди мчались спасать овец, — и это всегда оказывалось розыгрышем. Однажды люди подумали «глупо бежать на помощь, он опять нас разыгрывает, надоело»... в тот раз и правда были волки, и случилось ужасное... надеюсь, что волки съели *только овец*.

Я написала сообщение Илье — «депрессия» и сообщение Никите — «нет соленых огурцов». Это была не шутка, а холодный расчет: Илья, чуткий к депрессиям, после эфира бросится мне на помощь, Никита, чуткий к салату оливье, привезет мне банку Алениных огурцов. Увидят, что здесь происходит, и как-нибудь меня спасут.

Главный за дверью туалета повторял: «Вы что там застряли?», я молчала, словно мне стало плохо или я вспоминаю азбуку Морзе. Набрала в Яндексе «словарь наркомана». И выяснила, что не стоит считать себя умней других: думаешь о ком-то «старательный придурок», а он не придурок, бормочущий бессмысленные слова «агрегат», «стекло», а настоящий профессионал. Вот что было написано в «словаре наркомана»: «агрегат» — весы для взвешивания наркотиков, «стекло» — ампула с наркотиком, «книжка» — пакетик с наркотиком, «книжки» — наркотики. ...Мысли мои метались, как зайчики. У нас *всерьез* ищут наркотики. Ужасно, что я одна. С другой стороны, прекрасно, что я одна, Андрюшечка у мамы, и Мурка с Марфой не дома... «Мурка с Марфой» звучит как будто у меня две дочери и я назвала их похожими именами — Мурр-ка и Марр-фа.

...Ну вот, мои прекрасные друзья увидели выбитую дверь и стражника в прихожей, вызвали каждый свою жену, и все — жучка за кошку, кошка за мышку — стоят на лестничной площадке. Им нельзя войти в квартиру, — идет операция, нельзя вызвать полицию, полиция по особо опасным преступникам уже здесь. Им все нельзя, у них осталась только относительная свобода слова.

— Сейчас не тридцать седьмой год! — сообщила Алена.

— Покажите постановление об обыске! — велел Никита.

— Почему обыск проводится в отсутствие адвоката? — сказал Илья.

— Я юрист! Я журналист! — закричала Ирка-хомяк, она иногда представляется юристом или журналистом, считая, что это звучит *пугающе*. — Сейчас здесь будет «Эхо Москвы» и вся редакция «Ленинградской правды»!

Но «Эхо Москвы» в Москве, а «Ленинградская правда» в нашем советском прошлом, — у Хомяка неконтролируемая аллюзия, случается при стрессе.

Оттого что Алена с Никитой, Хомяком и Ильей стоят под дверью, мне стало спокойно и даже уютно: как будто я заболела и в соседней комнате все встревоженно обсуждают, что со мной: «На грипп не похоже, на пневмонию тоже, какой-то неизвестный вирус», — а я всего лишь простужена.

...Так вот, — я боялась, что они найдут, и они нашли. Толстую папку, наверху рисунки: Дед Мороз, елка, под елкой зайчик, надпись детской рукой: «Спасибо за машинку»; Дед Мороз, елка, под елкой лиса, надпись детской рукой: «Спасибо за куклу». Рисунки, рисунки... и счета: игрушки, парты, кровати.

Неужели Андрей так плохо меня знает? Думал, я стану болтать, хвастаться, что он помогает детскому дому? Настоящая благотворительность молчаливая, я бы никому не сказала. Только Алене с Никитой, Ирке с Ильей, и Муре, конечно, и Марфе, и некоторым другим людям.

Один сейф оказался пуст, в другом были бумаги и ружье. Ружье! Охотничье! Главный покосился на охотничье ружье с недовольным выражением, как будто официант принес ему *не то*. ...Но зачем Андрею охотничье ружье? Он не охотится, он против убийства животных, и птиц, и жуков. Я видела, как он *уступает дорогу жукам*. Наверное, затем же, зачем мне старые фарфоровые куклы — все любят игрушки.

...Пересмотрели все — каждую книгу, каждую блесну. В ящиках: лупы, перочинные ножи, монетки, инструменты и инструментики, никому кроме Андрея не известного назначения, — такой брутальный мужчина, и такая Коробочка! Главный лично перебрал все бумаги на столе и теперь рылся в нижнем ящике стола. Зачем Андрею «Огонек» времен перестройки, зачем хранить самиздатского Гумилева — он втайне мечтает об озере Чад? Зачем ему мой школьный аттестат, мои дипломы, университетский, кандидатский, они и мне-то не нужны...

— А это что?

Я взглянула на бумажку в руках Главного: что только не заваляется в старых папках! Это было сто лет назад, в начале девяностых, — разрешение кооперативу Андрея на внешнеэкономическую деятельность, подпись «В.В. Путин».

— Что вас удивляет? Путин работал в Питере. Питер — маленький город...

— Вы что, ЗНАКОМЫ? — прошептал Главный.

— Мы? А-а, да... Да. Мы *хорошо* знакомы. Храним разрешение на внешнеэкономическую деятельность на память о нашей дружбе. Тут еще должна быть записка: «Душеньке Андрею в знак приятнейших воспоминаний».

— Врете... — неуверенно сказал Главный.

— Нет, не вру! Мы в одной школе учились. Вот видите, мой аттестат, двести восемьдесят первая школа. Хотите, скажу, как звали нашу с Путиным учительницу истории? Тамара Зиновьевна, ну что, съели? ...Теперь можно моим друзьям войти? Путин вас не похвалит, если у Алены коленка разболится.

— Вынесите на лестницу четыре стула, — велел своим людям Главный.

Знакомство с президентом оценено в четыре стула?

Обыск в кабинете длился четыре часа (четыре часа мои прекрасные друзья, как оловянные солдатики, стояли на лестнице перед вышибленной дверью, Никита от стульев отказался, с угрожающей интонацией сказал «мы уж лучше постоим»), — и закончился. *До этого* я считала, что в мире есть знания, которые никогда мне не пригодятся: как ориентироваться по мхам, как сделать своими руками телескоп или юридические знания. Но теперь, *после этого*, я юридически образована: не подписала протокол обыска. Никита с Ильей кричали в дверной проем, что обыск должен проводиться в присутствии адвоката, — а где адвокат?! Вот я и не подписала!

Главный сходил на лестницу, вернулся с адвокатом, строгим мальчиком лет тридцати. Не то чтобы у нас на лестнице есть *все, что хочешь,* включая адвоката, — адвоката вызвал Никита. Адвокат изучил протокол, я подписала, и это было — все.

Но вот что интересно: половину квартиры не обыскали. А ведь это была *многообещающая* половина: кухня, кладовка размером с комнату, черный ход. Любой здравомыслящий человек устроил бы склад наркотиков в кладовке и на черном ходу! На черном ходу у нас хранятся лыжи, финские санки, чемоданы, шесть стульев, диван и два кресла. Андрей не разрешает выбросить мебель, потому что когда-нибудь он починит стулья и обобьет диван и кресла красивой тканью, и мы сможем их кому-то отдать. Но они не заглянули в многообещающую половину квартиры, — устали, захотели спать, надоело?..

Прав Никита, говоря, что мы народ с особым путем развития: даже во время обыска у нас особый путь, *мимо* кладовки и черного хода. Илья тоже прав, уверяя, что в этой стране не будет толка, — в этой стране даже обыск не могут закончить, могут только прекратить.

...Андрей сказал, что приедет под утро, «под утро» уже скоро. Специально останусь в запачканной кровью пижаме! Андрей испуганно скажет «что это, что?!», а я небрежно «ничего, кровь...». Он скажет «кровь Главного?», и мы засмеемся, но он вдруг помрачнеет и страшным голосом скажет «они мне за это ответят», и я перестану быть взрослой и беззащитной и снова стану маленькой. Мне вернули телефон, и я позвонила Андрею уже миллион раз, но телефон отвечал «абонент недоступен».

В прихожей образовался недружелюбный противопоток.

Из квартиры выходили: Главный, люди Главного (у Старательного Придурка на плече реквизированное охотничье ружье).

В квартиру входили: Алена, прихрамывая; Никита, держась за спину; Илья, с лицом, как будто он умер позавчера; Хомяк, без макияжа, но выглядел хорошо, самый жизнеспособный.

Взглянув на меня, Никита налился краской, крякнул, схватился за телефон, Илья фальцетом вскричал «ах!», Ирка трясущимися руками протянула мне косметичку, Алена прошептала «тебя били?..». Мне хотелось произвести

162

впечатление на Андрея, а не пугать моих прекрасных друзей, поэтому я зашла в спальню, надела темные очки. Выброшенные из шкафа вещи валялись по всей комнате, зимние и летние вперемешку: свитера, купальники, пляжная шляпа. Пляжную шляпу я тоже надела.

...Мы сидели на кухне, пили чай, пляжная шляпа придавала чаепитию правильный абсурдистский оттенок.

— Нужно привлечь СМИ, — сказал Илья.

— Нужно дать денег, — сказал Никита.

— Позволь мне донести до твоего тупого чиновничьего мозга: ты еще не знаешь, что произошло, но уже хочешь дать денег. Кому дать, скажи на милость?..

— Кому дать, всегда найдется. Кто возьмет деньги, тот пусть и разбирается.

— Чиновник... — вздохнул Илья.

— Либерал, — огрызнулся Никита.

Спорят, злятся... Никита — начальственно важный, Илья — красивый, изысканно презрительный... а вообще-то два немолодых растерянных человека. Никита нервничает, на рубашке круги пота, он не виноват, что потеет, он тучный. В юности начинал подпрыгивать при виде мяча — волейбол, баскетбол, в молодости играл с Муркой в «Я знаю пять имен девочек», всегда начинал «Алена — раз», — а теперь Алена через слово повторяет «у тебя давление».

Илья предложил начать полномасштабную борьбу за демократические ценности, Никита предложил решить вопрос деньгами, ничего не выясняя, Алена предложила сварить бульон, если у меня нет курицы, она сбегает в круглосуточный.

Зачем делать из мелкого недоразумения антидемократического слона, зачем платить неизвестно за что, зачем варить бульон? Моим прекрасным друзьям свойственно преувеличивать неприятности. И только Хомяк бодрился, сказал: «Я точно знаю, что это: наезд конкурентов, заказное дело или просто перепутали... там такой же бардак, как везде, взяли и перепутали адрес».

— Я из тюрьмы! Дай скорей на адвоката! — кричала Мурка, топала по коридору, как слоненок, и кричала: — Дай денег!

Ворвалась на кухню — на руках Такс. Такс никогда не расстается с Марфой (в театр и в кино ходит в сумке, сидит тише воды). Почему Такс вдруг проникся симпатией к Мурке, почему так печален, весь дрожит и даже не лает на Льва Евгеньича?

Муркин рассказ внес некоторую ясность, то есть окончательно нас озадачил. Арестовали Марфу. Марфе разрешили сделать один звонок — она позвонила Мурке.

— Арестовали! Увезли в тюрьму! В это, как его, РУВД Василеостровского района!.. Марфе разрешили сделать один звонок, как в кино! Она позвонила тебе, ты не берешь трубку! Она позвонила мне! Я звонила тебе, Андрею, никто не берет трубку! Я сама искала адвоката! Звонила всем знакомым! Ни у кого нет! Я долго искала адвоката, потом нашла. Адвокат сказал, это не арест, а задержание на три дня... Адвокат очень хороший, сидит в моей машине, ждет гонорар. Я сказала, что попрошу у мамы. ...А почему у нас нет входной двери?.. За что Марфу арестовали?!

Марфу *арестовали? Марфу* арестовали? Марфа в *РУВД?* В обычной ситуации я бы закричала «ЧТО?!» или онемела, но сейчас я даже не слишком удивилась. Если уж провалился в кроличью нору и попал в зал с запертыми дверями, то *за каждой дверью может быть что угодно.* У нас всерьез искали наркотики, Марфа всерьез в РУВД Василеостровского района. Марфу арестовали, когда у нас был обыск, арест Марфы и обыск происходили *одновременно.*

Это абсурд. Но абсурдистская драматургия не бессмысленная мешанина действий, а привычная жизнь, построенная по *своей* логике, со *своими* причинными связями.

Находясь в рамках абсурдистской драматургии, где действия персонажей включаются в общую цепь событий помимо их сознания, тайком от всех дала Мурке «на адвоката». Очень хороший адвокат не станет сидеть в машине клиента, пока клиент просит у мамы гонорар вперед. Но *передача денег адвокату* было единственным, что я могла сделать немедленно, прямо сейчас, в шесть утра.

...Конечно, я поступила некрасиво: мои прекрасные друзья полночи простояли на лестнице, а я не захотела обсуждать версии, не захотела звонить Нашим Новым Родственниками (Игорь с Татой и Павликом улетели в Таиланд). Сказала: «Спокойной вам ночи, приятного сна, желаю увидеть козла и осла. Идите домой». Но у меня сотрясение мозга и кое-какое интимное дело: хочу удостовериться, что я одна умная, а все остальные идиоты. Не сообразили, что нам не о чем волноваться: задержание Марфы незаконно, человека не могут задержать без предъявления обвинения. Ей нужно потерпеть до приезда Андрея. Андрей все решит, и РУВД извинится перед Марфой и передо мной извинится.

Никита с Ильей положили останки дверь поперек проема: получилась загородка в половину человеческого роста, как в вольере для зубра или косули.

— Му-у, дайте бу-улки, — промычала я на прощание.

По одну сторону мы с Муркой, неопасные травоядные звери, по другую мои прекрасные друзья. С нашей стороны вольера еще Такс, теперь Такс не слезает с *Муркиных* рук.

... — Мама? Я не смогу заснуть. Как спать без двери?! — детским голосом сказала Мурка. — А вдруг придет... ну, кем ты меня в детстве пугала? Бармалей, Бабайка, Волчок-серенький бочок.

Я никогда *не пугала* Мурку, пугать детей Бабайкой неинтеллигентно, я даже не знаю, кто такой Бабайка... другое дело Бармалей.

Объяснила Мурке, что в жизни все познается в сравнении и все бывает: дверь, бывает, есть, а бывает, нет, сегодня нет. Мы должны вести себя как английская великосветская семья в романах и сериалах: что бы ни случилось, они соблюдают традиции, переодеваются к обеду, а у Андрея есть спальник.

— Я выйду к обеду в спальнике.

— Залезь в спальник и вообрази себя туристом под открытым небом... комары, мошки, мухи цеце... ГОЛУБИ, Мура.

Мурка истерически боится голубей: возможно, голуби, как птицы Хичкока, олицетворяют в ее сознании глубоко вытесненную боязнь одиночества, а возможно, в детстве голубь нагадил ей на голову.

Мурка содрогнулась — ужас! Согласилась, что все познается в сравнении, что ночевать без двери в спальнике — это еще не ужас.

...Набрала в Яндексе «Можно ли задержать человека на три дня?», прочитала ответ: «Задержка на три дня еще не означает, что вы беременны».

Вот если бы мне, как Алисе, летящей вниз по кроличьей норе, предложили на выбор синюю таблетку и красную! Принимаешь синюю таблетку — просыпаешься в своей постели и история заканчивается, принимаешь красную — история продолжается и ТЫ УЗНАЕШЬ, КАК ГЛУБОКО ВЕДЕТ КРОЛИЧЬЯ НОРА. Синюю, конечно, я выбираю синюю!

Суббота, 29 марта. Метафизические муки

Мне снилось, что у меня день рождения. Во сне мне исполнилось лет семь, не больше девяти, потому что подарки были: немецкая кукла блондинка в голубом платье с добрым лицом, немецкая кукла брюнетка в красном платье с капризным лицом, пластмассовый заяц, розовый, и еще один заяц, плюшевый в синих штанах.

Проснулась я от того, что Андрей смотрел на меня. Андрей — дома. Как будто мне в том, вчерашнем нереальном мире действительно предложили на выбор синюю и красную таблетки и кто-то здравомыслящий во мне торопливо протянул лапки к синей таблетке. Конечно, синюю! Но кто-то во мне, искатель приключений, авантюрист, подумал: кино остановилось в самом захватывающем месте, когда преступник подливает яд, или в другом самом захватывающем месте. ...Лев Евгеньич и Савва Игнатьич спали со мной, Лев Евгеньич в ногах, Савва на подушке. Меня немного тошнило, болела голова, — сотрясение мозга хорошо лечится сном, но не сразу все вспоминаешь. Марфа!

— Мяу, — сказала я, не открывая глаз, — мурр... Мне снились куклы и зайцы. Дай мне конфету, можно две, прямо в рот. Марфа у нас? Позови Марфу.

167

— А где у тебя конфеты? — ответил Андрей не своим голосом.

Это не Андрей, это Ирка... «А где у тебя конфеты?» — спросила Ирка.

...В спальню вошли: Никита, Алена с судками, Илья, замыкала колонну Мурка с Таксом на руках. Встали у моей кровати. С лицами. Ведь у меня сотрясение мозга. Мне показалось, это уютная ситуация, как будто моя мама с Викиной мамой озабоченно обсуждают мои гланды.

— Я собрала одежду, — сказала Мурка, — свитер голубой, свитер розовый, твои теплые колготки, твое лыжное белье. Говорят, там очень холодно.

Где *там*? Где Мурка собирается кататься на лыжах в моем белье? Когда я засыпала, был конец марта. Я — Рип ван Винкль, проспала целую вечность?

— Есть новости, — сказал Илья с видом главы знатного рода, объявляющего «мы разорены, нам нужно переехать в небольшой коттедж».

Новость первая. Пока я лечилась сном, был суд.

Суд? Суд. ...СУД?! Я просила синюю таблетку! Я не просила красную!

Был суд. По закону человека могут задержать на три дня, через три дня суд решает, выпустить или посадить в тюрьму. До суда было задержание, а теперь — арест. Марфа арестована по обвинению в участии в преступной группировке по продаже наркотиков под руководством Андрея. Марфу перевели в Кресты. Нанятый Мурой адвокат сказал: настораживает, что суд провели так быстро, значит, это *кому-то нужно*. Марфу могут держать в тюрьме, пока идет следствие: два дня, два месяца, год, сколько угодно. Адвокат сказал: главное было вытащить Марфу сразу.

— Дерьмо собачье, а не адвокат! — рявкнул Никита.

— Он хороший адвокат! Он проспал суд! Может человек проспать?.. — кричала Мурка.

Мурка всегда кричит, когда чувствует себя виноватой. Но она не виновата. Никто не виноват: была ночь, у нас было сотрясение мозга, мы заплатили адвокату. Мы не знали, что у нас есть всего несколько часов! Если бы знали, мы бы... а *что* мы бы?..

...Свитер голубой, свитер розовый, колготки, лыжное белье — в белье из полартека не замерзнешь на горе при любом морозе. *Там* очень холодно. В камере.

Марфе холодно. Марфа такая худенькая, все время зябнет. Марфа голодная, ей страшно. Такое же острое чувство физической жалости я испытывала когда-то к новорожденной Мурке (2 кг 600 г, 46 см), мне было так больно, будто меня колют булавкой в сердце, и когда Мурка из комочка превратилась в толстенького веселого человечка, я радостно распрощалась с этой болью навсегда. А сейчас меня опять колют булавкой в сердце! Марфа такая маленькая, хрупкая, прозрачная! Если бы она не была такая маленькая, хрупкая, прозрачная! ...Я давно забыла, как это больно, когда колют булавкой в сердце.

Новость вторая. Андрей не придет домой.

— Это — организованная группа. Это — наркотики. Он назван организатором преступной группировки, — втолковывал мне Илья. — За ним могут прийти. Пока все не прояснится, ему нельзя появляться дома, и в офисе, и на даче. Андрей сказал, что у него нет ни одного предположения, ни единого. Сказал, что будет думать. И еще что-то... А-а, что у него много работы.

За Андреем *могут прийти*? И арестовать? *Андрея арестовать*? Я не понимаю. Как будто проснулась в своей детской, а все куклы и зайцы вспороты.

... — Я бы *на его месте,* как любой разумный человек, сразу же уехал из страны. Шесть часов, и ты уже в Хельсинки, — сказал Илья.

— Это тебе шесть, а он за четыре доедет. А я бы лучше через Эстонию, улетел бы из Таллинна в Испанию... на дачу, — мечтательно сказал Никита.

— *На твоем месте* я бы помнила, что теперь это моя дача, — сказала Алена.

— Дура, — констатировал Никита. — ...Ладно, поеду в Смольный, свяжусь, с кем надо.

— Скажи, пусть прекратят! Преследования! И чтобы немедленно. Спроси, кому платить, — посоветовала Алена. — И я бы *на твоем месте* заказала ей входную дверь.

«Ей» — это мне, мне нужно заказать входную дверь. Но Андрей сам закажет дверь! Никита с Аленой считают, что Андрей не вернется домой сегодня? Или завтра?

— Я *на своем месте* уже заказал, через три дня привезут, — сказал Никита и мрачно засопел. — После ареста Марфы все не так просто. Не понимаешь?.. Как я с тобой живу...

— А и не живи, не живи, мы же развелись! — взвилась Алена.

— Никита, Алена, я бы *на вашем месте* не выясняла отношения в такую минуту, а думала, что делать, — сказала Ирка.

— А я бы *на твоем месте* не нагнетала панику, — огрызнулась Алена.

Я сползла с головой под одеяло.

— Котлетку с пюре? — быстро сказала Алена. — У меня тут все с собой. Не плачь, пожалуйста... Нежная котлетка, паровая.

А я и не плачу. Просто не хочу быть снаружи.

Мои прекрасные друзья переругивались, кто бы что делал на чьем месте, а я там, под одеялом, задавалась метафизическими вопросами: что есть причина причин, истоки истоков, начала начал, ПОЧЕМУ мы ведем себя как будто мы — беззащитные?! РАЗВЕ МЫ БЕЗЗАЩИТНЫЕ?! Никита — власть, Илья — его лицо известно всему городу, мои книги в витринах книжных магазинов... И мы ничего не можем сделать?! Быстро сделать, сию минуту! Чтобы Андрей был дома, чтобы Марфа, лучшая девочка на свете, была дома — сколько ехать до этих Крестов, минут двадцать без пробок? — чтобы Марфа через двадцать минут была дома. Мы беззащитные?.. Но если *мы* беззащитные (власть, публичность, деньги), то кто тогда *защитный*? ... На метафизические вопросы (причина причин, истоки истоков, начала начал) нет ответа, они по определению превосходят возможности человеческого разума.

...Теплые колготки, две пары, свитер голубой, свитер розовый, мое лыжное белье, Муркин розовый спортивный костюм, мой голубой спортивный костюм, Муркин пуховик, гигиенические принадлежности, включая Муркину новую туалетную воду «Miss Dior» («в новом аромате переплетаются запахи болгарской розы и уникального тунисского нероли», — что такое нероли?). У Мурки есть список разрешенных продуктов: хлеб, сыр... Неужели это не сон, что мы с Муркой собираем передачу в тюрьму, что мой ребенок будет стоять в очереди в Кресты? Тысячи раз я проезжала по набережной мимо краснокирпичного здания и никогда не думала «вот тюрьма» или «вот Кресты», это было вне моего сознания. А теперь там — Марфа. Марфа такая беззащитная, а вдруг ее там *обидят*? ...Не могу я думать о Марфе, буду собирать продукты по списку. Сколько людей в мире произносили фразу «неужели это не сон?», и это был не сон. Туалетная бумага не влезла в сумку.

— Я уговорю их передать Марфе сумку! Уговорю за деньги! — крикнула Мурка и унеслась с рулоном туалетной бумаги на шее. Мурке даже в голову не пришло, — вдруг сегодня в Крестах неприемный день? Мура, она как я, принцесса мира.

Мурка уехала в Кресты.

Никита уехал в Смольный.

Илья уехал на телевидение.

... — Нужен адвокат по уголовным делам, у кого кто есть? — сказала Ирка.

— У меня есть хороший стоматолог, — сказала Алена.

У Алены есть хороший стоматолог и хороший скорняк для переделки норковых шуб. У Никиты есть административный ресурс. Ирка может достать билеты в театр. Я могу попросить в издательстве прочитать рукопись начинающего автора. Илья может дать оценку политическим и культурным событиям. У Ильи есть девочка, которая за день делает любую визу, и хороший отоларинголог, Илья называет его «ухогорлонос».

— У меня есть адвокат по гражданским делам, может быстро оформить развод, буквально за час, — застеснявшись, сказала Алена.

У нас есть все, что нужно для жизни в большом городе. Но адвоката по уголовным делам у нас нет.

— ...Нельзя сидеть сложа руки, — сказала Ирка, и я посмотрела на нее с неприязнью. У меня сотрясение мозга, я лежу в кровати, чувствую себя морковкой, укоренившейся в грядке, а Ирка хочет выдернуть меня зеленым хвостом в жестокий мир! Андрей ведь сказал, что он будет думать!

...Андрей сказал, что «будет думать». Но Андрей с его флегматичным темпераментом может *долго думать*. И не факт, что он будет думать, почему его считают организатором преступной группировки, а не о работе. У него недостаточно развито чувство самосохранения. Наряду с этим излишне развито чувство ответственности за свои стройки. Он никогда не участвовал в спорах Ильи и Никиты «как жить в этой стране?!», молча смотрел, как будто знает *как* — работать и все.

Ну, допустим, Андрей уже думает. Но *где* он думает? Илья сказал «на его месте любой разумный человек уехал бы из страны». Я уверена, что Андрей, *на своем месте*, не гуляет по Хельсинки, не ловит рыбу в Испании, он на работе, на одной из своих строек.

Но почему я, с моим сильно развитым чувством самосохранения, до сих пор лежу в постели?! Почему упираюсь всеми лапами, чтобы не вылезать из уютной норы?! Почему лежу и думаю: «Со мной, принцессой мира, такого не могло случиться», в то время как Марфа в тюрьме?.. Очевидно, все дело в сотрясенном мозге.

Андрей пусть *думает*, а я буду действовать! Андрей вернется домой, завтра или на днях, а у меня уже все готово: обед, адвокат по уголовным делам.

И я вылетела из уютной норы пробкой. Через десять минут мы с Аленой и Иркой были во дворе у моей машины: я договорилась с адвокатом о встрече. С тремя адвокатами о трех встречах. Найти адвокатов оказалось делом нескольких звонков: не знаю, откуда у людей моего круга адвокаты по уголовным делам, но они у них есть. И сейчас у нас будет кастинг адвокатов.

Я на бегу бросила тете Кате: к нам никого не пускать, особенно Госнаркоконтроль (не знаю, существует ли такой). Тетя Катя не улыбнулась, не сказала «ох, что творят, совсем уже с ума сошли», взглянула на меня отстраненным взглядом, как будто мы с ней не хорошие друзья, а просто раскланиваемся.

И охранники во дворе на меня *смотрели*. Наверняка думали: «Вот какая криминальная семья, причастна к обороту чего-то очень плохого или не заплатила налоги за прошлый месяц» и «Жаль, что обошлось без стрельбы и погони». Все знали, весь двор, весь дом! У нас такой дом: вроде бы два отдельных мира, хозяева и обслуга, но это один мир, где все сплетничают обо всех. Весь двор, весь дом знает, что у Андрея в тумбочке воблеры.

Первая встреча была назначена в кафе на Марата. До Марата пешком десять минут, — но оказалось, я не могу идти, так сильно кружится голова. Для сотрясенного мозга лучше было бы потихоньку вползти в мир осмотрительной гусеницей, а не вылетать бешеной пробкой. Также оказалось, что я не могу вести машину: забыла, как нажимать на газ, поворачивать руль, вообще как ехать. Алена сказала, что совершенно то же самое произошло с ней в Куршевеле: забралась на гору, и тут ей позвонил Никита сообщить, что ребенок не сдал сессию. Алена не смогла съехать с горы, забыла, как двигать руками и ногами, — такой сильный стресс.

— Ногу на га-аз! Руки на ру-уль! Поехала, быстро! — внезапно закричала Ирка.

И я поехала. Алена тоже потом все-таки съехала с горы: подумала, не вызывать же спасателей за двести евро, чтобы несли вниз на носилках.

В кафе на Марата: капучино мне, американо Ирке, чай и пирожное «медовое» Алене. Ирка сказала: «Сладкий запах меда напоминает мне о летних ливнях, о стогах сена, а пирожное несвежее, не бери», — у Ирки две стороны натуры, поэтическая от актрисы и практичная от буфетчицы. Но Алена все равно взяла пирожное, она принципиально не поощряет Иркину двойственность.

...Честно говоря, я не уверена...

Я имею в виду, что сфера моих *практических действий* не слишком широка. Когда люди долго живут вместе, им без слов понятно, кто за что отвечает. У нас с Андреем давно сложившееся распределение обязанностей — на нем все. Он машину мне заправляет, не доверяет мне, — всего-то пару раз залила в бак дизельное топливо вместо бензина, платит за квартиру и за телефон и покупает продукты. А я помню, когда у наших друзей дни рождения. Воспитание Муры и Андрюшечки тоже на мне, — образование, Бармалей и прочее.

Но сейчас наши обязанности распределились так: Андрей думает, я действую. Без спросу провожу кастинг адвокатов в кафе на Марата. Адвокат № 1 от моего приятеля, топ-менеджера большой компании. От топ-менеджера большой компании должен быть хороший адвокат, не сонливый жулик, как от Мурки. Но все равно ОЧЕНЬ СТРАШНО. На мне большая ответственность. Нужно будет заключать договор, а если следующий адвокат понравится мне больше, что делать с договором? Я ни разу в жизни не подписывала никаких официальных бумаг, кроме договоров с издательством и киностудиями о продаже авторских прав... кстати, договоры нашлись при обыске в столе Андрея.

Адвокат № 1 оказался — два адвоката. Работают вдвоем и повсюду ходят парой. Молодые, лет тридцати, один с бородкой, другой в очках. Большевик и Меньшевик. Сразу видно, что это модные адвокаты, оба гладкие, глянцевые, блестящие. Выложили на стол айфоны, айпэды. Меньшевик заказал латте, Большевик — несговорчивый, бескомпромиссный, с жесткой позицией по аграрному вопросу — положил на стол часы. Наверное, так положено среди адвокатов: дают понять, что у них есть на меня время, пока пьют латте. Хорошо, что в этом кафе подают латте в огромных бокалах, мы успеем рассказать.

— Рассказывайте, — сказал Меньшевик. Большевик — работать, а не болтать! — взглянул на часы, и мы заговорили одновременно.

— Нам не нужен просто адвокат, нам нужен со связями, — сказала Алена. Требовательно и капризно, как городской покупатель в сельпо.

— Кто из вас клиент? — поморщился Большевик, поглядев на нас, как будто мы инопланетяне среднего возраста.

Допустим, каждую фразу я начинала со слов «все это ужасно смешно...». Я изо всех сил *дружила* с модными адвокатами, я хотела, чтобы они вместе со мной посмеялись всему, что с нами случилось. Допустим, мой рассказ звучал сбивчиво, как будто я сдаю экзамен и плохо ориентируюсь в материале. Но, когда я принимаю экзамены, я всегда думаю: может быть, человек не сразу показывает все знания? Я не смотрю на студентов взглядом «двойка без права пересдачи», а они смотрели!

— Нужно было как можно раньше привлечь нас к следственному процессу, так как самые первые следственные действия, обыски и допросы, являются главными доказательствами в суде, — сказал Меньшевик.

— Мы не знали... простите, — пискнула я.

— Вы понимаете, в чем состоит работа адвоката? Участвовать в обысках, на правах представителя присутствовать при допросах клиента, посещать подсудимого в следственном изоляторе, обсуждать с ним тактику поведения во время допросов...

— Зачем вам участвовать в обысках, у нас уже был обыск. ...А допросы, какие допросы?.. — испугалась я и тут же еще больше испугалась строгого взгляда Меньшевика. — ...Ну, хорошо, хорошо, допросы.

От меня нет толку. Я некомпетентна. Диалог адвокатов со мной — как будто кто-то пытается налить кофе в почтовый ящик, все льется мимо. На половине принцессы музыка, разговоры о хороших людях, вечный праздник. Нанимать адвоката по уголовным делам — мужское дело.

...Но *чье* мужское дело?

Илью нельзя было брать на кастинг адвокатов, у Ильи парамнезия. В ресторане Ирка советует ему «бери мясо», он заказывает рыбу, а когда принесут, морщится и тоскливым голосом Иа-Иа говорит Ирке «я же сказал, нужно было брать мясо!». Парамнезия, иллюзорный взгляд в прошлое: Илья уверен, что все знал заранее, обо всем предупреждал, но его не послушали, и теперь — вот... Конечно, ворчать «а я говорил...» — свойство всего живого, но парамнезия Ильи усилена профессиональной деформацией: в качестве публичного интеллектуала он каждый день дает оценки *всему*, говорит «это так». Если оказывается прав, то думает «супер, я все знал заранее!», а если оказывается не прав, думает, что предвидел именно такое развитие событий. ...В общем, Илье нельзя доверить выбор адвоката: выберет, к примеру, адвоката с параметрами 100-60-100, а потом скажет «я же говорил, нужно было брать 200-100-200».

Никиту тоже нельзя брать с собой на кастинг адвокатов. У Никиты иллюзия контроля. Считает, что всегда управляет ситуацией, а специально обученные люди должны записывать его слова в блокнот и потом доложить. На ложной идее, что человек может все контролировать, основаны эти ужасные тренинги по достижению успеха с ужасными лозунгами «Вы можете всего достичь!», «Вы должны только захотеть!» — но разве нам подвластно все на свете, разве это не мания величия? ...В общем, Никита выберет самого послушного адвоката, который будет записывать за ним в блокнот, затем докладывать о том, что ничего не вышло, и получать новые инструкции, — а я так не хочу.

Поэтому мы нанимали адвоката по уголовным делам втроем: Алена, домохозяйка, Ирка, буфетчица-актриса, и я, бывшая принцесса мира. Думаю, это общее правило: мы кажемся себе Весьма Значительной Персоной, наше лицо висит на Невском, у нас множество умных (и влиятельных) друзей, приятелей, знакомых, но когда случается что-то страшное, рядом с нами остаются Алена и Ирка. Так получается.

— Есть одно важное обстоятельство, которое мы не обсудили, — поглядев на часы, сказал Большевик.

— Давайте обсудим! — откликнулась я с радостной готовностью учительской подлизы.

— Эта девушка Марфа, которая вам как дочь, — любовница вашего мужа?

— Что? О господи... Конечно, нет.

Меньшевик и Большевик переглянулись.

— Ваш муж много моложе вас? Или много старше?

Что они имеют в виду? Что у меня муж-мальчик, который за моей спиной... фу! Или же у меня старый муж, которому бес в ребро? А Марфа, что они подумали о Марфе? Что она любимый персонаж детективов? Девушка с ангельским лицом и тайной в прошлом, всегда оказывается не той, за кого себя выдает?

...Большевик и Меньшевик смотрели на меня с выражением «оставайтесь при своих иллюзиях, раз уж вы такая дура».

— Подведем итог: ваш муж обвиняется в организации преступной группировки по продаже наркотиков. Один из членов группы находится под арестом. С момента обыска вы не знаете, где находится ваш муж. Кстати, он молодец, что вчера не был дома, — его бы закрыли, — сказал Большевик и, не дожидаясь вопроса «где закрыли, дома?», пояснил: — Его бы арестовали, а сегодня утром задержание превратилось бы в арест.

...Мне пришло сообщение «когда папа зобирет меня?», я ответила «тебе у бабули очень хорошо, целую», второпях даже не добавила привычное «занимайся русским». Большевик и Меньшевик перекидывались друг с другом словами, которых я не понимала, звучали чины и организации, названия которых не смогла бы повторить, но суть была понятна: у них *есть* связи во всех главных организациях города.

— Давайте заключим договор. Аванс десять тысяч долларов плюс расходы, — сказал Меньшевик, и Алена с Иркой одновременно пихнули меня под столом, Алена справа, Ирка слева.

— Мы согласны, — сказала Алена.

— Мы не согласны, — сказала Ирка.

Большевик и Меньшевик велели нам подумать и пересели за другой стол — за другим столом у них была встреча с другим клиентом, — и мы принялись думать.

— У них есть связи. Стоят они по-божески. Тем более у нас в России труд адвоката недооценен по сравнению с Америкой, — сказала Алена.

— Мы ничего не знаем про их связи, может быть, это психологическая атака на клиента. Стоят они дорого. Мы не в Америке, — сказала Ирка.

...Мне очень трудно принять решение. Эти модные мальчики не верят, что мой муж ни в чем не виноват. Думают, что он знал об обыске. Думают, что Марфа его любовница, что через нашу квартиру проходит наркопуть, а я наивная дура. Я не хочу адвокатов, которые мне не верят!

Я не хочу адвокатов, которые мне не нравятся! ...Но должны ли они мне нравиться? Но, может быть, они мне все-таки нравятся? Они молодые, энергичные, со связями. Да, решено, — они мне нравятся. ...Нет, я не могу. Я... они меня *пугают*. Нет.

Меньшевик и Большевик вернулись к нам.

— Да, — сказала я, — уже можно заплатить?..

И в тот момент, когда я уже вывела на договоре первую букву своего имени, зазвонил Аленин телефон.

— Пока ты неизвестно чем занимаешься, мы уже адвокатов наняли, договор подписываем, а ты что успел сделать?! — говорила Алена. И вдруг умолкла, будто ее выключили.

Мы выскочили из кафе, не заплатив за кофе и пирожное, пришлось Ирке вернуться, а мы с Аленой ждали ее в машине *молча*, и между нами метался ужас. Никита сказал: «Сию минуту домой. Ни с кем не говорить. У меня 170 на 100, но это сейчас не важно».

Моя жизнь сейчас как школьный учебник истории, в котором каждый параграф начинался со слов «Крестьянам жилось все хуже». Давление 170 на 100 *не важно*, спать без двери *еще не ужас...*

Уже ужас

Припарковались во дворе одновременно с Муркой, пихнула меня бампером.

Мурка вылезла из машины, — с сумкой и туалетной бумагой. Мурке не удалось «уговорить за деньги». Передачи принимают по определенным дням, определенный день завтра. Завтра Мурке к пяти утра. Чтобы передать передачу, люди занимают очередь в пять утра. Мурка взяла *уточненный* список разрешенных продуктов.

— Мы что, совсем бесправные?! — возмущалась Мурка.

Бесправный в Муркином смысле — это человек *с такими же правами, как у всех.*

Впервые в жизни Мурке не удалось то, что она задумала. Впервые в жизни Мурка пришла куда-то не от кого-то, а сама по себе (у меня никого нет в Крестах).

Мурка ни разу в жизни не ходила куда-то к пяти утра. Ни разу в жизни не стояла в очереди. Ни разу в жизни не стояла с пяти утра в очереди в Кресты. Бедная Мура обескуражена: впервые в жизни чувствует себя бесправной, *такой, как все.*

...Но, конечно, мы не бесправные, *не такие, как все,* — у нас у Никиты власть, *дополнительные* возможности, например, возможность получить информацию.

Информирован значит вооружен, но разве *любое* знание лучше незнания? Не лучше ли в некоторых случаях не знать *все*, не получать напрямую от главного прокурора города информацию, такую, что бьется в горле и уже не можешь дышать? Если бы мы были *бесправными, с такими же правами, как у всех*, мы бы не узнали так много.

Что узнал Никита

СТРАННОЕ. У Марфы нашли наркотики, то ли порошок, то ли ампулы. Об этом говорили сегодня утром на суде. Мы ведь не знали, что было на суде, так как Мурин адвокат проспал суд. Теперь мы знаем: у Марфы нашли наркотики, что совершенно необъяснимо.

И ЕЩЕ КОЕ-ЧТО.

— Мне удалось кое-что узнать: Россия — крупнейший импортер бананов.

Алена нахмурилась, прошипела «С ума сошел?», и мы все подумали, что да, Никита помрачился в уме.

— Знаете, как к нам привозят бананы? На банановозах из Эквадора, из этого, как его... Гувакиля.

— Ты имеешь в виду Гуаякиль? — сказал Илья.

Вот оно, Никитино *еще кое-что*: почти весь продаваемый в России кокаин ввозится грузовыми судами на маршруте Гуаякиль — Петербург. Наркотик прячут на судне, отправляют покупателю в Петербург схему, по которой можно найти наркотик на корабле. На схеме стрелочки-указатели или рисунки с человечками (как у Конан Дойла). Имеющие доступ на корабль сотрудники порта по схеме находят на корабле наркотик. При такой конспирации в руки правосудия попадают только курьеры, а поставщики и покупатели остаются неизвестными. Как у Конан Дойла, да.

— В городе ведется масштабная разработка сети нар-
которговцев, получающих кокаин в сухогрузах по маршруту
Гукавиль — Петербург.

— Гуаякиль, — ехидно поправил Илья.

— Да понял я, Гувакиль, — отмахнулся Никита, — а
вы-то поняли? Масштабная разработка. Задействованы
ГУУР МВД, ФСБ, ФСКН.

Все это очень интересно, пляшущие человечки и так далее, но где место Марфы с ее то ли порошком, то ли ампу-
лой в цепочке «Гуаякиль-банановоз» — «с третьей палубы
налево, второй люк в стене»?.. При чем тут мы?

— Как при чем тут мы?! Неужели не понятно?! Мы ни
при чем. Я обрисовал общую ситуацию в городе. Перед тем
как решать вопрос, нужно правильно сориентироваться.

— Все-таки он идиот, — прошептал Илья.

— Все-таки ты идиот! Ты *совсем* идиот! — громко сказала Алена.

У Алены взрыв негативных эмоций после развода. Она
несправедлива к Никите: *совсем* идиот не сделал бы такую
карьеру, не смог бы произнести ГУУРМВДФСБФСКН.
У каждого из нас профессиональная деформация: Марфа
разговаривает со всеми как с особенными детьми, Илья
всегда как будто читает лекцию, я все время думаю «этот
сюжет можно развернуть по-другому», а Никита привык
правильно ориентироваться, «решать вопросы», вот он и
бубнит: «Общая ситуация, сориентироваться, они думают,
что все понимают, а на самом деле ничего не понимают...»

— Наше дело на контроле в Москве. В Москве в Главном управлении висит объявление: «В Санкт-Петербурге
раскрыта преступная группировка».

Наше дело на контроле в Москве. Марфа и Андрей на
контроле в Москве. В Главном управлении висит объявление. ...Неужели у них там все так по-домашнему? Делятся

новостями, вывешивают на своей доске объявления «Продаю колготки» или «Вчера в Санкт-Петербурге раскрыли преступную группировку»... Кажется, меня тошнит, кажется, я дрожу.

У Никиты такой мрачный вид, у Ильи такой печальный, что мне даже как-то стыдно перед ними за неприлично грандиозный масштаб свалившихся на нас бедствий. Как будто я упала на улице в гололед, добрые прохожие подняли меня, отряхнули и уже хотят идти дальше по своим делам, но оказалось, я сломала ногу и нужно везти в больницу. Я не имею в виду, что мои прекрасные друзья хотят идти по своим делам, мне неловко, что они так сильно из-за нас расстраиваются, у Никиты давление, на Илье лица нет...

— Я узнаю, какие ожидаются кадровые перестановки, кто заинтересован в раскрытии крупного дела, — сказал Никита, — чтобы окольными путями на него выйти. Я же... ну, я же не могу открыто проявлять интерес к такому делу.

— Ты можешь хоть что-то сделать прямыми путями? — огрызнулась Алена.

Никита вздохнул. Он *не может*. Чиновнику федерального уровня *невозможно* прийти к главному прокурору города и сказать: «Мой друг, лучший человек на свете, обвиняется в организации преступной группировки по продаже наркотиков».

— Ох, и дура ты, Алена, ох, и дура... Есть еще кое-что. Самое главное. Только без паники.

ДРУГОЕ САМОЕ ГЛАВНОЕ. У них есть улики. Улики указывают на Андрея как на организатора преступной группировки.

У них есть улики? Неопровержимые доказательства? Значит, все это не смешная случайность, а... что? Подлый, умело сплетенный кем-то клубок. «Граф Монте-Кристо», вот что.

В стрессе организм совершает необъяснимые поступки: я молча встала из-за стола, — мы сидели на кухне, молча проследовала в спальню, легла в кровать в одежде с такой осознанной правотой, как будто именно там мое место по праву — под одеялом.

И опять я, как утром, лежала в постели — в романе нельзя повторять место действия, но в жизни человек бросается в самое надежное пристанище, — я опять лежала с головой под одеялом, а мои прекрасные друзья стояли надо мной в карауле.

— Я всегда думал, что она сильная, — сказал надо мной Илья.

Ага, я тоже не думала, что я слабая, жалкая!.. Я думала, я сильная, я всегда говорила, что выход есть, я всегда *справлялась*, — получала пятерки на экзаменах, а если не получала пятерку, пересдавала экзамен. Наверное, бывает, что человек всегда одинаковый, всегда боевой, как Мурка, или всегда робкий, как Марфа, а бывает, что человек сам себя не знает — и узнает только в стрессе. Наверное, я могу быть сильной, когда все хорошо, а когда на нас обрушилась такая махина, оказалось, я слабая...

— А ты же не завтракала, хочешь сейчас позавтракать? Ну и что, что вечер, все равно, — каша овсяная, омлет, булочка с маслом, — сказала Алена.

Никто меня не понимает. Как я могу есть, когда Марфа в тюрьме?.. Вкусная Аленина каша, вкусный Аленин омлет... пока Марфа в тюрьме, я вообще не смогу есть ничего вкусного, для удовольствия, только для поддержания организма. Что мне делать?.. Что мне делать, что мне делать, что мне делать?! Набрать в Яндексе вопрос «что мне делать?»? А если не найдется ответ, то в Гугле.

...А ведь я всегда думала, что если вести себя хорошо, то ничего плохого не случится. ЕСЛИ ВЕСТИ СЕБЯ ХО-

РОШО, ТО НИЧЕГО ПЛОХОГО НЕ СЛУЧИТСЯ. Конечно, я не имела в виду болезни или трагические случайности. Я имела в виду свои собственные уютные договоренности с мирозданием: я веду себя хорошо — хорошо учусь, выполняю все правила, а мироздание взамен хочет добра персонально мне — не случится ничего плохого. Ну, и само собой, не случится слов, которых не может быть в моей жизни — «арест», «предварительное заключение», даже слова «адвокат» не случится. Кажется, чего уж такого особенного я хотела?! А вот!.. Никто не получает всего, что хочет, даже я, принцесса мира. Оказывается, с каждым может случиться страшная незаслуженная беда, — взять того же графа Монте-Кристо... Но если граф Монте-Кристо, то есть Эдмон Дантес, — так почему не мы, не я?

Потому что! Потому что я не Эдмон Дантес! Не бедный моряк! Это *я*! Я у себя дома, это *мой город*! Мой Невский, мой Дом книги, я в этом городе как хозяйка у себя на кухне, по книгам моего деда и отца учатся студенты, моя бабушка лечила людей в блокаду, в мою маму был влюблен Довлатов, мой папа дружил с Бродским, я сидела на коленях у Ахматовой (в детстве я говорила «меня нельзя шлепать, у меня мемориальная попа!»), мои книги в витринах книжных магазинов, я часть культурного слоя, я защищена *своим Питером*, — менянельзяшлепать! — С НАМИ ТАК НЕЛЬЗЯ! С НАМИ ТАКОГО НЕ БЫВАЕТ, с нами не бывает ГУ-УРМВДФСБФСКН!.. И не надо вспоминать Ахматову в тюремных очередях, то была общая беда, а это — подлое обвинение в продаже наркотиков! ...Все это звучало напыщенно и глупо, я ни за что не смогла бы произнести это вслух. Но я ведь и не говорила это вслух, я мысленно произносила свою пламенную речь под одеялом. И очень сильно болело слева, где сердце.

— Очень болит слева, где сердце, — высунувшись из-под одеяла, сказала я, и все куда-то поплыло, и уплыло совсем, и последняя мысль была «вот и хорошо, вот и до свидания, не навсегда, конечно, а на время».

Когда я открыла глаза, передо мной были все те же плюс бригада «скорой помощи». А я была опутана проводами. У Никиты есть телефон специальной «скорой помощи», которая приезжает через пять минут в любую точку города, — как им удается проехать по пробкам?

Я, конечно, рассчитывала на инфаркт. Инфаркт — лучший выход из положения. Я стала бы центром внимания, любви и доброты: горестно сосредоточенные лица моих прекрасных друзей, люди в белых халатах несут меня на носилках. Я бы лежала в больнице, — койка у окна, цветы, компот, хорошие новости с пяти до семи, — больному после инфаркта нужен покой. А к моему полному выздоровлению все бы уже стало хорошо: Андрей с Муркой и Марфой забрали бы меня домой, и дома я бы съела Аленину паровую котлету.

Врач «скорой помощи» сказал, что моя кардиограмма как у космонавта. Потом, позже, когда *страшное* все не кончалось и не кончалось, я много раз думала «нужно было бороться за себя, настаивать на инфаркте», но хорошие мысли всегда приходят потом.

...Андрею нужны его рабочие документы. Оказывается, он по телефону продиктовал Илье список, какие папки со стола нужно взять.

— Почему он звонил тебе, а не мне? — ревниво спросил Никита.

— Андрей сказал: пока мы ничего не понимаем в этой истории, он не будет выходить с тобой на связь, чтобы не подвести тебя, — транслировал Илья. И от себя добавил: — Ты же у нас чиновник федерального значения. Это твоя страна, начальник, гордись.

— При чем здесь страна? Это не политическое преследование, это просто недоразумение, в любой стране может быть, — оправдывался Никита.

— Ни в одной стране! Такого не может быть! Когда лучшего в мире человека преследуют ни за что ни про что! — сказала Ирка.

— Такое может быть в другой стране. Такое во Франции может быть, — примирительно сказала Алена. — Графа Монте-Кристо преследовали ни за что ни про что. Его преследовал рок.

Граф Монте-Кристо? Когда люди в детстве читали одни и те же книги (моя в потрепанной зеленой обложке), у них возникает одинаковый ассоциативный ряд.

...Собрали с письменного стола папки по списку. Зачем Андрей диктовал, какие ему нужны папки, если ему нужны все папки? Илья забрал старый портфель, на всякий случай, вдруг Андрею что-нибудь из этого портфеля понадобится или вдруг будет еще один обыск. В портфеле наше свидетельство о браке, книга о рыбалке, Муркин рисунок, корявое деревце с надписью «я тибя лублу Мура», МРТ головного мозга Андрея — стратегически важная информация.

Все ушли, Мурка легла спать. Поставила будильник на четыре утра — боится проспать очередь в Кресты. Собирается проснуться в три, чтобы не вставать по будильнику в четыре.

Я осталась одна, с Таксом на руках. В кабинете Андрея идеальный порядок, — когда Алена с Иркой успели убрать квартиру? — на письменном столе ни одной бумажки. Никогда у него не было такого чистого стола.

Лучше бы у меня был инфаркт, два инфаркта, чем смотреть на его пустой стол. Мне это очень больно, думаю, инфаркт *не так больно*.

Такое противоречивое состояние организма: организм тошнит от ужаса, он курит без конца и весь дрожит, но по привычке продолжает извлекать из окружающего мира смешное, как пчеловод откачивает из сот мед. МРТ головного мозга я попросила Андрея сделать после одного происшествия: Муркина подружка оставила меня со своим годовалым ребенком, а я, в свою очередь, оставила Андрея с ее ребенком, — я уже и забыла, что годовалые мальчики такие подвижные. Когда мы с Муркиной подружкой одновременно вернулись домой, малыш был очень счастлив (они с Андреем построили целый город из винных пробок) и с ног до головы измазан моей косметикой — тушью и помадой.

— Мы строили башню, и вдруг он убежал, а потом пришел вот такой, — сокрушенно сказал Андрей.

— Ребенок был где-то в квартире без присмотра?! ...А ты, что ты делал?!

— Играл. Строил башню, — объяснил Андрей.

— Играл? Строил башню? Сделай МРТ головного мозга, — предложила я.

А теперь в доме нет его МРТ. Если к нам еще раз придут с обыском, мы будем потирать руки и думать: «Ищете МРТ головного мозга Андрея?.. Не найдете, ха-ха-ха, мы его вывезли».

Последние исследования показывают, что мой папа был прав, когда не разрешал мне в детстве плакать: слезы не облегчают удрученное состояние, а, наоборот, ухудшают. Я не умею плакать *наружу*, слезы текут внутри меня. Сейчас я вся состою из слез и сигарет.

Воскресенье, 30 марта.
Надо врать по телефону

День начался как сериал: новая серия начинается с последней сцены предыдущей. Проснулась от суеты в квартире, а мои прекрасные друзья уже тут, сидят на кухне вчетвером. Я слышала, как Илья говорит «я ей не доверяю», Никита сопит, Алена гремит сковородкой, как Ирка отвечает «Илья прав, нужно забрать».

— Доброе утро.

— Доброе, да не очень, — сказал Никита, — ты только не пугайся. Алена, валидол! Вот что я выяснил по своим каналам: телефон Андрея прослушивали. Результаты прослушки приобщены к делу.

ВОТ ЧТО Никита выяснил по своим каналам: телефон Андрея прослушивали. Результаты прослушивания приобщены к делу. Телефон Андрея прослушивали несколько месяцев.

Господи, прослушка?! НЕ МОЖЕТ БЫТЬ. У американских спецслужб есть секретные разведывательные программы, слежение за пользователями мобильных телефонов по всему миру и прочее шпионство в целях государственной безопасности, у наших тоже, но... Но Андрей, но я, но мы!.. Мы же не угроза государственной безопасности!

Мы же *просто люди*! Иногда, не чаще раза в день, я спрашиваю Андрея *по телефону* «ты меня любишь?», и он отвечает «я тебя люблю», — что же, они нас слушали? И думали «вот дураки, сто лет женаты»? Разве это *можно*? А я, меня тоже прослушивали? И сейчас прослушивают?

— Кто ей скажет?.. — спросила Ирка.

— Я. Я тактично скажу, — ответил Илья и ласковым голосом, каким говорят с психами, обратился ко мне: — Дай мне свой телефончик. Просто дай мне телефончик. *Где* твой телефончик?

— Отдай телефон, тебе говорят! — заорал Никита. Лицо красное, губы дрожат. Очень нервничает.

И они принялись переговариваться, как будто я не стояла рядом, как будто меня тут нет. А я есть!

...Она может случайно что-то сболтнуть или даже просто машинально набрать номер Андрея, это никак нельзя... (Илья)

...Она-то обойдется без телефона, но как мы с ней будем связываться? (Ирка)

...Нечего вам лишний раз связываться. (Никита)

...Но как жить, если мы не можем лишний раз связываться? (Алена)

...Дело на контроле в Москве, прослушка, — похоже, приплыли. (Никита)

У меня нужно забрать телефон. Мне не доверяют. Говорят обо мне «она». Считают, я не справлюсь с конспирацией. В телефоне у меня Viber, WhatsApp, скайп, фейсбук и инстаграм, книги и музыка для стояния в пробках, — как я без телефона?.. И только один добрый голос прошептал мне на ухо: «Ты же не идиот, хотя все считают, что ты идиот. Ты ведь поняла, что по телефону ни о чем говорить нельзя. Не бойся, твой телефон спрятан в надежном месте». Узнать, что тебя прослушивают, — огромный стресс по шкале стрессов, это взлом личности, вспарывание частного пространства, и я должна была бы задохнуться, замереть, но я уже была за пределами шкалы, поэтому только подумала «хорошо иметь взрослую дочь». Если вас *уже* рвет когтями тигр — это стресс, и когда к вам вдруг приближаются пума, гепард и дальневосточный кот, они не вызывают *отдельного* стресса, ни ужаса, ни изумления, — вы живете, как умеете, в когтях у тигра, и все.

Телефон остался у меня. Я ПОНЯЛА — по телефону ни о чем говорить нельзя.

Никита послал своего водителя в магазин купить телефон, на этот номер будет звонить только Андрей. Решили, что связью Андрея с миром, с нами, будет Илья. Я ПОНЯЛА, что связью Андрея со мной будет Илья. Я ПОНЯЛА, что мне нельзя звонить Андрею: я должна делать вид, что не знаю, где Андрей, и поэтому не звоню... или знаю и поэтому не звоню... или забыла, что он есть на свете, и поэтому не звоню. Мне нельзя машинально набрать номер Андрея, — он не ответит, но все равно нельзя. Если я захочу спросить Андрея «ты меня любишь?», я должна буду действовать через Илью. Я ПОНЯЛА, сколько раз можно повторять, я же не идиот!

...Почему я не могу просто набрать номер Андрея, просто послушать «абонент находится вне зоны действия сети»? Я ведь не буду кричать в выключенный телефон: «Где ты?!»

...Позвонила Вика. С прерванного разговора о финалах прошла вечность, но на самом деле прошли всего сутки. Вика на эти сутки уходила в больницу.

Из больницы Вика не звонит, и мне не разрешает звонить: как будто этой больницы в Тель-Авиве нет, как будто эти сутки выпали из времени, как будто она не знает, что я с точностью до минуты знаю, когда она придет домой, и изнываю у телефона. В больнице Вике бывает просто страшно, бывает больно и страшно, я хочу по ее голосу понять, как она. Спрашивать нельзя: Вика старается загнать болезнь в щель, чтобы болезнь не могла даже мяукнуть, и живет, как будто болезни нет. Вика не герой, не стоик, наша с ней с детства любимая игра — кто первый скажет «я устала, дай мне бутерброд» и бросится на диван. Откуда у Вики взялась такая сила духа, чтобы молчать, когда лисенок раздирает ей грудь? Родилась в борьбе с болезнью?

— Привет, я с утра думаю о Чехове, — сказала Вика. — Ну, а ты как?

Как я? Мне нужно подумать, *как* я: мы не одни, нас слушают сотрудники отдела по борьбе с организованной преступностью. Я не должна давать им никакой информации. Я могу говорить только о том, что они сами знают. Могу сказать: «Мне плохо, меня тошнит». Уверена, сотрудники знают, что мне плохо, что меня тошнит, не сильно, но постоянно.

— А ты о чем думаешь — о финале или уже о новой книге?

Больше всего на свете мне хотелось рассказать обо всем Вике, сказать «Я и не знала, что с нами так может быть», услышать в ответ Викин голос с прыгающей интонацией «Я тоже не знала, что с нами так может быть». Сотрудники отдела по борьбе с организованной преступностью, услышав это, посмеялись бы над нами: «Вот фифы, не знали они! Ха-ха-ха. Каждый должен знать, что с ним так может быть».

— А где Андрей?

Я не могу сказать «Андрей на работе», не могу сказать «не знаю» — и не могу дать понять Вике, что не могу упоминать Андрея ни единым словом. Сотрудники не должны знать, *что я знаю, что меня слушают.*

— Андрей? А что Андрей, ничего Андрей, он никогда о Чехове не думает, хотя в школе, конечно, проходил, — искусственным голосом сказала я.

Вика молчала. Клише, конечно, но *между нами повисло молчание*. Молчание целиком состояло из моего личного саспенса: страха, что вот-вот случится ЧТО-ТО ЕЩЕ БОЛЕЕ УЖАСНОЕ, страха, что сейчас Вика начнет допытываться, где Андрей, и сотрудники отдела по борьбе с организованной преступностью сделают погромче звук.

Иногда бывает, как будто мы — только что — появились на свет! — и изумляемся — прекрасному миру! И это случилось. Вика сказала:

— Нужно залечь на матрасы?

Вика, мой самый близкий человек на свете, оказалась не той, за которую я ее принимала. Вика не обрушила на меня заполошный шквал «что ты несешь!», и «почему ты молчишь?!», и «ты от меня что-то скрываешь?», и «что, черт возьми, происходит?!», она произнесла фразу «нужно залечь на матрасы» из «Крестного отца», которая означает уйти в подполье. Вика, прекрасный цветок, далекий от всего, что *не Чехов*, оказалась заправским конспиратором, как будто всю свою нежную цветочную жизнь имела проблемы с законом, ходила по острию ножа. И больше ни разу — ни разу! — не спросила «а где Андрей?» ...Думаю, все дело в силе духа: сила духа родилась в борьбе с болезнью, а затем распространилась на всю Викину хрупкую личность.

...Я тупо сижу дома и откладываю *трудное* — забрать у мамы Андрюшечку. Что мне делать с мамой? Сказать маме, что у нас был обыск, что Андрей назван организатором преступной группировки и я не знаю, где он, Марфа в тюрьме в качестве члена преступной группировки, Мурка стоит в очереди в Кресты? О-о... нет. Скажите сами!.. Мама не должна узнать, у мамы так западают глаза и дрожат губы, для мамы может быть только «все хорошо».

К тому же *я не могу*. Мама скажет: «Все из-за Марфы, то есть *из-за тебя*, из-за твоей привязанности к чужому человеку». Нет уж, лучше, как говорил Сократ, «добродетельный обман» — обман во благо другого человека, в данном случае во благо двух человек — меня и мамы. ...Черт, черт, черт! Забыла, что у меня синяк на лбу!.. Что я скажу маме?! Поскользнулась на улице и ударилась об угол буфета?

Господи, у нас такой ужас, а я думаю, ТОЛЬКО БЫ МАМА НЕ УЗНАЛА.

Но, в конце концов, люди в стрессе ведут себя по-разному, я думаю, как все скрыть от мамы, а Алена принесла селедку под шубой — сменила карпаччо на селедку, итальянскую кухню на советскую. Это регрессия как метод психологической защиты. При помощи селедки Алена подсознательно возвращается в прошлое, в советское время, когда моя милиция меня бережет. А не подслушивает.

Мама кричала (она всегда кричит от страха за меня и детей). Перечисляла мои недостатки.

Мои недостатки:

— я не думаю о ней, когда падаю,

— в моей новой книжке недостаточно освещены социальные проблемы, она «умирала от смеха», но я могу и лучше,

— у меня синяк, а могло бы быть сотрясение мозга.

У мамы дрожали губы. Андрюшечка в утешение сказал, что синяк *благовидный* (мама читала с ним Тургенева). Андрюшечка сказал: «Я ведь еще ребенок, зачем мне, — и с придыханием: — «Ды-ым»?».

Утро понедельника, 31 марта.
Моя вторая мама

Странно совершать обычные действия, когда кувырком летишь с горы, но утром я отправила Андрюшечку в школу: доешь кашу, не забудь портфель, надень шапку. Затем приехала «скорая помощь». Я подумала, что эта дружелюбная «скорая помощь» по утрам объезжает пациентов, чтобы узнать, как у них дела, но оказалось, Алена им вчера заплатила, чтобы они наведались ко мне и дали нитроглицерин.

Врач сказал, что мои симптомы (непрекращающаяся тянущая боль в сердце, тревожность, ощущение опасности) могут привести к... психогенному инфаркту? — в общем, *к настоящей болезни*. Сказал: «Сейчас поставим укол и поедем в больницу». Я благодарно кивнула: ура, в больницу, а там — цветы, компот, не рассказывают ничего плохого, и как уютно звучит «поставим укол»! И тут зазвонил телефон. «И тут» бывает в сказках: идет-идет Иван-царевич, И ТУТ Баба-Яга или другой важный персонаж. Никита.

— Нашел адвоката. Лучший в городе. Илья скажет, что я так говорю, потому что это я его нашел, но это объективная информация от проверенных людей. Адвокат ждет тебя в кафе напротив.

— Я сейчас не могу, у меня «скорая помощь». Я могу только минут через пять.

Пришлось немного заплатить «скорой помощи», чтобы они меня отпустили.

Лучший в городе адвокат привстал из-за стола мне навстречу, — грациозный, тонкое треугольное лицо, огромные миндалевидные глаза, высоко поставленные большие уши, — похож на сиамского кота. На пожилого сиамского кота, лет шестидесяти. И имя у него кошачье, Василий Васильевич, и взгляд как у Кота Базилио, пристальный, хитровато-ласковый. Хотя Кот Базилио был не сиамский.

На столе тарелочка с тортом, кнопочный телефон, должно быть, айфон ему непривычен, он привык нажимать на кнопочки. И писать привык в блокноте, блокнот в розочках.

... — Я понимаю, как выглядит, что у Марфы нашли наркотики. Это выглядит, как будто у Марфы нашли наркотики. Но Марфа не торговка наркотиками! Разве я защищала бы Марфу, если бы не была уверена? Ну, вы же понимаете, своего ребенка защищаешь несмотря ни на что, а Марфа мне не дочь... я бы ее тоже защищала несмотря ни на что...

Я тараторила, как загнанный лисами заяц или другой загнанный мелкий зверь. Ведь если время Меньшевика и Большевика — деньги, доллары, то время лучшего в городе адвоката — *лучшие деньги*, евро.

— Успокойтесь, мы никуда не торопимся. Расслабьтесь, выпейте кофе с тортиком. Тортик черничный, очень вкусный.

Тортик? Черничный? Я заплакала.

Впервые в жизни я плакала, как плачут все люди, *наружу*. Я не плакала, даже когда сутки рожала Мурку, искусала руки до крови, но не плакала. Я этим горжусь. Кровь текла по искусанным рукам, будто я вампир.

Я хлюпала носом и утирала слезы рукавом. Наконец-то нашелся человек, который спасет нас! Который пожалеет меня, который на моей стороне за мои деньги.

— Я могу вам довериться? — спросила я. — Я имею в виду полностью довериться?

Адвокат сказал «я же ваш адвокат», в глазах напряжение, голос хриплый, богатый модуляциями, как у актера.

— Понимаете, Марфа такая добрая, наивная, она не может сделать ничего плохого, она ничего не видит, кроме своих детей... Понимаете? То есть у нее нет своих детей, у нее свои больные дети. Марфе, худенькой мерзлячке, НЕЛЬЗЯ быть в тюрьме, Андрея, лучшего человека на свете, НЕЛЬЗЯ обвинять в продаже наркотиков.

Думаю, все жены говорят про своих мужей-преступников: «Он у меня такой хороший»... Я задумалась: а как же быть женам преступников, если они их любят? Делать перед собой вид, что муж уходит утром на завод или в офис? Это серьезный вопрос: что делать, если любишь и знаешь. ...А если в доме хранится краденое или наркотики в обувных коробках? А если мужа обвиняют в хищениях, неуплате налогов в особо крупных размерах, в неправильно проведенной приватизации, что делать? Подписать коробки «зимняя обувь» и никогда не открывать?

— Вы собирались мне довериться, — напомнил адвокат.

— Но я уже доверилась.

— ...Подумайте. Я смогу выбрать правильную линию защиты, только если вы расскажете мне все.

— Все?.. Ну, если честно, есть еще кое-что... Как вы думаете, есть высшая справедливость? Я, например, уверена, что есть... Но как тогда быть с тем, что Марфа в тюрьме? Мой друг по своим каналам узнал, что дело на контроле в Москве, вы понимаете, как страшно это звучит? Как тогда верить в высшую справедливость?

— Понятно, — вздохнул Василий Васильевич, — я поговорю с операми, посмотрим, что у них есть.

Василий Васильевич был такой уютный, домашний, чужое пугающее слово «опера» произнес домашним голосом, он был частью нормального мира, моего мира. Хорошо, что я не успела подписать договор с модными адвокатами. Они для меня слишком модные. В их конструкте нет места сочувствию, пониманию, черничному тортику. «Конструкт» — модель, созданная по правилам логики с жестко установленными границами, одно из любимых слов Ильи. Другое любимое слово Ильи — «дискурс». Когда Илья говорит «рассмотрим дискурс культурного проекта сквозь призму интертекстуальности», у меня начинает кружиться голова. Если посмотреть на самого Илью сквозь призму интертекстуальности, он — постмодернистский роман, ирония и сплошные цитаты. ...А если на Василия Васильевича? Думаю, он добротный советский роман, к примеру «Поднятая целина».

Адвокат извинился, вышел в туалет, я набрала в Яндексе «сиамский кот»: «Удлиненное туловище, тонкие конечности, длинный заостренный хвост, стоячие ушки, тембр голоса хриплый» — все на удивление точно совпадает! А вот о характере: «Уравновешенные, умные, могут научиться открывать двери и включать свет, любят лазать по верхам в квартире, деликатные, преданные». Лучших качеств для адвоката не бывает.

Василий Васильевич заказал еще один черничный тортик. А я больше люблю шоколадный... любила. Когда Марфу выпустят из тюрьмы, я съем две порции шоколадного торта. Две порции шоколадного торта и один черничный, так будет правильно.

— Ну-с, вы приняли решение? Чей я адвокат? — спросил Василий Васильевич.

— Как чей адвокат? Мой.

Я ему не понравилась? Он хочет меня бросить?

— Вам пока не нужен адвокат.

Оказалось, не может быть *вообще адвокат*, он должен быть адвокатом конкретного клиента, Марфы либо Андрея. А мне пока не нужен адвокат... почему *пока?*

Василий Васильевич сказал мне СТРАШНОЕ:

— Каждого можно посадить, — каждого. По заказу или по прихоти ментов. Вы можете сейчас выйти из кафе и пойти к метро «Владимирская», к вам подойдет мент, — и все, может быть сфабриковано любое обвинение: оружие, наркотики. Это может случиться с каждым.

С *каждым?* Конечно, я знаю, что в России человека можно несправедливо осудить. Но это теоретическое знание, а услышать от Кота Базилио сказанное добрым голосом СТРАШНОЕ — прикладное знание. *Это может случиться с каждым.* И со мной?.. Что же делать? Не только мне, всем людям? Никогда не ходить к метро «Владимирская»?

— Я забыла вам сказать, — нельзя говорить по телефону. Андрея прослушивали. И сейчас прослушивают. Возможно, и меня тоже. Вы представляете, *меня* прослушивают?

Василий Васильевич не удивился, не вскричал «не может быть!», даже не всплеснул руками.

— Запомните: телефон — чтобы договориться о встрече, — добрым голосом сказал Василий Васильевич, — это всех касается.

Еще одно СТРАШНОЕ сказал Василий Васильевич добрым голосом: это всех касается. Всех-всех-всех.

...Мне нужно внести пятьдесят тысяч рублей в кассу адвокатской конторы. Официально Василий Васильевич будет адвокатом Марфы, но заниматься будет и Марфой, и

Андреем. Карлсон предложил Малышу, чтобы тот стал его родной матерью, и Малыш — ура! — согласился!

Василий Васильевич — моя вторая мама. Какое счастье, что мы встретились!

Но какое было бы счастье, если бы мы никогда не встретились. Ну, или я бы познакомилась со своей второй мамой где-то в компании, сказала бы: «Какая у вас интересная работа, я еще никогда не встречала адвокатов по уголовным делам».

Андрей передал через Илью, что ему не нужен адвокат, у него и без адвоката много работы. Илья немного обижен, что лучшего в городе Кота Базилио нашел не он, поэтому передал не без удовольствия. Сейчас не к месту тешить свое тщеславие! Такое впечатление, что Илье тоже нужно сделать МРТ головного мозга.

Дома ужасно пахнет. Бедой. Все знают выражение «пахнет бедой», но теперь я знаю, какой это запах — от него тошнит, не сильно, но постоянно, или вдруг сердце выскакивает из груди, или вдруг начинаешь задыхаться. Пустой кабинет, чистый письменный стол, неестественно веселая Мурка, и притихший Андрюшечка, и звери ведут себя скромно, и повсюду этот горький сухой запах, запах беды.

Все еще не могу:

— поверить, что все это случилось с нами,

— понять, за что нам все это.

Ночь с 31 марта на 1 апреля. Катарсис, сыр «Гауда», инсайты

Чиновник федерального уровня, и не может повлиять на производственный цикл! Огромная деревянная дверь будет готова завтра, а огромная стальная послезавтра.

Когда дома ребенок, неосмотрительно спать без входной двери. Андрюшечка может связать отсутствие двери с отсутствием отца, и бах! — психологическая травма, невротические страхи... ну нет!

Придумала закрыть дверь на Льва Евгеньича и Савву: поставить у дверного проема кресло, сыром заманить Льва Евгеньича и Савву в кресло, чтобы они спали там, как собака-охранник и кот-охранник. Мне, Мурке, Андрюшечке и Таксу вместе лечь спать на Муркином диване, перед сном рассказывать страшные истории про гроб на колесиках, зеленые глаза и синюю руку, — тогда настоящий страх отступит и в памяти останется только хорошее: синяя рука вышла из дома, по стене бегают зеленые глаза и так далее. В полночь наступило первое апреля — никому не верю, мы немного пообманывали друг друга (Мурка сказала, что не боится спать без двери, я — что Андрей, *вероятно,* завтра придет домой. Победил Андрюшечка: сказал, что у него в спичечном коробке паук, Мурка визжала от страха, — а никакого паука нет).

202

Съев сыр, Лев Евгеньич пришел к нам, втиснулся между Муркой и Андрюшечкой и захрапел. Савва тоже покинул свой пост, отправился спать на шкаф. Мурка с Андрюшечкой уснули, а я лежала без сна, размышляя, провести мне ночь собакой-охранником в кресле в прихожей или охранять детей и Такса непосредственно на диване. Посреди ночи злобно зашевелилась Мурка, не открывая глаз, проворчала: «Дайте поспать, Лев Евгеньич храпит, ты слишком громко думаешь».

...И вдруг. В ПРИХОЖЕЙ КТО-ТО ЕСТЬ. Вошел, что-то положил на пол — ЧТО?! — стоит, дышит. Хорошо, если это опять обыск, А ЕСЛИ ЕЩЕ ХУЖЕ? Зачем только я выла на ночь глядя: «Синяя рука вышла из дома...», от этого ЕЩЕ СТРАШНЕЙ.

Не буду врать, что я встала, взяла лыжную палку (зачем Мурка хранит в Куче лыжную палку?) и вышла в прихожую с палкой наперевес. Нет, у меня отнялись ноги. А руки не отнялись. Руками я зачем-то обхватила Мурку, Андрюшечку, Такса и Льва Евгеньича.

Шуршание в прихожей продолжалось, послышались шаги по коридору, — ОН открыл дверь в мою спальню, НИКОГО НЕ УВИДЕЛ, пошел по коридору. Я приготовилась защищать детей, Такса и Льва зубами (больше у меня ничего при себе нет).

Голос за дверью сказал: «Тебя как, сразу прикончить или желаешь помучиться?»

И я шепотом, чтобы не испугать детей — психологическая травма, невротические страхи, — закричала: «Вика!»

Вика... Вика! Прилетела, не позвонила, сама прилетела, сама доехала из аэропорта, а ведь она плохо себя чувствует, она слабая, ей нужны только положительные эмоции: руководство свадьбой, Чехов... ГОСПОДИ, ВИКА!

Кажется, Тель-Авив далеко, через полмира, но сейчас все как будто съездить на электричке в Комарово. От Тель-

Авива до аэропорта Бен-Гурион полчаса, лететь до Петербурга четыре с половиной часа, от нашего аэропорта до меня полчаса... вчера Вика подумала, что я странно молчу, словно *не могу говорить,* а сегодня она уже здесь, цитирует «Белое солнце пустыни».

Я уложила Вику в спальне, легла рядом, повернулась к ней, — скорей начать рассказывать! — увидела любимое Викино лицо в профиль и — поплыла. Я *годами* видела ее профиль рядом с собой в кровати. Все детство. Мы спали вместе, — то есть не спали, до утра читали стихи, сочиняли стихи, придумывали, как все будет потом, когда вырастем и у нас будут дети, и какие они, наши дети, ведь они *где-то уже есть,* им только нужно родиться, — разговаривали, перебегая от мысли к мысли, засыпали на полуслове, просыпаясь, начинали с того же места. Однажды в дождь пролежали в кровати *сутки.* Наши мамы приносили нам в кровать завтрак-обед-ужин, как будто мы болеем. ...Нас *нестрого* воспитывали, — это кто накрыт в кровати одеялами на вате, кто лежит на трех подушках перед столиком с едой и, одевшись еле-еле, не убрав своей постели, осторожно моет щеки кипяченою водой, — а возможно, они преследовали собственные интересы: дети в кровати — это *удобно.* Тем более дети, читающие стихи: им спокойно, а мы развиваемся.

Мы ни разу не спали вместе после детства. С тех пор как открыли границу, Вика приезжала ко мне сто раз, и я приезжала к Вике сто раз, но мы уже были *не дети,* ни один из мужей не хотел уступить свое место... с тех пор как мы детьми ночами шептались в одной кровати, *как все будет,* с нами много чего случилось, что было невозможно представить, но *все,* все хорошее, любовь, любовь, любовь, книги, книги, книги, и все плохое, папина ранняя смерть, Викина болезнь — это была *наша* жизнь, а вот обыск, наркотики, прослушка — не наша. ...Мой рассказ занял пять минут. Мы решили, что Вика заберет Андрюшечку и Муру. Непонятно, что с нами делают, чего от нас хотят, нужно отправить детей.

— Прослушка? Нас с тобой слушали? — изумилась Вика.

Ну... да. Все эти месяцы сотрудники отдела по борьбе с организованной преступностью слушали, как мы обсуждаем персонажей, сюжеты, финалы, как говорим друг другу «знаешь, я думаю, что...» и «понимаешь, я чувствую, что...» или «понимаешь...». Они знают, что мы обе чувствуем по поводу... по любому поводу.

— А если кто-то из сотрудников отдела по борьбе с организованной преступностью пишет роман о буднях полиции или детектив? А если бы он однажды не выдержал и вступил в наш разговор с фразой «а вот *у меня* финал...»... Его бы наказали за провал, — мечтательно сказала Вика.

Под утро Вика уснула, а я не хотела засыпать, хотела чувствовать ее рядом с собой. Вика спит рядом — это как будто я опять стала собой, *совсем собой*, и я еще невзрослая, и папа живой, и я еще не знаю, что впереди, но это точно прекрасно. Катарсис бывает от музыки (Баха), бывает от вербализации негативных чувств (скажешь «ненавижу!») или от телесной экспрессии (вдруг заорешь «а-а-а!»), у меня случился катарсис от того, что я дышала в унисон со спящей Викой.

Все эти дни я не ела, только пила кофе, я выпила столько кофе, — если в меня опустить монетку и ткнуть в живот, я выдам эспрессо. И вдруг захотела есть! Принесла упаковку сыра «Гауда», 330 граммов, попробовала — не тошнит, не тошнит! Сидела на кровати, смотрела на Вику и ела впервые за эти дни, всю упаковку съела. А Вика любит цфатский сыр, он только в Израиле продается.

Кроме катарсиса и сыра «Гауда» у меня случился инсайт. Термин «инсайт» был впервые применен в опытах с обезьянами: обезьяна после нескольких неудач в попытке достать банан прекращала активные действия и просто разглядывала предметы вокруг себя, — и внезапно приходила к правильному решению, *доставала* банан. А вот мой инсайт: расслабиться, войти в поток, разглядеть предметы вокруг себя и всецело положиться на профессионалов (Василия Васильевича). За одним инсайтом последовал другой: у Андрюшечки диктант, а у Муры свадьба, поэтому они останутся со мной.

Утром Андрюшечка кричал: «Раз Вика! К чер-рту школу! К чер-ртовой матер-ри диктант!»

— Вырастет таким же брутальным мужчиной, как отец, станут вместе орать «я сказа-ал!», и что мы будем делать? — сказала Вика.

Отправили брутального мужчину в школу. Разбудили Мурку и велели ей спать дальше, — она не может уйти из дома, у нас нет входной двери, так что пусть спит, ни о чем не волнуясь. Поехали в аэропорт: полчаса до аэропорта, четыре с половиной часа до Бен-Гуриона, полчаса до Тель-Авива. Вика прилетела на одну ночь.

Когда нужно было идти на регистрацию, Вика сказала: «Это последний раз». Это прозвучало так буднично, что я даже не задохнулась от ужаса. Вика имела в виду, что она последний раз в Питере.

Что мне было делать? Плакать, кричать «я не смогу без тебя жить»? Она знает, что я не смогу без нее жить. Бодро отозваться «ну что ты говоришь...»? Но как я могу оставить ее с этими мыслями одну?.. Может быть, ей *нужно*, чтобы я с ней об этом поговорила.

— Ну нет. Ты не умрешь. Помнишь, сколько мне было, когда папа умер? Двадцать три года. В двадцать три года человек еще маленький. И Мурке сейчас двадцать три, — попробуй мы с тобой умереть, она расплачется-раскричится: «Что мне надеть?!».

— Жуткий начнется скандал, лучше не пробовать, — кивнула Вика.

Всего одна ночь — один катарсис плюс два инсайта, — и Вика улетела, ей нужно в больницу.

ДРУГАЯ ЖИЗНЬ

Не п-помню к-какой день

Кафе «Кузнечик» на Литейном, напротив Большого дома. Зловещий адрес, особенно в нашем случае. Василию Васильевичу удобно встречаться со мной именно здесь, рядом находится что-то ему нужное, то ли Большой дом, то ли детский сад его внука.

Василий Васильевич был у Марфы. Меня удивило, что он не сказал мне: «Теперь я вас понимаю, Марфа — чудесная девочка!» Я просила его не рассказывать Марфе, что Андрея считают организатором преступной группировки, что он не живет дома. Не хочу, чтобы она представляла себе ужас, который у нас творится, страдала, винила себя.

Марфа передала мне письмо, спрашивала, готовы ли крылья ангела, что решили с Муриной фатой. Ей даже не пришла в голову мысль, что *из-за нее* мы отложим свадьбу, и мне еще больней оттого, что она придает себе так мало значения. Почему Кот Базилио не понимает, что Марфа — особенная девочка?..

— Ее не обижают? Она не голодная? Как она выглядит? Вы сказали ей, что мы думаем о ней каждую минуту, что мы все делаем, сказали?

Василий Васильевич кивнул, *равнодушно* кивнул. При слове «тюрьма» у меня замирает сердце, а у Кота Базилио нет, не замирает, для него *обычное дело*, что кто-то в тюрьме. Даже Марфа.

— Послушайте. Вам кажется, что вы в первую очередь должны спасать Марфу. Вы не так сильно волнуетесь за мужа. Вы привыкли, что ваш муж — сильный человек и со всем справляется сам. Вы не допускаете мысли, что сейчас он может не справиться.

Конечно, я не допускаю мысли, что Андрей может с чем-то не справиться! Кот Базилио не знаком с Андреем, если бы он увидел Андрея, он бы тоже не допустил.

— У оперов есть записи телефонных разговоров. Там кое-что есть.

— Что можно услышать в телефонных разговорах Андрея? Как он кричит: «Ты мне все сроки срываешь!» или «Уволю к чертовой матери!»? Он никого еще не уволил, даже в кризис... он не такой, как все, у него необычное для бизнесмена понимание, что сначала другим, а потом себе, — это не очень подходит для бизнеса, но он говорит: «Я не бизнесмен, я строитель». Он *правда* лучший человек на земле.

Василий Васильевич пристально смотрел на меня, это был не добрый взгляд, это был взгляд «в телефонных разговорах кое-что есть», взгляд адвоката, который работает с клиентом, независимо от того, продавец ли он наркотиков или лучший человек на земле.

— В телефонных разговорах ваш муж и Марфа договариваются о продаже наркотиков.

И что-то во мне — сердце? — понеслось наверх, в горло, и тут же с размаха вниз. Сердце в пятках, оказывается, не фигура речи, а возможное местонахождение.

— Простите... — сказала я.

Туалет направо по коридору, налево за углом. И там, в туалете, — раковина, унитаз, на зеркале салфетки, если посетитель вдруг расплачется, — закрывшись на защелку от всего мира, я испытала незнакомое прежде чувство, — а ведь прежде я просто заходила в туалет, как все люди. Защищенность и покой. Умиротворение. Плюс хитренькое мстительное «я в домике, никто меня здесь не достанет».

... — НЕ МОЖЕТ БЫТЬ, — вернувшись к адвокату, сказала я.

— Вы тут посидите, а я схожу к операм, попытаюсь узнать, что там у них в телефонных разговорах. Опера тут рядом сидят, на соседней улице.

Хорошо. Хорошо, что кроме детсада у него тут рядом «опера». Ведь это я знаю, что Андрей — лучший человек на земле, а Кот Базилио сейчас пойдет к операм и узнает, что там у них в телефонных разговорах.

Василий Васильевич ушел к операм, я ждала. Прошел час, два, три. Мне не было скучно, — я была не одна, меня было по меньшей мере человека три-четыре. Один человек во мне юлил и вилял хвостом перед очевидностью, упрямо восклицая «не может быть, это сон!», второй смиренно соглашался «да, это не сон, а явь» — соглашался для вида, пытаясь мнимым смирением задобрить судьбу, третий кричал «я не согласен!», «безобразие!» и даже «я вам сейчас покажу!»... и все эти люди во мне толпились, толкались, пили шестую чашку кофе и не сводили глаз с двери.

Я уже однажды сидела, не сводя глаз с двери. Когда был путч, в девяносто первом году. Мы с Андреем слушали радио, и вдруг по радио сказали: «На Ленинград идут танки. Просим молодых здоровых мужчин выйти на Исаакиевскую площадь. Демократия в опасности». Я повернулась к Андрею сказать «ой, демократия в опасности!...», — а его уже нет, он на Исаакиевской. А на Ленинград *идут танки...*

Представила, как ставлю Мурку перед собой и говорю: «Мура, ты уже большая девочка. Твой папа (неважно, что не папа) погиб в борьбе за демократию», — что поделаешь, у меня хорошо развито воображение, — и помчалась на Исаакиевскую. С полдороги вернулась, — темнота, ночные грабители, танки, — но это уже другое дело. Ждала его дома, не сводила глаз с двери. Но тогда было — демократия, а сейчас?!

... — Сейчас главное — избежать ареста.

Василий Васильевич, наконец-то! Все вокруг осветилось радостным светом, как будто я его внук в детском саду и он наконец-то за мной пришел.

— Главное — избежать ареста. Если санкция предусматривает лишение свободы, но обвиняемый скрылся, суд может вынести постановление о заочном аресте. Заочный арест — это все.

— *Все?*

— Самое плохое, что может быть. Объявят в федеральный розыск. Вы думаете, его трудно найти? А если и трудно, — он что, всю жизнь будет прятаться?..

Кофеин, блокируя свободные радикалы, возбуждает интеллектуальную активность, но *если шесть* чашек кофе, можно перевозбудиться, не сразу понять собеседника. Самое плохое? Заочный арест?.. А вот заочный факультет вовсе не самое плохое: заочники на лекциях не чавкают булочками, не хихикают, не погружаются в младенческий сон, а достойно, как взрослые люди, смотрят кино в телефонах. Но я и дневных студентов люблю, — они так трогательно считают, что во время лекции можно поближе познакомиться, завести роман. ...Что?! Заочный арест?! Прятаться?! *Всю жизнь?* Андрей под чужим именем бродит, скитается, как скиф, по окраинам страны, а как же мы, я, дети, наша жизнь, РАЗВЕ ТАК БЫВАЕТ ЧТО РАЗРУШАЕТСЯ ЖИЗНЬ ЕСЛИ НЕ ВОЙНА?!

— Знаете что? Нет у них никаких записей о продаже наркотиков. Пусть дадут послушать!..

Василий Васильевич посмотрел на меня взглядом «понимаю, сочувствую», достал из сумки конфету «Мишка на Севере», придвинул ко мне.

— У них есть записи. Там все абсолютно четко: Андрей и Марфа договариваются о продаже наркотиков. Записи приобщены к делу.

— Но...

Но, если я буду умирать при каждом новом слове — «санкции», «обвиняемый», «заочный арест», «федеральный розыск», если я буду умирать при каждом видении: Андрей с котомкой на просторах страны, прозрачная от голода Марфа скорчилась на полу в камере, мы с Мурой в платочках в тюремных очередях, — на меня не хватит смерти, и Василий Васильевич не будет иметь со мной дела. Не будет утирать мне слезы, затаив дыхание от величия моего горя. Это непрофессионально. Я его работа, а не внук. С моей стороны, *со стороны работы* непрофессионально восклицать: «Ах, лишение свободы, ах, федеральный розыск, какие страшные непривычные слова!»

— Нужно заниматься вашим мужем, а потом уже Марфой. Сначала ваш муж, а потом Марфа, понимаете?

— Понимаю, сначала Андрей, потом Марфа. Но Марфа... она же в тюрьме! Девочка! В тюрьме! Почему она потом? Я не могу спать, пока она в тюрьме, не могу есть... А я *хочу* есть.

Василий Васильевич посмотрел на меня взглядом «понимаю, сочувствую, вы не сумасшедшая?».

Что чувствует человек, когда на него падает небо? Ничего особенного, учащенное сердцебиение, резкая боль слева, не хватает воздуха, бросает в жар, внезапная тошнота, словно в горло втолкнули воздушный шар, и все уплывает, и пол в кафе «Кузнечик», и стол, а на нем конфета «Мишка на Севере». ...Я не понимаю, откуда взялись записи разговоров, в которых Андрей и Марфа договариваются о продаже наркотиков.

Зато я вдруг поняла, за что мне все это. За гордыню.

Я думала, что меня нельзя унизить, нельзя растоптать. Хотя опыт человечества говорит — каждого можно. Думать «я не как все» — это гордыня. Теперь я поняла, что меня можно унизить, можно растоптать.

Не знаю, кому я объясняла, кого просила, кому обещала «я больше никогда так не буду», — к кому мы обращаемся в такие минуты? Вдруг изворотливо начинаем верить в судьбу, высшие силы?

«Но теперь вы поняли, что вы — как все?» — сказали Высшие Силы.

Я поняла. Никто не получает всего, что хочет, но я думала, *я получу* — покой, мир-дружбу, справедливость. А теперь: Андрея могут арестовать, Марфа в тюрьме, мой телефон прослушивают, *я — как все*. Я ПОНЯЛА, Я КАК ВСЕ, ПОЖАЛУЙСТА, БОЛЬШЕ НЕ НАДО!

«Ну, смотрите у меня», — сказали Высшие Силы.

...Мне показалось, или голос Высших Сил звучал холодно? Высшие Силы ведь тоже не дураки, знают, что я деловито подумала «простили или еще нет?», знают, что, пока все было хорошо, я проявляла гордыню, как Люцифер, а теперь, когда начали мучить, быстро сообразила, что я не автор сценария своей жизни и уж точно не продюсер этого триллера...

Может показаться странным, что в такие минуты я задавалась непрактическими вопросами — кто мы в этом мире, правят ли нами и конкретно мной Высшие Силы, — но о чем же мне было думать? В третьем сезоне «Игры престолов» долго и страшно мучают Теона Грейджоя, он не знает, кто его мучает и почему, — от этого еще страшней. Когда не понимаешь, кто тебя мучает и почему, некому сказать «пожалуйста, не надо больше». А тут такой понятный сюжет: Высшие Силы наказали за гордыню.

Для практических вопросов у нас есть адвокат. Какое счастье, что наш адвокат, Кот Базилио, — лучший в городе. Мы провели в кафе «Кузнечик» еще два часа или три.

Выходов в туалет с целью побыть *без адвоката* — девять.

Вечером

...Уже понятно, что нужно собрать одежду.

Андрея каким-то образом привязали к делу Марфы. Мы знаем, что это подстава, но не знаем, какого масштаба. Мы не знаем, что у них на него есть, — в который раз повторил мне Илья. — Пока мы не узнаем, что у них на него есть, он не может прийти домой.

Мы не знаем, что у них на него есть. Мы знаем только, что это подстава, но не знаем, какого масштаба. Мы не знаем, что у них на него есть, что они хотят на него повесить, — в который раз повторил мне Никита. — Пока Андрей не узнает, что у них на него есть, он не может прийти домой.

Им кажется, что я идиот, не понимаю, почему Андрей не может прийти домой?! Я понимаю: Андрей не может прийти домой.

Джинсы, свитера, пиджаки, рубашки, футболки.

Я собрала: джинсы черные, джинсы коричневые, джинсы вельветовые зеленые. Все джинсы фирмы «Boss», только «Boss» шьет на таких длинноногих, пиджаки тоже «Boss», это единственная фирма, которая шьет на таких длинноруких.

Андрей плохо себя ведет в магазинах: переминается с ноги на ногу, смотрит в сторону, говорит «отстаньте, у меня все есть», растворяется в толпе, однажды сбежал из примерочной кабинки. Как будто он первоклассник и мама заставляет его примерять школьные костюмчики, а он хочет в игрушечный отдел. Раз в году я покупаю Андрею все в «Boss», джинсы без примерки, пиджаки меряю на Никиту: к Никите нужно прибавить пятнадцать сантиметров в длину и убавить три размера в ширине.

...Джинсы, свитера, пиджаки, рубашки, футболки. Бритва. Книги про рыбалку.

— Зачем ему книги про рыбалку? — сказала Ирка-хомяк.

— Будет читать на ночь, — сказал Илья.

Где Андрей будет читать на ночь? Никто не знает, ни Илья, ни Никита. Так решил Андрей: для них безопасней, если не будут знать.

Ирка сказала:

— Лыжное белье нужно взять.

Лыжное, почему лыжное? Сейчас весна, за весной идет лето. ...Не буду думать, что за весной идет лето. Нужно взять лыжное белье, потому что в Питере зима может наступить в любую минуту, хоть через неделю.

Илья сказал:

— Не смотри на лыжное белье так трагически, — это на всякий случай, вспомни, в какой стране мы живем: Ходорковский, «Пусси райот», узники Болотной...

— Как тебе не стыдно? — прошептала я.

Как можно сравнивать?! Ходорковский был осужден за деятельность компании «Юкос», его не обвиняли в педофилии или краже булочек, девочки «Пусси райот» за панк-молебен в храме Христа Спасителя, — панк-молебен *был*, узники Болотной *были* на Болотной, все они *были в своей истории*, в своей, а не в чужой! А на Андрея свалилось то, чего не было.

Бороться за свои убеждения легче, чем отмываться от грязи, чувствуешь себя значительным, принадлежащим чему-то большему, чем ты сам, *красивым*. Андрей из тех, кто на вопрос «представился случай пострадать за свои убеждения, хотите?» отвечает «спасибо, с радостью!». А ему придется бороться не за свои убеждения, а за себя. Ему, с его обостренной гордостью, — за то, что он не наркоделец. От этого мне больней всего. А Илья не понимает! Сравнивает! Зачем он сказал про Ходорковского и «Пусси райот»?! Разве за Андрея вступится Ангела Меркель? Мадонна? Человека — не модный символ, а просто человека — забывают быстро, на папины похороны пришли сто аспирантов, а через год после смерти к нам домой пришли уже десять, — это нормально. А Марфа, девочка, — кто о ней вспомнит?! ...Ох. Мне вдруг пришла в голову неприятная мысль: если Андрею *понадобится теплое белье весной,* я не смогу умереть (я-то думала, что тогда я сразу умру, и все), — я не смогу умереть, я должна буду стоять в тюремной очереди в платочке.

— Ты как враг, ты хуже врага, потому что ты друг! — кричала я.

— Что мы сделали?! Ты можешь не орать, а сказать *словами*?! — кричала Ирка.

Не могу я! Сказать словами стыдно! Сильную обиду не объяснить! Такая обида разливается внутри тоненькими ручейками, слишком тоненькими, чтобы превратиться в слова, — если надо объяснять, то не надо объяснять.

— Не буду словами! Вы должны понимать! — кричала я.

Илья наклонился к Алене, раздумчиво, как врач медсестре, сказал: «Пожалуй, все же бульон?» Алена ринулась к кастрюле с бульоном, как преданная медсестра — вливать прописанный врачом бульон внутримышечно и внутривенно.

— Ты, ты! — кричала я Илье, а Ирке: — Я с тобой больше не дружу!

Ирка решила взять лыжное бельё и летнюю куртку.

Собирали вещи, складывали футболку к футболке, носок к носку. Куча людей во мне жила разнообразной жизнью: один хихикал, что мы как в шпионском кино, другой боялся до обморока, третий прикидывал, как это можно описать в романе... Не знаю, в каждом ли человеке живут разные люди и всегда ли они говорят вразнобой? Надеюсь, во всех живут. Смотреть на происходящее разными взглядами, под разными углами, видеть все со стороны... видеть все *с двух-трех сторон* куда легче, чем просто собирать вещи, и больше шансов сохранить рассудок.

— Не исключено, что за нами присматривают. Во дворе может быть установлено наблюдение, — сказал Никита.

Мы не знаем, кто нам друг, а кто нет, мы боимся собственной тени. Возможно, в подъезде тетя Катя присматривает, а во дворе охранники присматривают. Мы боимся теней охранников, тети Катиной тени мы тоже боимся. Илья с Никитой сядут в Никитину машину, скажут водителю адрес, потом как бы передумают, выйдут раньше — и передадут Андрею вещи. «Конспираторы, играете в шпионов...» — сказал кто-то во мне, а другой ответил: «Да? А если бы *тебе* грозил арест? Да тебя бы уже давно в стране не было!..»

Никита забрал у Ильи специальный телефон для связи — на время операции. Илья проводил специальный телефон для связи печальным взглядом. Мальчишками все играли в разведчиков, — ты за белых, я за красных, — каждому мальчику нужно хотя бы раз в жизни отбить раненого командира у белых и покатить на бронеавтомобиле, а сзади чтобы шла любимая гнедая кобыла.

— Поедем на твоей машине, а на Фонтанке пересядем в такси, — сказал Илья.

— Сядем в третью машину, — сказал Никита.

— Естественно, — сказал Илья.

Илья не вздыхает, не говорит, что он устал, не сутулится, он собран, точен, и в словах, и в движениях, — от этой истории в нем как будто проснулся фехтовальщик, сеньор Европы.

Ирка, Илья и Алена пронесли сумки мимо тети Кати, громко переговариваясь между собой, — уезжают на две недели в Грецию, Никита везет их в аэропорт, в случае пробок Никита, чиновник федерального значения, поедет по встречной. Никита шел сзади с начальственным видом, в двух куртках, своей и Андрея. Куртка Андрея ему до колен, но не застегивается.

Илье кажется, что только он шпион Дырка, но именно Никита сказал: когда Ирка с Ильей вернутся домой, они должны пройти мимо тети Кати, громко переговариваясь между собой, что, раз уж произошла задержка рейса, они вообще не полетят в Грецию. Илья согласился в том смысле, что необходима строгая конспирация и мы не знаем, на кого работает тетя Катя.

Когда мои прекрасные друзья проходили мимо тети Кати в строгой конспирации, с сумками и в двух куртках, тетя Катя высунулась из будки:

— А у меня племянник в Крестах, я завтра сменюсь и поеду передачу отвозить, могу вашей Муре очередь занять.

— А-а? О-о... Мы один народ, — растроганно сказал Илья.

Откуда я знаю? Ирка-хомяк изобразила эту сцену в лицах.

В кабинете уже совсем ничего не осталось, и в ванной нет бритвы Андрея, и шкаф пустой. Всего-то — минус джинсы черные, джинсы коричневые, джинсы вельветовые зеленые, свитера, дурацкие книги про рыбалку с рыбами на обложках, и дом, полный любви и воблеров, превратился в дом беды. И мне даже некому закричать «а-а-а!», потому что Мурку с Андрюшечкой я отправила к маме: они не должны видеть, как из дома выносят вещи Андрея (психологическая травма, невротические страхи — ну нет!..).

Ночью раздался звонок.

— Спишь? Ну, спи, — командным голосом сказал Никита.

— Никита? Ты звонишь, — *звонок, ночью*... Ты представляешь, *что* я подумала? У тебя когда-нибудь дрожали руки, губы, язык?

— Вот я и звоню, чтобы ты не волновалась. Мы передали Андрею вещи.

— Никита... — зашипела я.

— Что?

— Никита, про это НЕЛЬЗЯ...

— Вот черт, совсем из головы вон... Ладно, спи и помни — по телефону ни о чем не говорить. Спокойной ночи.

Никита не очень хорошо учился. У него были трудности с освоением нового материала. Не потому что новая тема сложная, а потому что новая. Сейчас Никите трудно понять новую тему: ему что-то *нельзя*.

...Под утро мне приснился мучительный сон. Нет ничего скучней чужих снов: сон Веры Павловны, сон Татьяны, сон Алены, — Алена любит рассказывать свои сны. В конце ее рассказа я обычно говорю «ужас какой!..», и лишь однажды получилось невпопад: она рассказывала мне сексуальный сон «и тут Никита восхищенно говорит «какая ты красивая!»», а я сказала «Ужас! Не может быть!». Но, как правило, «ужас какой» достаточно для оценки чужого сна.

Поэтому кратко. Моя квартира, пустые комнаты, настежь открыты все двери и окна, ветер срывает со стен картины, двери шкафов открываются сами, из шкафов выдувает вещи, книги, что случилось, отчего же все кругом завертелось, закружилось и помчалось колесом, все вертится, и кружится, и несется кувырком, вся моя жизнь вылетела.

Так себе сон. Не надо быть Фрейдом, чтобы интерпретировать этот сон: это сон-отчаяние, сон-страх. ...Страх — это хорошо, это головокружение свободы, утверждал Кьеркегор: страх освобождает от всего мирского, и человек становится своей сущностью в чистом виде.

Быть сущностью в чистом виде хорошо, но голодно. От постоянного страха я перестала есть. С тех пор как ночью, смотря на Вику, съела 330 граммов сыра «Гауда», ничего не ела. Алена приходит к нам два раза в день с судками. На завтрак каша, омлет, оладьи, на обед первое-второе-третье и компот, на ужин легкий салат и пирожные. Но я не могу есть, уже похудела до своего студенческого веса, а если так пойдет дальше, я улетучусь из одежды. А если так пойдет еще дальше, мне *никогда* не нужно будет делать операцию!

Месяц назад Ирка-хомяк водила меня к хирургу с вопросом, нужно ли ей сделать круговую подтяжку лица. И можно ли сначала сделать операцию мне. Ирка хотела бы сначала посмотреть на результат и хорошо ли у меня заживают швы.

— Не вижу, что тут особенно резать, — осмотрев меня, сказал хирург Ирке, как будто она моя мама.

— Ну, как же, как же, а вот! — вскричала Ирка, ухватившись за мою, ближайшую к ней, щеку. — Вот лишнее, можно отрезать!

— Пусть немного похудеет, и тогда вам еще долго не понадобится операция, — сказал хирург (врачи всегда говорят мамам «вы», имея в виду «маму плюс ребенка» — «у вас грипп» или «вам не нужна операция»).

Я радовалась, что хирург посоветовал Ирке не делать мне круговую подтяжку лица, что мне достаточно похудеть на несколько десятков килограммов, и будет очень красиво, как в юности.

...Во сне я стояла в пустой квартире одна, — одинокая сущность посреди холодного безучастного мироздания. Это был экзистенциальный ужас, разрушение чувства реальности и прочее, но это все-таки был сон. Я спала и боялась и не знала, что самое страшное впереди.

А самое страшное — впереди.

Самое страшное

Самое страшное оказалось — что Андрей рядом.

Андрей здесь, рядом. В любую минуту может проехать мимо дома, по Невскому, выпить кофе в кафе напротив. Я представляла, как он едет в машине и вдруг — его останавливают. Сидит за столиком в кафе и вдруг — к нему подходят. Он — и вдруг, он — и вдруг, в любую минуту.

Если бы Андрей был в безопасности, за границей, я могла бы спокойно волноваться. Но он был рядом, и даже Марфа отошла для меня на второй план: я хотя бы точно знала, где она. У «где» было название, была пусть страшная, но определенность, а с Андреем было *самое страшное*: непрекращающаяся внутренняя дрожь «в любую минуту». Невыносимо каждую минуту ждать, что тебя убьют, *слишком невыносимо*.

Жижек сказал: «Если что-то становится слишком жестоким, чересчур травматичным, это расшатывает границы нашей реальности», иначе говоря, человек начинает вести себя несвойственным ему образом: не спать, не есть, ссориться с друзьями, кричать на детей, верить в приметы или же им овладевает шпиономания. Моя реальность была порвана в клочья, и в новой реальности я вела себя как шпиономан: оглядывалась. Я оглядывалась на улице, оглядывалась за рулем, не следят ли за мной, надеясь через меня выйти на Андрея. Почему этот человек в черной куртке идет за мной от метро? Почему эта синяя «ауди» едет за мной? Почему на Невском в витрине «Лавки писателей» выставлена одна из моих книг, на обложке которой мое лицо крупным планом?

Три экземпляра стояли рядом, — зачем им три моих лица? Может быть, это приманка, ловушка? Может быть, они думают: Андрей соскучится по мне и — мышь рано или поздно приходит за сыром в мышеловку — рано или поздно придет взглянуть на мое лицо на обложке в «Лавку писателей»? И его схватят.

Директор «Лавки писателей» сказал, что впервые видит писателя, который просит убрать с витрины свою книгу, но, пожалуйста, он уберет... хорошо, немедленно уберет, да, все три экземпляра, нет, не прямо сейчас, нет, паспорт для этого не нужен, нет, писателю не обязательно самому лезть в витрину... нужно успокоиться, может быть, воды?

После бесславной возни я покинула «Лавку писателей». Книги остались в витрине. На обложке я, — почти я, а на самом деле это мы с Викой в одном лице. Издательство хотело поместить на обложку женское лицо, и мы долго рассматривали варианты и переругивались: я говорила «нужна одухотворенность, а где вы взяли это лицо, на дискотеке шинного завода?», издательство отвечало «других лиц не бывает». Чтобы доказать, что бывает, я послала в издательство нашу с Викой старую фотографию, нарисовала на Вику стрелочку и написала: «Вот это *лицо*, из глаз выглядывает вся русская литература». Издательство притихло, фотошоп заработал, и из двух лиц (четыре огромных глаза, две мечтательные полуулыбки) получилось одно. ...Как бы я радовалась в той, прежней реальности, увидев три экземпляра нашего лица в витрине на Невском! А теперь — вот. Не дай вам Бог проснуться знаменитым, вдруг они выйдут на Андрея через меня... если немного подумать, наше с Викой лицо в витрине никак не могло повлиять на ход событий, но иррациональный страх самый сильный.

На самом деле у меня был готов план действий. Я уеду. Выпишу Хомяку доверенность на свое имущество. Чтобы Хомяк мог свободно распоряжаться всем, что у нас есть: наша квартира (ее можно сдать в аренду какому-нибудь консулу), Муркина квартира — вход со двора, шестой этаж без лифта, окна в стену, ванна на кухне (можно сдать какому-нибудь студенту). Еще у меня есть бабушкин бриллиантовый жук мастерской Агафонова, и дедушкины часы с клеймом Габю, и серьги с изумрудами, огромные, как подвески Анны Австрийской, и старинные немецкие елочные украшения. Если окажется, что нужны деньги (на адвоката, на содержание детей и зверей), Хомяк продаст что-нибудь из украшений, по своему выбору, только пусть не продает голубой прозрачный шарик, он мой любимый. А я с детьми уеду.

Я уеду. Здесь я не нужна, а для меня это *слишком* мучительно — *каждую минуту знать*, что Андрей в городе и *каждую минуту* его могут арестовать.

... — А зверей куда? — подозрительно спросила Алена.

— Ну, к тебе. Не возьмешь? Тогда к Никите. Пойми, здесь я сойду с ума, я не выдержу, я умру... пожалуйста, отпустите меня, это правда выше моих сил.

— Ничего не выше, — сказала Ирка.

Не выше

Думаешь, что что-то выше твоих сил, но оказывается, не выше. Если человеку не удалось сбежать от ужаса, он пытается с ним подружиться. День за днем, день за днем, и вот уже прошла неделя, и еще неделя, день за днем, день за днем...

У всех уже началась жизнь. Никите нужно в Смольный, Ирке в театр, Алене по хозяйству, у Ильи прямой эфир и скоро начнется съемочный период... Я думаю, всегда так: сначала все падают, как подкошенные, и в ужасе стоят над вашей кроватью, а потом у всех начинается жизнь. Мои друзья не меньше со мной, но я больше одна.

Но и моя жизнь обрела стройные очертания: я каждый день встречаюсь с адвокатом.

КАЖДЫЙ ДЕНЬ: сажусь за стол в кафе «Кузнечик». Кладу на стол телефон, выключаю телефон, кладу выключенный телефон экраном вниз: *они* не должны услышать ни слова из нашей с адвокатом беседы.

Василий Васильевич рассказывает новости: показания покупателя, показания свидетеля, что сказал следователь, что сказал прокурор... все это похоже на шоколадное фондю, тяжелое, густое, вязкое.

...Наркотик, который продавала Марфа (у метро «Василеостровская»), — реланиум. *Реланиум: транквилиза-*

225

тор (анксиолитик). Форма выпуска: раствор для в/в и в/м введения. Показания: лечение невротических расстройств, купирование психомоторного возбуждения, купирование эпилептических припадков и судорожных состояний различной этиологии. Условия отпуска из аптек: препарат отпускается по рецепту. Условия и сроки хранения: реланиум относится к списку № 1 сильнодействующих веществ... Бабушка иногда говорила: «Что-то я перенервничала, пойду приму реланиум». С прошлого года реланиум считается наркотиком без всяких поблажек на свое невинное прошлое в аптечке каждой семьи, таким же наркотиком, как те, что нам привычно считать настоящими страшными наркотиками. Если бы Марфа продавала реланиум в *прошлом* году! А если бы Марфа продавала реланиум во времена моей бабушки, это было бы куда менее страшным преступлением, чем, к примеру, продажа джинсов у того же метро «Василеостровская».

Новости (что сказал следователь, что сказал прокурор) поступают к Андрею по цепочке «адвокат — я — Илья». Андрей не хочет встречаться с адвокатом, сказал: «Мне некогда болтать». Изучил окружение Марфы: был в детском саду, где она работает днем, в Центре «Дети дождя», где она работает вечерами, встречался с родителями тех детей, которых Марфа водит в театр, в зоопарк, к врачам, с тренером в бассейне, к которому Марфа водила Мишеньку. Мишенькина мама сказала: «Передайте Марфе, что Мишенька очень скучает по ней, плачет». Андрей не нашел ничего — *ничего*, что хотя бы косвенно могло быть связано с наркотиками. Сколько раз я передавала Андрею через Илью: «Я тебя умоляю, уезжай! Уедешь?..»! Андрей не отвечал (отвратительная привычка не отвечать на вопросы или отвечать «кхе-кхе...»), наконец передал через Илью: «Уехать не могу, надеюсь быть полезным Марфе».

Я передала: «А если тебя арестуют?!» Андрей передал: «Даже если меня арестуют, я буду полезней Марфе, чем если бы я уехал».

...Я записываю в блокнот все, что говорит Василий Васильевич. Затем Василий Васильевич проводит встречи с другими клиентами за другими столиками, а я жду.

Пока адвокат разговаривает с другими клиентами, я включаю телефон. Приходят сообщения в фейсбук, одновременно звонят скайп и Viber: сто человек моих близких друзей, давно уже живущих за границей, активизировались с развитием связи. Все спрашивают: «Отчего у тебя такой напряженный голос, волнуешься из-за Крыма?» Я отвечаю: «Нет, это личное, но все в порядке, все здоровы». Они говорят: «Как ты можешь сейчас — о личном?!»

Адвокат долго разговаривает с другими клиентами, я о многом успеваю подумать. Я думаю об Андрее: неужели он не боится? Я думаю: а если бы сто человек моих близких друзей оказались под угрозой ареста, крушения жизни? Стали бы защищать чужого человека, не думая о себе?

Думаю, все (почти все, все?) среднеприличные люди потеряли бы голову от страха и с разной степенью приличности *думали только о себе*, о своей безопасности, о своем крушении жизни, метались в панике, пытаясь защитить себя. И меньше всего их заботила бы чужая девочка в тюрьме, по вине которой они попали в эту страшную историю. Тут ведь как: в обычных обстоятельствах человек тебе *не чужой*, но если вдруг доходит до *своей* жизни, *своей* свободы? Тогда отношение к этому человеку, *не чужому,* пересматривается, и еще подумаешь, *насколько он не чужой,* может быть, *не настолько*, чтобы рисковать из-за него жизнью. Муж, жена, дети, родители, лучшие друзья — безусловно, *свои*, а как быть с остальными — вопрос. ...А Никита, Илья, Игорь, как бы они себя повели? А я?.. Ой.

Честно?.. Я бы сбежала в безопасное место и руководила адвокатом из безопасного места, как Ленин революцией из-за границы, а когда все решилось бы, вернулась в пломбированном вагоне. И выступила с речью на броневике.

Андрей, — *неужели он не боится? Не боится* оказаться в тюрьме по обвинению в руководстве преступной группировкой? У него *вообще нет страха?* У сумасшедших нет страха и у тех, особой породы людей, кто пусть он хмур был и зол, но шел. На одной из моих встреч с читателями мои читатели поспорили об Андрее (Андрей не знает, что он персонаж одной моей книжки, муж всегда узнает последним об измене жены и о том, что он персонаж). Одна читатель, похожая на менеджера среднего звена, сказала: «Ваш Андрей — идеальный мужчина, надежный, мужественный, всегда молчит, он кумир нашего отдела». Другая читатель, похожая на учительницу, возразила: «Андрей — недостоверный персонаж, таких, как он, один-два на всю Россию». Надеюсь, Андрей никогда не узнает, что он *кумир отдела*, что таких, как он, *один-два на всю Россию.* Надеюсь, что не один-два...

Я жду, когда адвокат подойдет ко мне. Василий Васильевич подходит ко мне и говорит «загляну к операм», исчезает на час-другой, возвращается с новыми сведениями. Я записываю новые сведения в блокнот. Мой телефон выключен, чтобы *они* не услышали ни слова, сказанного мне адвокатом.

Но ведь *они* — это те самые опера, к которым он *заглядывает!* Василий Васильевич не рассказывает мне ничего, чего бы они не знали, только то, что они *и сами знают.* Я выключаю телефон, будто я шпион трех разведок Цицерон или Мата Хари! Это смешно! То есть, если это кто-то устроил, то у него замечательное чувство юмора. Зачем скрывать от людей то, что они сами знают? ...А блокнот?! Все, что мы не хотим, чтобы *они* услышали, записано в блокноте моим аккуратным почерком без сокращений и аб-бревиатур, — у меня были лучшие лекции на курсе, по моим лекциям сдавал экзамены весь курс. Если *они* подойдут ко мне на улице и скажут «будьте добры, отдайте блокнот», что я с ним сделаю, съем? Блокнот большой.

Василий Васильевич объяснил мне, зачем скрывать от оперов то, что они сами знают, — потому что опера могут вести свою игру, что у нас с ним своя игра, а у оперов своя. Каждый раз думаю, нужно ли мне тоже ставить ударение на последний слог — опера́, это профессиональное произно-шение, как и́скра у электриков и компа́с у моряков, но я ведь не опер, не адвокат.

...Василий Васильевич рассказывает, я записываю, вре-мя от времени говорю «простите, я на минутку», ухожу в туалет, закрываюсь от всего мира и думаю о чем-нибудь, что не наркотики, не арест, не тюрьма. Я часто выхожу в туалет. Однажды Василий Васильевич сочувственно спросил:

— С вами что-то не так?

— Спасибо, все в порядке. Просто мне в туалете хоро-шо, — объяснила я. Василий Васильевич — мой адвокат, адвокату нужно говорить правду.

Я прихожу в кафе «Кузнечик» на Литейном каждый день, иногда два раза в день, иногда уезжаю из кафе «Куз-нечик» на лекцию и после лекции возвращаюсь в кафе «Кузнечик», иногда просто сижу тут с утра до вечера. Ду-маю: я же писатель. Думаю: НИЧЕГО, КОГДА-НИБУДЬ Я РАССКАЖУ! Сначала напишу положенное: «Эта исто-рия придумана, все персонажи вымышлены, если вы може-те вообразить, что я могу придумать такую историю». Пер-вая фраза будет такая: «Мне было хорошо только в туале-тах».

Алена рассказывала мне, что, когда они поженились, Никита после секса, вместо того чтобы прямо спросить «Дорогая Алена, у тебя был оргазм?», спрашивал «Тебе *было хорошо?*». Тогда слово «оргазм» считалось неприличным, а туманное «было хорошо» приличным и деликатным. Не знаю, используют ли сейчас этот застенчивый эвфемизм.

Я все равно начну с фразы «Мне было хорошо только в туалетах». Нет тут никакого сексуального намека, а дело в том, что я, принцесса мира, целыми днями сидела в кафе, сжимаясь от ужаса, и чувствовала себя в безопасности, только когда выходила в туалет и *закрывала за собой дверь*.

Василий Васильевич несколько раз назначал мне встречи в других кафе, там, где у него суд или личные дела. В каждом кафе есть туалет.

Кафе «Кузнечик», встреча с адвокатом

В записях разговоров Андрея с Марфой встречаются слова «колеса», «порошок».

В записях разговоров Андрея с Марфой встречается слово «стекло» (на жаргоне наркодельцов «стекло» означает наркотики в ампулах).

В записях разговоров Андрея с Марфой много раз встречаются слова «колеса», «порошок», «стекло». *КАЖДЫЙ ДЕНЬ ЧТО-НИБУДЬ УЖАСНОЕ.* Каждый день, много дней подряд.

Не записываю, жаль пустых листов.

Новый опыт

Тата с Игорем и Павликом вернулись из Таиланда. Ужасались, расспрашивали. Я рассказывала, у Таты с Игорем неуловимо менялись лица. Мне отчего-то было неловко перед Татой и Игорем за события, как бы не положенные нам по статусу, — за обыск, за выпиленную автогеном дверь, за то, что у нас беда. Это было как будто... как будто я пришла в гости, мне открыли дверь и радостно воскликнули «Это ты?! Заходи скорей!», и вдруг — лица хозяев постепенно леденеют, — и я понимаю, что *не могу войти*, и мы стоим по разные стороны двери, они не говорят «Уходи!», но я понимаю, что не могу войти... Я раньше не знала: стыдно, что у тебя беда.

Я ждала, когда он скажет: «Попробую разобраться» или «Я разберусь» (это лучше).

Игорь сказал: «Что касается ситуации с Марфой, правильно говорят, что посеешь...»

Но Марфа не сеяла наркотики! Если и сеяла, зачем пенять человеку, когда нужно просто спасать?

Игорь сказал: «Что касается ситуации с Андреем, правильно говорят, от сумы да от тюрьмы... Я бы на его месте исчез на год-два».

На год-два?.. Я ждала, я думала!.. Я думала — Игорь! Я думала, Игорь, старый друг, новый родственник, приедет

233

и БУДЕТ, а он сказал, что Андрею нужно исчезнуть, и я как будто с разбега уткнулась в стену. Искры из глаз, легкое головокружение, рот раскрыт в изумлении.

Когда Андрюшечка маленьким сталкивался с чем-то внезапно неприятным, — лопаткой по голове в песочнице или укусил мальчик в детском саду, — я говорила: «Это *интересно*, это новый опыт».

Вот и у меня тоже новый опыт. НИКТО НЕ ОБЯЗАН. И это не горькая обиженная истина, а никто не обязан, и не нужно сердиться. Не то превратишься в эгоистичного больного, который считает свою болезнь центральным конфликтом в жизненном сюжете всех окружающих.

Неужели я чуть не превратилась в эгоистичного больного? Неужели не знаю, что человек всегда болеет *один*? Не понимаю, что у здоровых есть свои интересы, — принесли компот и пошли по своим делам? Бессовестно хочу получить от людей больше, чем они хотят мне дать? Если не дают, *требую,* чтобы они соответствовали моим ожиданиям? *А если нет,* обижаюсь до сдавленных слез? ...Тем более укусивший нас в детском саду мальчик имеет свои причины кусаться. Игорь был со мной очень нежен, сочувствовал, сострадал, соболезновал, предложил «забрать Мурочку к нам до свадьбы», — спасибо. То есть я благодарна за участие. А Мурка сказала: «Это еще зачем?» Тата привезла Мурке из Таиланда колье (бриллианты, жемчуг, изумруды), Мурка примерила и сказала: «Красиво, я как турецкий султан».

...Думаю, все дело в пословице. В этом «от сумы да от тюрьмы...». Но я же не дура обижаться на параллелизм и ассонанс, поднимающие утверждение "от сумы да от тюрьмы не отказывайся" до уровня метафоры, в которой звучит смирение, признание обыденности происходящего, А ЭТО НЕ ТАК.

Всем саспенсам саспенс

Каждый вечер Никита и Илья изучают мои записи. У Ильи сценарное мышление, он умеет рассчитать по минутам путь к кульминации и финалу, умеет просчитать ходы, использовать саспенс — чтобы зрители напряженно ожидали: вот герой тонет, цепляется за коряги, выгребет или нет... уфф, выгребает. Но ведь это *им самим сочиненные ходы,* им придуманный саспенс. Жаль, что наше дело не соответствует трехактному развитию истории и пятичастной структуре и подлый таинственный антагонист оказывается могущественней протагониста, персонажа с сильной волей и ясной целью.

У Ильи много знакомых ментов — умных, честных, жаль, что ненастоящих. Кстати, сериальные актеры, как Илья, мечтают о настоящем кино, настоящих ролях.

Илья пытается упорядочить информацию — строит схемы, анализирует. Никита не может анализировать, у него... у него много других достоинств. Он не может анализировать информацию.

Никита встречался с главным прокурором района, с главным прокурором города, со всеми главными в городе. Каждый из них обещал «узнать», после этого Никита встречался с каждым из них еще раз и не прибежал к нам радостный со словами «ребята, ура!».

Никита молчит и злится. Я понимаю, он не может прямо сказать кому-то важному: помогите, прекратите, эй вы, звери, выходите, Крокодила победите, чтобы жадный крокодил солнце в небо воротил! Но мохнатые боятся: «Где нам с этаким сражаться!»

Если бы это было *что-нибудь другое*, Никита мог бы просить о помощи, к примеру «рейдерский захват, помогите»... Но сейчас что Никита может сказать: «Моего друга обвиняют в организации группы по продаже наркотиков, а он хороший»?

— Опишите ситуацию, — скажет чужой важный человек.

— У следствия есть доказательства его связи с девушкой, находящейся в тюрьме по обвинению в продаже наркотиков. Да, вот еще что — дело на контроле в Москве.

Никто чужой важный не захочет иметь дела с ЭТИМ, зачем ему?..

Ужас не только в том, что на нас свалилось ЭТО. Дополнительный ужас в том, что мы оказались совершенно беспомощны. Плачут зайки на лужайке, а ведь каждый зайка думал, что он ого-го-го, особенно Никита, особенно Илья, особенно я...

... — Важная информация, — сказал Никита.

— Пусечка, молодец, важная информация, наконец-то, — обрадовалась Алена.

— Помните, я говорил: ведется разработка большой преступной группы, контролирующей пятьдесят процентов рынка незаконного оборота наркотиков по Санкт-Петербургу и Ленинградской области. Планируется большое показательное дело, — сказал Никита. — Так вот: нас хотят привязать к этому делу.

— Телефон, выключи телефон! — закричал Илья.

— Во время обыска могли поставить жучки в квартире, — сказала Ирка.

— Твою мать, Хомяк! Это не кино! А ты не резидент разведки! Ты заигралась в шпионов! — заорал Никита. Позвал нас всех в ванную и пустил воду из крана. В ванной влажный пар. Под звук льющейся воды Никита сказал: — Проверяется связь этой группы с нашей группой. Хотят сделать громкое дело, показательное дело. Хотят, чтобы это было одно дело.

«Проверяется связь этой группы с нашей группой. Хотят сделать громкое дело, показательное дело, *одно дело*». Я упала в обморок. Организм отреагировал быстрее, чем я, — склонился на Аленино плечо и потерял сознание. Но не окончательно, потому что сквозь пелену слышал крики.

— Никита, ты идиот?! — кричала Ирка. — Зачем ты это сделал?

— А что я?! — кричал Никита. — Илья сказал, нужно соблюдать конспирацию, вот я и включил воду! А ей стало плохо от влажного пара! Я мог и холодную включить! Какая мне разница, какую воду включать?..

— Пусечка, ты идиот! Хорошо, что я с тобой развелась! — кричала Алена.

— Он идиот, идиот, хорошо, что развелась, — подзуживала Ирка.

— Как ты смеешь говорить, что мой муж идиот?! — кричала Алена.

Ирка попыталась отнять меня у Алены и переложить на свое плечо. Алена не отдавала.

— Не ссорьтесь, девочки, — сказал Илья. — То, что Никита идиот, всего лишь частный случай общего дискурса...

— Илья имеет в виду, что у нас вся власть тупая... — услужливо подсказала Ирка.

— Вот так, без подготовки, довести человека до обморока... эх ты, защитник традиционных ценностей, — сказал Илья и меланхолически добавил: — Патриот...

— Либерал! — бешено орал Никита.

А я в это время была в обмороке.

Не знаю, что сказать

Позвонил Игорь.

— У меня идея — справлять свадьбу в яхт-клубе: в бассейне плавают девушки в синих купальниках — синхронное плавание, представляешь, — а на бортике играют скрипачи из Мариинского театра. ...А кто тебе больше нравится в качестве ведущего свадьбы, Собчак или Ургант? А петь будет... он будет в синем.

Кто именно будет петь, прозвучало неразборчиво, *стас-михайлов* или *григорийлепс* (я совсем не знаю эстраду), но он будет в синем. Чувствую себя, как будто меня с размаха хлестнули по лицу мокрой тряпкой. Игорь *не понимает*, что у нас происходит? Или делает вид, что не понимает?

Я всегда говорила студентам, что успешные предприниматели обладают определенными качествами: смелость, независимость, умение рисковать, агрессивность (имеется в виду личностная агрессивность — настойчивость, бескомпромиссность, мотивация, четкое видение цели). Наверное, Игорь просто не обращает внимания на *все,* что нарушает его планы: его цель — Мурка, и он стремится к цели настойчиво и бескомпромиссно. ...Чувствую себя, как будто меня хлестнули по лицу мокрой тряпкой, но я *не могу* расплакаться, показать свою обиду, свое ошеломление.

— Ну, что скажешь? — спросил Игорь.

Не знаю, что сказать. Ради Мурки я должна притвориться, что это был не шлепок наотмашь мокрой тряпкой, а ласковое дуновение ветерка, но я все равно не знаю, что сказать.

А деньги?

Не могу поверить, что в тумбочке нет денег. Код банковской карточки мне неизвестен. Карточка наверняка просрочена. В любом случае я не знаю, где карточка.

Если быть честной перед собой, у меня нет карточки.

«Как можно не иметь общего счета с мужем, к которому прилагаются две карточки?» — скажет Алена. Алена права.

Но зачем мне карточка? За границей я всегда с Андреем, карточка у него. Дома деньги лежат в тумбочке в кабинете Андрея, он кладет деньги в тумбочку, я беру. Когда я обнаруживаю, что тумбочка пуста, я говорю «хм?», Андрей говорит «а волшебное слово?», я говорю «быстро!». Не то чтобы я бездумно скупила бриллианты или все йогурты в городе, просто не знаю, сколько из тумбочки убыло и сколько в нее прибудет.

В отношениях с деньгами люди делятся на два типа: тех, кто строит бюджет, и тех, кто берет деньги в тумбочке. Это не означает, что «богатые» всегда беззаботно лезут в тумбочку, неиссякаемую, как волшебный колодец, а у бедных всегда скромный бюджет: в тумбочке может быть денег кот наплакал, бюджет может быть нескромным. Это вообще не про деньги, а про глубинное стремление нашего естества к хаосу либо к порядку.

Алена — человек-бюджет, она всегда знает, сколько у нее денег на счете или в кошельке или сколько потратила на рынке. Она знает, сколько тратит в месяц на еду! Алена любит слова «дорого» и «недорого», и то и другое имеют для нее позитивный смысл, в зависимости от ситуации.

А у меня Крайне Дурная Наследственность. В моей семье о деньгах не говорили: то есть вообще не говорили. Мои мама с папой, бабушкой и дедушкой жили как будто деньги — это что-то маленькое-гаденькое-фу. Не обсуждали, что сколько стоит, не прикидывали, что могут себе позволить, не выбирали «отпуск или ремонт». Слово «дорого» считалось неприличным, «недорого» еще более неприличным, бабушка не произнесла бы фразу «а когда будет зарплата?» даже под пистолетом. ...Не думаю, что дело было в дедовских гонорарах за статьи и учебники и папиной профессорской зарплате. Думаю, они просто жили, как хотели, пока деньги не заканчивались. Иногда мама заглядывала в буфет, в старинную коробку из-под леденцов, и изумленно говорила «хм?», после этого мы ели одну картошку с квашеной капустой. И только теперь, конкретно сегодня, я поняла, что «хм?» означало не переход на специальную диету, а что в коробке не оказалось денег. Потому что, заглянув в тумбочку, я вдруг услышала «хм?», оглянулась — а это я хмыкнула.

С этой Крайне Дурной Наследственностью чего же ожидать от Мурки? Мурка тратит деньги, пока они не заканчиваются, а потом говорит Андрею «хм?» — ничего не поделаешь, гены. Яблочко от яблоньки... blood is thicker than water, — в психологии это называется «семейный сценарий».

Я думала, что Андрей передаст мне деньги через Илью. Прежде тумбочка все время была у него перед глазами, в кабинете, но с глаз долой, из сердца вон. Вот он и забыл про тумбочку (ох, я тоже кое-что забыла — деньги, которые я отдала Мурке «на адвоката», не буду включать это в бюджет, поскольку была в бессознательном состоянии).

Андрей передал мне через Илью, но не деньги. Андрей передал мне, что в связи с создавшейся ситуацией у него проблемы. Нужно попробовать разумно обращаться с деньгами.

...«Попробовать» в передаче Ильи звучало иронически. Уверена, что Андрей не имел в виду, что я не в состоянии составить бюджет. Думаю, я могу составить бюджет не хуже Алены.

Вот мой бюджет задним числом, ретроспективно:

1. Василий Васильевич. Я много раз платила за разные бумаги (заявления и прочее), необходимые для ведения дела Марфы, не помню, какие именно. Все вместе получилось... пусть будет сто пятьдесят тысяч руб.

Нет! Неправильно. В бюджете должны быть точные цифры. Пусть будет двести тысяч, приблизительно.

2. Двести долларов умножить на три-четыре раза будет семьсот долларов. Марфу перевели в другую камеру, лучшую. Я очень благодарна тете Кате за улучшение Марфиной жизни, — у нее *есть кто-то в Крестах*. (Мы не знаем, что день грядущий нам готовит, но мы и не знаем, кто нам поможет.) Тетя Катя сказала: «Будешь платить каждую неделю двести долларов, я буду приносить тебе расписку», я заплатила вперед, чтобы уж наверняка. Теперь мы сможем говорить: «У нас есть стоматолог, скорняк, девочка для оформления виз, редактор в издательстве, административный ресурс, и *у нас есть кто-то в Крестах*».

3. Мелочи, которые можно было бы не считать, но раз уж бюджет, нужно все считать, например, кофе в кафе «Кузнечик». Счет в кафе «Кузнечик» всегда одинаковый — тысяча, сколько бы чая и кофе мы с Котом Базилио ни выпили. Я провела в кафе «Кузнечик» месяц... Неужели уже

месяц?! Тридцать дней умножить на тысячу рублей... Я заплатила за кофе в кафе «Кузнечик» почти тысячу долларов?!

Получается, что за тридцать дней я потратила (за двадцать девять, потому что один день, первый после обыска, я была в обмороке и ничего не тратила) триста пятьдесят тысяч рублей плюс тысяча долларов на кофе — десять тысяч долларов?!! Приблизительно.

В моем ретроспективном бюджете есть еще одна статья, тайная.

Мне кто-то позвонил. Нет, я не идиот, чтобы поверить человеку с улицы! Но он сказал: «Я бывший мент, решу проблему с вашей девочкой за умеренное вознаграждение».

Я встретилась с «бывшим ментом» в обстановке строгой секретности в «Макдоналдсе» на углу Рубинштейна и Невского. За гамбургером и колой он сказал: «Я человек слова, обещаю — делаю, ваша девочка через день-другой будет дома». Допускаю, что нужно думать, прежде чем давать деньги.

Но я как раз *подумала*! Я подумала — а вдруг? В несчастье, в беде люди ведут себя как растерянные овцы, к ним прибивает разную пену, и иногда срабатывает самый простой вариант, самый наивный, — а вдруг этот «бывший мент» поможет Марфе быстрей, чем лучший в городе адвокат? Девять тысяч долларов.

Гамбургер и умеренное вознаграждение нужно внести в бюджет под кодовым словом, к примеру «непредвиденные расходы», чтобы никто — никто! — не догадался, что это расходы на мой идиотизм. Если говорить о сумме в рублях, то двести семьдесят тысяч рублей. Курс доллара приближается к сорока, но удобней умножать на тридцать. Просто привычней.

Уверена, что «бывший мент» не имел намерения обмануть овцу, воспользоваться ее смятением, он *хотел* помочь (иначе почему не десять тысяч для ровного счета, а девять, не большая и не маленькая сумма, такая... приемлемая). Хороших людей больше, чем принято думать, не все *ведут свою игру*, многие честно хотят помочь за вознаграждение. До сих пор бросаюсь на каждый звонок с кроткой овечьей надеждой: это бывший мент с бодрыми словами «вот видите, обещал — сделал».

Получается, я истратила четырнадцать тысяч долларов? Это хорошо. Я думала, куда же делись деньги из тумбочки, а теперь понятно.

А это мои будущие необходимые расходы, прямо сейчас.

1. В почтовом ящике квитанции, нужно заплатить за квартиру. Говорят, некоторые люди не платят годами. Оставить пока квитанции в почтовом ящике? Тем более я не знаю, как платить за квартиру.

2. Но телефон не квартира. Квартиру не отключат, а без телефона никак нельзя.

3. Передачи Марфе, кофе адвокату. Бензин, еда, зубная паста нам с Муркой и Андрюшечкой.

А денег нет. Несколько раз заглядывала в тумбочку, говорила «хм?», деньги не появились. Это — новый опыт.

Мы будем сидеть в нашей красивой квартире на антикварном диване голодные. Как английская обедневшая знатная семья: у них есть замок предков, они выходят к обеду в ветхой одежде, но в фамильных жемчугах, — на обед только капуста с собственной грядки... в их утратившем былое великолепие замке нет ничего, что покупается за наличные деньги, даже почтовой марки.

Мы с Мурой и Андрюшечкой будем сидеть на антикварном диване голодные, в дорогой грязной одежде (не на что купить стиральный порошок), с отключенными за неуплату айфонами последней модели. Отрезанные от мира (только что сообразила, что за интернет нужно платить). Выйти из дома мы не сможем, — как перемещаться по городу? — под окном мой новый черный «ренджровер» без бензина, на метро нет денег. Андрюшечка забудет буквы. Он не будет ходить в школу: дома хотя бы капуста с собственной грядки, а в школе что? Английская знатная семья лучше умрет, чем хлопотать о бесплатных школьных обедах.

Взять деньги у моих прекрасных друзей нечестно по отношению к Андрею. Мои прекрасные друзья подумают, что Андрей оставил меня без средств к существованию, что нам нужно помогать. Но Андрей не оставил меня без средств к существованию, он уверен, что тумбочка полна! Хотя он, конечно, не представляет, как велики мои расходы: кому придет в голову умножать тридцать дней на тысячу рублей, кажется — подумаешь, выпить кофе в кафе «Кузнечик». С деньгами всегда так: мелкие расходы оказываются самыми крупными. Мы, люди, планирующие свой бюджет с точностью до копейки, хорошо это знаем.

...Я ни за что не признаюсь Андрею в своей панической афере с «бывшим ментом», это вопрос самолюбия. Но мне *нужны* деньги. Как поступить, чтобы и волки были сыты, и овцы целы? Придется чем-то жертвовать, материальным благополучием или самолюбием.

Но мне *нужны* бензин, Интернет, телефон, зубная паста. Пожертвую самолюбием. Передам Андрею мой бюджет, начну с любезного обращения: ах, то, что ты выслал на прошлой неделе, мы давно уже съели и ждем не дождемся, когда же ты снова пришлешь... включу в бюджет статью «непредвиденные расходы на идиотизм».

Андрей передал мне через Илью деньги и иронический вопрос: «Что *на этот раз* имелось в виду под идиотизмом?» Способ общения через дупло, то есть через Илью, не предполагает немедленного ответа, но чтобы покончить с этой неуместной иронией, я сразу же передала через Илью ответ: «Да так...». Теперь и волки целы, и овцы с оплаченным телефоном.

...Не знала, что так трудно быть капитаном корабля, когда волны размером с дом захлестывают палубу, — капитан корабля бодрится, а сам не спит ночами, думает «а у нас вообще-то есть шлюпки?..». Когда я вечером прихожу домой из кафе «Кузнечик», я вижу одну и ту же картину: Мурка, Андрюшечка, Такс, Лев Евгеньич, Савва, все впятером сидят на диване в ряд, как сиротки, как испуганные птички на жердочке. Иногда рядом с Муркой, шестым в ряду, сидит Павлик, хороший мальчик, морально поддерживает обессилевшую от стояния в тюремных очередях Мурку.

Я говорю «привет!», способные к человеческой речи вместо «привет» отвечают «ну что?» и *смотрят*. Затем Андрюшечка — он же ребенок, спрашивает «когда папа придет домой?», а Мурка — она же взрослый человек, спрашивает «что говорит адвокат, когда Андрей придет домой?». Я улыбаюсь, ведь улыбка — это флаг корабля, если не улыбаться, наш корабль превратится в ад... в преддверие ада, где болтаются души ничтожных, нерешительных людей. Если я перестану улыбаться, наш адрес будет: Санкт-Петербург, Преддверие ада, четвертый этаж, напротив лифта.

Что же касается Такса, Льва Евгеньича и Саввы: они понимают во всем этом не больше нас, но и не меньше. Лев Евгеньич и Савва думают: «Когда Андрей придет домой?!» Такс думает: «Где моя Марфа?» Это вовсе не глупый антропоморфизм любителей животных, я не наделяю своих собак и кота психическими свойствами человека, но — если люди могут «озвереть от злобы», почему бы Таксу, Льву и Савве не очеловечиться от любви?

Мои звери выглядят такими же растерянными, притихшими, как мои дети. Особенно Такс. Лев Евгеньич и Савва в меньшей степени.

Воскресенье, мы и в воскресенье в кафе «Кузнечик»

Василий Васильевич — лучший адвокат в городе! Выяснилось, кто купил у Марфы наркотик. Не наркоман, любитель реланиума. Реланиум у Марфы купил провокатор. Агент-осведомитель.

Не знаю, как он узнал, ведь следственные материалы — это тайна (тайна следствия) — информаторы, связи, не знаю... Василий Васильевич сказал: «Зачем вам это знать?» Андрей тоже иногда (когда я расспрашиваю его о работе, к примеру, почему срываются сроки строительства и прочее) говорит мне: «Зачем тебе это знать?»

Я все четко записала в блокнот. Мне нужно передать сведения по цепочке «адвокат — я — Никита, Илья — Андрей». Не стеснялась записывать без юридических терминов: ведь я не юрист, к тому же любую сложную историю *даже лучше* рассказать простыми словами (в университете, если лекция была сложная, я записывала по пунктам с примечаниями и вопросами, чтобы потом разобраться).

Из блокнота

1. Велась разработка провизора, подозреваемого в продаже наркотических препаратов без рецепта с использованием определенной схемы. Аптека, в которой работает провизор, находится на Большом проспекте Васильевского. Телефон провизора прослушивали.

2. Из связей провизора выделили Марфу. У следствия есть записи разговоров провизора с Марфой. Марфа и провизор одноклассницы. Марфа несколько раз просила достать редкие препараты для детей. Провизор ей не отказывала, говорила «ну, ладно, только для тебя».

(Они хорошие психологи, услышали Марфину наивность, упорство, желание помочь и поняли, что Марфа — слабое звено.)

3. Провокатор начал звонить Марфе. (Думаю, представился чьим-то знакомым и притворился отцом больного ребенка.)

4. Провокатор не раз звонил Марфе, рассказывал о своей жизни. У его ребенка эпилепсия, врач-невролог выписывает реланиум для купирования судорожных приступов. (Ну вот, без больного ребенка не обошлось.)

5. Предпоследний разговор провокатора с Марфой: у ребенка один приступ за другим, новый врач отказывается выписать ребенку реланиум, сказал «если что, вызывайте "скорую"». (Отдельная подлость: провокатор мог попросить ее принести любое

*настоящее лекарство-наркотик, а он попросил рела-
ницм, который все знают, но не знают, что его недавно внесли в список наркотиков!! И Марфа думала, что это лекарство, не знала, что теперь это
наркотик, откуда ей знать?!)*

6. *Последний разговор провокатора с Марфой: он
хочет увезти ребенка в деревню — лес, речка, для больного ребенка счастье. Иметь с собой реланицм необходимо, как воздух: пока «скорая» доедет до деревни,
ребенок может умереть. Провокатор просит: «У тебя
подруга в аптеке, купи у нее, а я отдам тебе деньги,
принеси мне реланицм, лес, речка — для больного ребенка счастье, помоги, принеси мне лекарство». Эта
запись НЕ БУДЕТ представлена в суде.*

*(Я знала, что Марфа ни в чем не виновата. То
есть Марфа, конечно, виновата — действовала как
шериф с Дикого Запада с девизом «справедливость
выше закона».*

*Нет у нее никаких девизов. Она вообще ни о чем не
думала. Скажи ей «больной ребенок» и делай с ней, что
хочешь.)*

7. *У следствия имеется запись разговора, в котором Марфа договаривается с провизором, что придет за реланицмом. Четко звучат слова «мне нужно
пять упаковок». Эта запись БУДЕТ представлена в
суде.*

*(Эта оборотистая провизор не должна была усту-
пать Марфе! Зная Марфу, ее наивность. Почему
она уступила Марфе? Наверное, в душе ей стыдно
торговать наркотиками, она подумала «хоть раз в*

жизни совершу одно хорошее дело», чужая душа — потемки.)

8. У следствия имеется запись разговора, в котором агент-осведомитель договаривается с Марфой о встрече у метро «Василеостровская». Провокатор несколько раз повторяет: «Ты приносишь мне пять упаковок реланиума, я отдаю тебе деньги». Марфа повторяет (она со всеми говорит как с больными детьми!): «Да, договорились, встречаемся у метро "Василеостровская", я буду в зеленых джинсах и розовой кофте» (она ведь никогда не видела агента-осведомителя, только говорила с ним по телефону) — и несколько раз послушно повторяет: «Да, договорились, я приношу пять упаковок реланиума». Эта запись БУДЕТ представлена в суде.

(Подлость! цинизм! бесстыдство!! Они хотят удалить эпизод, в котором Марфу просят помочь больному ребенку, оставляют эпизод, где она договаривается купить наркотик и продать наркотик!)

9. На встрече с провокатором у метро «Василеостровская» Марфу арестовали.

(Теперь я понимаю, что означает странная фраза в переданном адвокатом письме Марфы: «Волнуюсь, что все это оказалось бессмысленным»: волнуется, что несчастный ребенок без лекарств не уехал в деревню, в лес, на речку... Марфа не знает, что этот несчастный ребенок не существует.)

Встреча с провокатором снята на видео: Марфа отдает лекарство и берет деньги.

...Кто бы мог подумать, — провокация, как в кино... В кино провокатора заставляют совершить подлость, пообещав ему свободу взамен тюрьмы за якобы совершенное преступление. Василий Васильевич сказал, что наш провокатор — «бывший мент». Наверное, что-нибудь совершил, и ему обещали свободу взамен... Ой. *Бывший мент*? ОЙ.

Может ли быть, что *мой* «бывший мент» из «Макдоналдса» и *их* бывший мент — один и тот же человек? Удобно ли спросить адвоката, как он выглядит и любит ли гамбургеры?. Не может быть, что это один и тот же человек: подло спровоцировал Марфу и бросился ко мне за деньгами на ее спасение — и не выполнил свое обещание! Это немыслимая подлость, *это уж слишком* даже для провокатора.

...Я думала, что если это провокация, то наше дело *лучше*, — я думала, что Андрей может вернуться домой, — но адвокат сказал, что наше дело хуже.

Вот как обстоят наши дела, если отвлечься от юридических терминов, в нескольких простых словах: раскрыть организованную группу много больше почета, премий и званий. Начав от скуки или на всякий случай слушать разговоры Марфы с Андреем, *они* обрадовались: а вот и группа! Группа «провизор, Марфа, Андрей». Андрей — организатор, — ух ты, какую жирную рыбу поймали!.. — вот она, настоящая, *хорошая* группа! Или — другой вариант.

— Вы понимаете? — спросил адвокат. — Мы все еще не знаем, что у них есть на вашего мужа.

Ну, конечно, понимаю: мы не знаем, единственная ли это провокация. Может быть, у них в мешке с сюрпризами есть еще что-нибудь, с чем они связывают Андрея (к примеру, сто килограммов наркотиков в машине у Марфы). Адвокат этого не знает (тайна следствия), ему не показывают уголовное дело до суда: следствие и адвокат — соперники, бегут к финишу, при этом у *них* есть фора, а Василий Васильевич бежит с завязанными глазами.

— Можно я на минутку включу телефон?

Как только я включаю телефон, вываливается шквал сообщений от Андрюшечки: «я уже не могу:(((прошло 1:02 минуты с того момента как ты уехала!», «купи мне цыркуль и наклейки с машинами», «если случайно увидишь папу передай что наш любимый бульдозер сломался», «я не хочу засыпать один без тебя» (жалостное сообщение упредительного характера, я никогда не сижу в кафе «Кузнечик» до ночи), «можно мне в кино?», «можно мне мороженое?», «можно мне не делать с бабулей русский?», «раз папы нет хотя бы ты приходи домой», «почему папы так долго нет? он у нас полудикий-полудомашний?», «бабуля мучает меня медным всадником», «можно мне не есть сырники?».

И от мамы: «Где ты?», «Что делаешь, мечтаешь о небесных кренделях?» «Просто сообщи, когда придешь», «Я бы на твоем месте не позволяла ребенку идти в кино, пока не сделан русский», «Русский так и не сделан», «Не понимаю, как можно не любить Пушкина», «Не хочет есть сырники». У мамы теперь *всегда* дрожат губы, когда делает сырники, когда читает Андрюшечке Пушкина (думаю, Пушкин ее *поддерживает*).

... — Вы понимаете? — спросил Василий Васильевич.

Я понимаю: Андрей не может вернуться домой. Теперь наше дело *еще хуже*.

Нужно ли притворяться, что не отличаешь порядочность от непорядочности?

Ни Игорь, ни я никуда не уезжаем, почему Игорь предложил встретиться ночью на Витебском вокзале, в зале ожидания, где на скамейках нет свободных мест? Чтобы отправиться в ДальниеКрая, люди сидят на узлах.

Игорь опаздывал, я читала в телефоне статью «Мы — это наш мозг»: «Все наши действия обусловлены только мозгом, мозговым субстратом, совершает поступки не человек, а его мозг». Получается, если человек трус, подлиза или ябеда, то его винить не в чем, виноват его мозг? Мне нравится эта теория: позволяет ни на кого не сердиться, не обижаться, хорошо относиться ко всем без исключения. Нельзя же сказать «я презираю ваш мозг!», мозг нельзя ущипнуть, ударить по щеке... А если тебе кто-то не нравится, не злись, не обижайся, — с чужим мозгом ничего нельзя поделать! — просто отойди в сторонку. Для воспитания детей эта теория очень полезна: не пытаться воспитывать мозг, просто смотреть вместе мультики. Пример: бесполезно бороться с Муриным мозгом — чересчур упорно отторгает трудовую деятельность.

... — Какие новости? — спросил Игорь.

Игорь не похож на себя, в старомодной куртке и синей шапке-петушке, Гадкий Утенок из советского прошлого.

Гадкий Утенок лишь по ночам, чтобы никто не мог его увидеть, выползает поплавать. Вокзал и петушок — это конспирация: Игорь не хочет быть похожим на себя, хочет за-
теряться в толпе пассажиров, всю ночь сидящих на узлах,
чтобы отправиться в ДальниеКрая. Если уж Игорь, успешный предприниматель (успешные предприниматели обладают определенными качествами: смелость, независимость,
умение рисковать, агрессивность), считает, что *даже при
разговоре со мной* необходима конспирация, значит, все
еще страшней, чем кажется... Но *куда еще страшней*?

— Главная новость — Марфа ни в чем не виновата, это
была провокация.

— Да? С Андреем какие новости?

Я думала, что Игорь обрадуется, но он не обрадовался.
Конечно, Марфа ему чужая, но неужели ему безразлично,
что девочка в тюрьме?

— Ну... с Андреем новости пугающие. В телефонных
разговорах Андрея с Марфой есть слова «колеса», «порошок».

— Это все?

Когда каждый день записываешь за адвокатом в блокнот, кажется, что постоянно происходит что-то важное, от
чего зависит все, и немедленно нужно куда-то мчаться, обсуждать с Ильей и Никитой, но если нужно ответить на вопрос «какие новости?», понимаешь, что кажется, это все.

Я думала, что мужчины скрывают свой страх, но Игорь
боялся смело, не стесняясь.

— Я пойду, я ведь только хотел узнать, как дела. Ты по-
звони, когда будут новости, — сказал Игорь, — или лучше
я сам тебе позвоню.

Игорь *сам позвонит*. Я вспомнила, что тысячи раз читала в романах и дневниках сталинского времени: жена ре-

прессированного не могла здороваться первой, ждала, захотят ли с ней поздороваться. Мало того, что у бедной женщины арестовали мужа, это еще наносило ущерб ее представлению о человечестве... Не хочу, не хочу! Не хочу никакого ущерба моему представлению о человечестве! Не буду думать, что Игорь трус, — это неправда! — Игорь сражался бы, как зверь, за Тату, за Павлика, просто Андрей ему *не такой свой*, чтобы я позвонила ему, когда будут новости, он сам позвонит.

... — Ну а ты как? — спросила я.

— Все хорошо. Я вчера был на богослужении в Казанском соборе. Стоял рядом с губернатором.

— Разве ты? — глуповато спросила я. Игорь не похож на религиозного человека.

— Нет, конечно. Я не верю в бога, я же комсомолец, то есть бывший... Я креститься-то путаю в какую сторону. Ты что, не понимаешь? Мне *нужно* помолиться рядом с губернатором. Это бизнес, ну... считай, что это часть моего бизнеса.

Неверующий генеральный директор компании по продаже яхт и катеров ходит в церковь, чтобы помолиться рядом с губернатором? Преклоняет колена *как часть бизнеса*? А как же смелость, независимость, умение рисковать, агрессивность? Что же тогда позволило Игорю развить бизнес, создать банк? Повышенная адаптивность, умение приспосабливаться? Фу. Мозг Игоря — губернаторский подлиза и трус.

...А любовь? Любишь тоже мозг? Думаю, да. Выбираешь близкий по духу мозг, и любишь его, и уважаешь, и выходишь за него замуж. Мозг Андрея ни за что не отправился бы в церковь с губернатором.

...Кстати, о мозге, — я замужем. А мы не виделись уже... сколько дней? Тридцать пять или тридцать шесть. Однажды мне из машины показалось, что это он, идет по Невскому. Я остановилась (на Невском парковаться нельзя, меня оштрафовали), выскочила, побежала за ним и уже собиралась окликнуть, как вдруг он превратился в другого человека — меньше ростом, не такого длинноногого, с другим затылком... Но я ведь могу в другой раз его встретить.

Когда я иду по улице, смотрю на людей, — а вдруг я его встречу.

Когда еду в машине, смотрю на все большие черные машины, проезжающие мимо, когда останавливаюсь на светофоре, смотрю в соседние большие черные машины. Три водителя больших черных машин попросили у меня телефон. ...Если честно, два.

Вообще я уже со многими людьми познакомилась на светофоре: эти многие сказали, что с моим стилем вождения лучше ездить на электрической машинке в сопровождении взрослых, три человека попросили у меня телефон (все-таки пусть будет три, а не два), а один раз произошло По-настоящему Прекрасное. Водитель соседней машины открыл окно и сказал: «Не горюйте так, все будет хорошо» — и улыбнулся так нежно, как будто мы с ним всю жизнь поддерживаем друг друга. Он был по-настоящему прекрасен, и я бы влюбилась в него, если бы уже не была влюблена.

...Но, конечно, я бы не хотела встретить Андрея на улице или увидеть в соседней машине на светофоре, я бы хотела, чтобы он был в Испании, в любой европейской стране, лучше в Австралии.

А если я буду мальчик?

— Двойной эспрессо, — сказал Андрей.

Двойной эспрессо Андрею, латте адвокату, капучино мне, — в кафе «Кузнечик», где же еще. Андрей пришел познакомиться с адвокатом, мне кажется нереальным, что он здесь, рядом со мной, в моем сознании кафе «Кузнечик» — моя личная арена для мучений.

Я столько раз представляла, как это будет, когда мы наконец встретимся: он обнимет меня, и грохот, который все эти страшные дни (сорок восемь или сорок девять) звучит в моей голове, мгновенно утихнет, — он обнимет меня, и мы постоим немного молча (не говорить же мне «ах, что на нас свалилось!», не говорить же мне «ты бедный», не говорить же ему «ты тоже бедная»), — он меня обнимет, и... и я перестану плакать, — потому что внутри я все-таки плачу (хотя снаружи нет!), — он меня обнимет, и я успокоюсь, как ребенок, которому, чтобы перестать плакать, нужны руки только одного человека, — он обнимет меня и... а мы просто сидим в кафе «Кузнечик»! Втроем, с адвокатом — какое может быть нежное успокоение с адвокатом, черт, черт, черт! — адвокат как мама, которая смотрит из окна, и нужно не показывать своих чувств!

Я не видела Андрея столько страшных дней (сорок восемь или сорок девять), но лучше бы я его не видела! Держала под столом за джинсы, вцепилась и не могла разжать руку. Неотрывно смотрела на дверь, — кто входит в кафе, похожи они на тех, кто приходит арестовывать, или это просто посетители.

— Зачем ты меня держишь? Я не убегу.

Я открыла рот и закрыла, — оказалось, у меня нет голоса. В любую минуту могут войти... подойдут к нам с непроницаемыми лицами, скажут Андрею: «Вы арестованы»...

— Ты что, нервничаешь? — удивился Андрей.

Нервничаю? Я... Дожидаясь Андрея, я несколько раз сменила стол, перебегала со своей чашкой кофе от одного к другому. Села за столик в самом темном углу лицом к входу, это инстинкт: наши предки садились лицом к входу, чтобы контролировать ситуацию, в случае появления врага мгновенно вскочить, метнуть копье, вот и я — сижу в углу, если что, метну копье.

Я понимаю, почему совершенно спокоен Василий Васильевич — латте, черствое пирожное «медовое», — он адвокат, мы — его работа, и арест клиента на глазах адвоката — это его *работа*. Я не понимаю, почему совершенно спокоен Андрей — двойной эспрессо, черствое пирожное «медовое» — что это, сила воли, полное отсутствие воображения?

Возможно, все дело в темпераменте. Пятачок боится Буки и Бяки, прислушивается, присматривается, не появились ли Бука и Бяка, — а Пух не боится. На первый взгляд смелость лучше, чем трусость, но только на первый взгляд: Пятачок *заметил* следы Буки и Бяки, а Пух нет. Невротик Пятачок имеет больше шансов избежать опасности, он гораздо более сохранен, чем флегматик Пух.

Но тут еще кое-что, важное: ему *стыдно* бояться. Я имею в виду, Андрею стыдно бояться, не Пуху. Стыдно смотреть на дверь, оглядываться, соблюдать меры предосторожности. Однажды во время войны рядом с нами упала бомба. ...Ну, конечно, *не совсем так*, но почти что. Это было в Израиле во время очередных военных действий: мы с Викой и Андреем шли по улице в городе Беэр-Шева, и вдруг завыла сирена, люди побежали, некоторые упали на землю и прикрыли голову руками (их учили, как себя вести в случае бомбежки). Андрей толкнул нас к стене дома (так тоже можно делать в случае бомбежки), мы с Викой впечатались в стену, обнялись, закрыли глаза, — и раздался взрыв. Взрыв! Бомбы! Или снаряда. Где-то далеко. Очень страшно. Когда я открыла глаза, я увидела Андрея — он стоял *посреди улицы* и внимательно осматривал окрестности: все ли в порядке. Как будто он железный, как будто у него нет нервов! Я кричала: «Ты сумасшедший!» Но я понимаю: его же не учили бежать, падать на землю, закрывать голову руками, впечатываться в стену, — ему это *неловко*.

А Пятачку не стыдно бояться! Я боюсь даже на секунду отвести взгляд от двери. У нас разные темпераменты, к тому же имеют место гендерные различия: он мальчик, а я девочка.

... — Провокатор — бывший мент? Был бандитом, стал ментом, был ментом, стал бандитом? Подонок, пробу негде ставить... — сказал Андрей.

Василий Васильевич кивнул, и я вдруг почувствовала умиротворение, и привычная уже тошнота утихла, и сердце перестало биться в горле: они *мужчины,* понимают, что происходит, и друг друга понимают. Обсуждают, анализируют, решают, а я — ура! — могу больше ничего не понимать, а лишь привносить в их жизнь смешное и милое. По моему мнению, феминистки устраивают скандал из ничего: каждый сам решает, быть «как мужчины» или цветком прекрасным и беззащитным, украшением жизни.

Надо мной звучали слова «перечень наркотических средств», «количество препарата», «следствие», «суд», а я сидела рядом, как прекрасный цветок или рыба в томате (бабушка говорила, что рыба в томате украшает стол). Смотрела на Андрея, как путник смотрит на отплывающий от пристани корабль, — сейчас он договорит с адвокатом и уйдет, каждое мгновенье, каждое слово, каждое «перечень наркотических средств» отдаляет его от меня.

Андрею кто-то позвонил (почему он не выключил телефон?!), и пока он орал в телефон: «Ты срываешь мне сроки! Поставь другую бригаду!», Василий Васильевич наклонился ко мне через стол:

— Увидев вашего мужа, я понял: он не продавец наркотиков.

Значит, до того, как Кот Базилио увидел Андрея, он думал: «А черт его знает, может, он и наркоделец, в прослушке-то много чего есть...»?

...И опять зазвучали слова «перечень наркотических средств», «количество препарата», «следствие», «суд».

— Зачем тебе все это? — сказала я.

— Как зачем? Чтобы бороться. Чтобы правильно построить защиту, — сказал Андрей, и Василий Васильевич подтвердил, что да, нужно правильно построить защиту.

Защиту? А можно сделать так, чтобы все прекратилось прямо сейчас? Я давно уже, прежде чем войти в кафе «Кузнечик», на секунду замираю на пороге и мысленно перечисляю «квартира, Муркина квартира ванна на кухне — окна в стену, мои драгоценности, елочные игрушки». ...Никто не сказал мне «Плати! Пуск!», но перечисление меня немного успокаивает. ...Я давно уже бубню про деньги, спрашиваю Василия Васильевича: «А можно заплатить, чтобы Марфу выпустили, а дело сожгли?» Он отвечает: «Не так все просто». Нельзя Марфу выпустить, а дело сжечь: выпустить ее означает признать ошибку, *они* на это не пойдут, нельзя без суда, нельзя без приговора, нельзя-нельзя-нельзя — судебная система не признает своих ошибок. Марфу задержали вечером, а утром уже провели юридическую процедуру, после которой Марфа из задержанной стала арестованной, значит, это кому-то было нужно, — кому? *У них* у каждого свои интересы.

... — Но, может быть, *уже можно* заплатить? Почему *нельзя*? Пусть выбросят свои пленки, возьмут деньги и отстанут от нас, — сказала я, все еще находясь в образе прекрасного цветка или рыбы в томате.

— Нет, — сказал Андрей.

— Что нет? — сказала я.

— Я не буду платить.

— Я не понимаю, объясни, — попросила я.

Андрей объяснил: «я сказал, нет!», «я сказал, не буду!» и просто «нет!». Подбородок вперед, взгляд в одну точку.

Василий Васильевич посмотрел на меня с девчоночьим вредным лукавством — вот какая ты, не понимаешь собственного мужа... Ох, да понимаю я, понимаю, это не бином Ньютона! Я знаю, почему он рычит от злобы, почему выставляет подбородок, почему в бешенстве смотрит в одну точку. Ему *унизительно* платить. Это как будто *они* выкрутили ему руки, взяли над ним верх, победили его.

— Я бандитам никогда не платил. Я даже в девяностые бандитам не платил. И сейчас не буду, — сказал Андрей. Подбородок *решительно* вперед, взгляд *в бешенстве* в одну точку.

...И разговор продолжался без меня: «...Если Марфу выпустят до суда, она скорей всего получит условный срок...» — «Работайте над изменением меры пресечения Марфе, тут я... кхе-кхе... готов на все, что потребуется, чтобы девочка была дома».

Мужчины друг друга понимали, я сидела рядом, украшала их жизнь и думала свои маленькие мысли: почему он так странно себя ведет — как будто не скучал по мне, как будто сердится на меня, почему он так зол, вот-вот взорвется от злости?..

Андрей заплатил по счету, ушел.

— Ваш муж прекрасный аналитик, ему, в сущности, не нужен адвокат, — сказал Василий Васильевич.

Я схватила его за рукав и зашептала:

— Нам *очень* нужен адвокат, Андрей такой упрямый, как асфальтовый каток, долго разгоняется, едет, не разбирая дороги, упрется во что-то, опять долго разгоняется, — нам очень нужен адвокат, мы без вас не развернемся...

Испугалась, что Кот Базилио нас бросит. И — неловко взрослому человеку так вести себя при адвокате, но я выскочила из кафе «Кузнечик», даже не притворившись «ой, я кое-что забыла сказать мужу», — если я сейчас не выбегу за ним, не узнаю, почему он вел себя так, будто не скучал по мне, то умру от обиды!..

Андрей уже завел машину, и — я увидела, как он вдруг резко, с размаха, ударил ладонью по рулю.

— Почему ты злишься? Мы так давно не виделись, а ты как будто не скучал по мне, ты как будто не любишь меня, ты...

— Я не злюсь. Я злюсь, потому что мне без тебя плохо.

О-о... Злится, потому что ему без меня плохо, скучает, вот и злится? Как ребенок, сердится на то, что голоден и хочет спать? Бьет машину от злости? ...Андрей вышел из машины, обнял меня, и грохот, который все это страшное время звучал в моей голове, на мгновенье утих, и наступило нежное бархатное счастье, — на минуту или две, мы стояли молча (не спрашивать же мне «что с нами будет?»), и какой-то прохожий наткнулся на меня и сказал «нашли место обниматься», — на Литейном узкие тротуары, и подъехавшая машина просигналила вопросительно «уезжаете или нет?» — на Литейном нужно ловить место для парковки, — ну, и моя вторая мама Василий Васильевич выглянул из кафе «Кузнечик» с видом «пора домой!» и сделал мне приглашающий жест «возвращайтесь, мы не договорили».

...Андрей уехал, а я осталась мучиться в кафе «Кузнечик».

Василий Васильевич заказал чай с молоком. Пьет чай с молоком, кофе с молоком, как кот, любит молоко. Пробормотал что-то вежливое в духе «любовь дарит нам бесконечное утешение» (на самом деле он сказал «не стоит уж так-то... как-то все... будем работать...») и перешел к делу.

— Ваш муж ведет себя очень благородно... он у вас, конечно, прекрасный экземпляр человеческой породы... но он ведет себя *слишком* благородно. Не понимает, что его собственная ситуация гораздо серьезней, чем ситуация Марфы. Почему он не понимает, что главное он, а не Марфа?

Мы с адвокатом не понимаем разное. Я не понимаю юридических терминов. Василий Васильевич не понимает, что Андрей не умеет думать, что он — *главное*. Я также не понимаю, почему данный экземпляр человеческой породы приехал на встречу с адвокатом с коробочкой. В коробочке майские жуки. Андрей передал мне коробочку для Андрюшечки, сказал: «Я обещал показать ребенку майских жуков, пусть посмотрит и выпустит в садике».

Жуки шуршали в коробочке, звучали слова, теперь уже обращенные ко мне — «перечень наркотических средств», «количество препарата», «следствие», «стратегия», «условный срок», с этими страшными словами я СОВЕРШЕННО БЕСПРОСВЕТНО АБСОЛЮТНО БЕСКОНЕЧНО ОДНА. ...За то время (сто миллионов минут), которое я провела в кафе «Кузнечик», я получила много новых знаний: например, я знаю, что по недавно принятому закону человек, имеющий судимость, не может работать с детьми. Вот она, маленькая Марфина судьба: Марфа не сможет работать с детьми. Бывший президент Украины с двумя судимостями *смог стать президентом* (неужели Википедия не врет: одна за грабеж, другая за нанесение телесных повреждений?), а девочка Марфа, ни в чем не виновная, не сможет работать с Мишенькой. Мишенькина мама сказала, что без Марфы Мишенька *стал хуже*.

...И тут я поняла: НЕ ХОЧУ.

Не хочу строить защиту. Не хочу «перечень наркотических средств», не хочу «количество препарата» и «стратегию» не хочу! Не хочу, чтобы Андрей и Василий Васильевич месяцами понимающе смотрели друг на друга. Они — мужчины, понимают *подробности*, но не понимают главного — подробности не нужны. Не нужен «перечень», не нужна «стратегия».

«Они мужчины» и *лучше знают*, это мужское дело? Андрюшечка как-то года в три заплакал над сломанной машинкой, и Мурка (педагог!) сказала: «Как тебе не стыдно плакать, ты же мальчик», а он спросил: «А если я буду девочка?». ...Ко мне вдруг вернулось мужество, — меня напугали, заворожили все эти незнакомые слова — «наркотики», «препарат», «перечень», от ужаса и нелепости этой истории мужество меня покинуло, — а теперь вернулось. Пусть Василий Васильевич, бывший отличник с примерным поведением, и Андрей, бывший отличник с неудом по поведению, обдумывают стратегию, правильно строят защиту, а я БОЛЬШЕ НЕ МОГУ.

Я больше не могу, что Марфа в тюрьме, Андрей под угрозой ареста, я больше не могу мучиться в кафе «Кузнечик» одна, однее не бывает. Наверное, всегда так: человека с размаха пнули, снесли ему голову, он некоторое время улыбается без головы в недоумении — вы что, ребята? — и дальше ползет по жизни раздавленной стрекозой... ползет-ползет, а потом думает: «НУ, НЕТ. Я не сдамся».

Я буду мальчик, я сама всех спасу.

...Василий Васильевич действительно лучший в городе адвокат, — увидел лицо своего клиента (Ирка-хомяк ругает меня: «Ты гримасничаешь, как гуттаперчевая игрушка, когда тебе что-то надоело — глаза вытаращены, губы надуты, *просто страшно становится*») и сказал:

— Что вы задумали?.. Я ваш адвокат, все, что вы мне скажете, совершенно конфиденциально... Что вы задумали, черт побери?!

— Ничего. Я ничего не задумала. Мяу.

«Мяу» я не сказала, я мяукнула в душе. От самодовольства. В мужчине нужно увидеть мальчика, увидишь — и *сразу знаешь*, как с ним обращаться. Мальчики-отличники примерного поведения писали мне вежливые любовные записки «ты мне очень нравишься», я отвечала «подожди, пока я прочитаю все записки», — и они *ждали*. У Василия Васильевича, отличника примерного поведения, стратегия и тактика, и каждый его шаг строго соответствует букве закона, он *выучил наизусть все буквы закона*, — но я легко могу его обмануть. МЯ-АУ!

Больше никаких стратегий, никаких условных сроков. Дело Марфы будет закрыто, Андрей получит извинение в письменной форме. Мы с моим мужеством не станем улыбаться «ах, все это так дико...», мы поведем себя жестко и бескомпромиссно, как на рынке: «Дайте мне это, дайте мне то, и посвежее, и не подкладывайте гнилого, я все вижу!» Хотя на рынке я так никогда не говорю, мне неловко.

А напоследок я скажу: «Ах да, *они*... те, из-за которых девочка из рода Голенищевых-Кутузовых оказалась в тюрьме, — нельзя ли их сослать в Сибирь или выпороть на конюшне?..» Это будет моя месть, маленькая, но язвительная. Вот так.

... — Идите домой, — сказал Василий Васильевич.

И пойду. Я знаю, что делать, чтобы нас перестали мучить, отстали от нас.

Практичные эдельвейсы

На Литейном шум, суета, пробки, и никому не придет в голову посреди суеты заглянуть во двор Фонтанного дома — а там! В садике Фонтанного дома тишина, покой, *клены*, скамейки, мокрые после утреннего дождя, ни одного человека, никого, кроме девушки с коляской, молюсь оконному лучу, он бледен, тонок, прям, сегодня я с утра молчу, а сердце — пополам, я пошла по левой дорожке, и беспомощно грудь холодела, но шаги мои были легки, я на правую руку надела перчатку с левой руки, — мне всегда кажется, что Ахматова ходила по левой дорожке, — слава тебе, безысходная боль, умер вчера сероглазый король... В садике Фонтанного дома я выпустила жуков и вызвала Алену. Жаль, что Андрюшечка не видел, как жуки бодро расползлись по своим делам, но пришлось выпустить самой, — я не сразу пошла домой, жукам душно так долго сидеть в коробочке.

Мужество опять меня покинуло, — трудно *долго* быть мужественной, трудно быть мужественной *в одиночестве*. Между прочим, никто не задавался вопросом, как чувствовали себя Белка и Стрелка в космическом корабле посреди огромного черного космоса, а я знаю — одиноко, хоть вой. Если бы они могли курить, то непрерывно курили бы: лапы заняты, и кажется, что именно на этой сигарете придет Алена... Одинокая, как собака в космосе, без мужества, с ощущением, будто съела пачку сигарет, я ждала Алену.

...Мы с Аленой сидели на мокрой скамейке на своих сумках, чтобы не простудиться.

— *Ты* решила? *Сама*? За спиной адвоката? Втайне от Андрея? Но как вы будете жить в Муркиной квартире?

Практичная Алена нарисовала мне страшную картину: Муркина квартира ванна на кухне — окна в стену — вся в книгах (я же не смогу выбросить книги, библиотеку придется перевезти). В ванне на кухне — книги. Вся мебель сделана из книг: кровати из книг, стол из книг, стулья из книг, *книжный шкаф из книг*... В Муркиной квазиквартире может расположиться только голубь с небольшой семьей.

— Ты хочешь расстаться со своим родовым гнездом? Ты хочешь, чтобы какой-то нувориш сидел за столом твоего деда?

Но почему *нувориш*? Всегда кто-то в роду первым вьет родовое гнездо, пусть совьет свое гнездо у меня... Нет. Нет! Я родилась в Толстовском доме, это *мой дом*, — папины книжные шкафы, дедов стол, бабушкин буфет, за огромным письменным столом сидел мой дед, потом мой папа, я часть этого дома, а он часть меня, я не могу — НЕТ!

— Да.

Да, я хочу расстаться со своим родовым гнездом втайне от Андрея. У нас с Андреем в этом деле разные интересы: он хочет бороться, а я хочу, чтобы от нас отстали. Мне нужно решить, кто *лучше знает,* Андрей с адвокатом или я. Я *лучше знаю.*

Алена возмущалась, взывала к бабушкиному буфету. Но как практический человек понимала, что я права: автор-сочинитель этого спектакля радуется, что в его сети попала крупная дичь в виде нашей бедной преступной группировки, — но неужели при выборе между крупной дичью и крупным кушем он выберет догрызать крупную дичь? Алена согласилась со мной: мы найдем, кому сделать предложение, от которого нельзя отказаться. *Куш* должен быть наготове, — вот он, сейчас, сразу. Алена сказала: «Надеюсь, что это будет честный человек. Честный человек возьмет деньги сразу». Я удивилась — *честный человек* в этом контексте звучит странно, но Алена пояснила: «Честный человек возьмет деньги сразу, а нечестный сначала измучает».

— Подумай еще, подумай, подумай! Ты хочешь расстаться с родовым гнездом ради чужой девочки, *ради чужой девочки,* — голосом кота Матроскина втолковывала Алена. — Прости, но из-за Марфы вы попали в это, в эту... в этот кошмар. Она все-таки *немножко* виновата: нельзя жить, как будто вокруг нет ни законов, ни других людей.

— Марфа не виновата... — сказала я и тут же почувствовала себя неловко, как если бы меня вызвали в школу и учительница говорит, что мой ребенок хулиган, а я возражаю, что мой ребенок не хулиган, а просто *очень живой ребенок.* ...Но если представить, что мой близкий человек *действительно* совершил что-то плохое, — как тогда поступить, дать свершиться правосудию?.. Думаю, я буду защищать своего близкого человека до последней капли жизни, я буду грызть зубами правосудие, я спрячу своего близкого человека в лесу, я построю ему шалаш, я буду ночью приносить ему еду, я... Думаю, все люди поступят, как я.

— Это твой дом, твое прошлое, твоя семья, это *твое все*, ты хочешь отдать *все свое* за чужую девочку, — как заведенная, повторяла Алена.

Конечно, я не хочу. Мой дом, мой дед, мой папа, чужая девочка, да. Марфа такая худенькая, слабая, она там погибнет. Это моральная ловушка: где граница — *за это ты не* позволишь человеку погибнуть, а *за это* позволишь. Но как тогда жить? Получается, что у меня нет выбора: как мне потом жить, уютно сидеть в гостиной у камина и думать, что я могла ее спасти, но не спасла и уютно сижу у камина?

Алена поерзала на скамейке, вытащила из-под себя сумку, аккуратно протерла салфеткой, чтобы от дождя не испортилась кожа, опять уселась на сумку. Завистливо вздохнула:

— На тебе джинсы болтаются, можно кулак просунуть... ты похудела на три размера или на четыре! — И опять: — Твой дом, чужая девочка, ты хочешь быть героиней...

— Господи, Алена, ну при чем тут героиня? Просто у меня нет выбора: я хочу есть. Котлеты. Котлеты, оливье, не говоря уж о карпаччо. Я *хочу* есть, но не могу: представляю, как Марфа в тюрьме, и начинает тошнить. А я *хочу* есть.

Хорошо, что у Алены с Никитой нет денег. Если бы у них были деньги, я бы раздумывала — попросить в долг или нет, а сейчас я могу рассчитывать только на себя. Когда Алена с Никитой разводились, Никита перевел на Алену дом в Испании и счет в испанском банке, на счете две тысячи евро. Алена кричала «где деньги?!» и «мы что, нищие?!», Никита кричал «я, что ли, покупал диваны и джакузи?!», Алена кричала «а кто?!», но счет после покупки и меблировки дома был пуст. Алена кричала «зачем мне твой пустой счет?!», Никита кричал «это твой пустой счет, а я должен быть чист перед законом!» — и перевел пустой счет на Алену. Назло Никите Алена немедленно заплатила со счета за сумку «Gucci». ...Мне повезло, что на Аленином счету пятьсот евро.

У меня странная особенность организма: мне *стыдно просить*. Даже о пустяковом одолжении — подвезти меня куда-то или дать номер телефона, — голос становится неестественно-искательным, и я сама себе противна. Может быть, это врожденная сатанинская гордость, а может быть, я просто избаловалась: мне никогда не нужно было никого ни о чем просить, для всех моих желаний, больших и маленьких, сначала был папа, потом Андрей. ...Хорошо, что у Алены с Никитой нет денег, — то есть для меня хорошо, для Алены с Никитой, конечно, плохо.

— Как человек практичный я хочу рассмотреть все варианты, — сказала Алена.

И практичная Алена рассмотрела все варианты.

Вариант первый: «А твой дом в Испании нельзя продать? Давай заодно и мой дом продадим, я его ненавижу, я из-за него развелась». Почему Алена, такая практичная, не понимает? Дом в Испании нельзя продать, его можно только отдать банку, — дом в Испании в кредит. Алена ненавидит свой испанский дом, как любовницу, разлучившую ее с мужем, но его нельзя продать (хоть он и не в кредит), — в Европе кризис, переизбыток недвижимости.

Вариант второй: «Может быть, ты сначала найдешь этого человека?.. Пусть назовет сумму, предложит скидку, а мы спокойно подумаем». Алена думает, что *этот человек* будет вести себя как продавец на восточном рынке: скажет «за прекращение дела ни в чем не повинной девочки пять пиастров, за извинение перед вашим мужем еще пять пиастров», — я повернусь и уйду с непроницаемым лицом, а он побежит за мной с криками «ладно, по три пиастра за каждого фигуранта, и мы прекратим вас мучить!». ...И мы с Аленой ушли из садика Фонтанного дома, и веселое слово — дома — никому теперь не знакомо, все в чужое глядят окно, сердце к сердцу не приковано, если хочешь — уходи, много счастья уготовано тем, кто волен на пути.

На Литейном, у Фонтанного дома, магазин «Сумки».

— Давай зайдем на минутку, ну пожалуйста, — сказала Алена.

За минутку Алена набрала полные руки сумок: черную лакированную, белую лакированную, красную из мягкой кожи и фиолетовый клатч. Принесла сумки к кассе, сказала «отложите мне на час», и мы вышли из магазина.

— Я все время откладываю на час, а потом не прихожу, — сказала Алена. — Скажи мне как психолог, с профессиональной точки зрения, это невроз?

С профессиональной точки зрения Алена переживает крушение картины мира. Не может смириться с тем, что ее новая картина мира — «Нет Денег». Ходит по магазинам и делает вид, что покупает, пытается быть собой, не выпасть из своей прежней картины мира. Моя картина мира «Все Прекрасно» тоже изменилась, теперь моя картина мира — «Ужас».

— С профессиональной точки зрения? Пожалуйста: попробуй представить, что ты Никита. Ну, давай, представь прямо сейчас... Закрой глаза и говори все, что приходит в голову.

Алена закрыла глаза. Нахмурилась, надула щеки, втянула голову в шею и заговорила:

— Что ты все время просишь «дай денег, дай денег»... А у меня нету. Понимаешь, не-ту! Не все козе масленица! Скажи спасибо, что на должности удержался... Почему ты сказала «спасибо» с иронией?.. Что? Почему раньше на все хватало? По кочану. Да раньше ты вообще не знала, какая у меня зарплата. Знала? Ну, скажи, какая, — ага, не можешь?! Ты думала, что квартиры, и дача, и дом в Испании, и все твои поездки, и диваны, и джакузи — все на зарплату? Ах, ты об этом вообще не думала?.. — говорила Алена с Никитиной поучительной интонацией. — Да, у меня теперь одна зарплата! Ах, я, видите ли, не подумал, что у нас ничего нет на черный день... Да, если что, пойдешь на рынок клубнику продавать... Да, у нас ничего нет на черный день... ни-че-го...

Алена открыла глаза, вышла из транса. Бедная Алена. Сделаю вид, что не слышала, что на Никитину зарплату нельзя было купить дачи, диваны и джакузи: *услышать* означает признать, что Никита имел отношение к коррупции. Не стану шутить, что теперь Никитину работу с одной лишь зарплатой можно рассматривать как *исправительные работы*. Не стану спрашивать, почему масленица *козе*, а не коту. Не стану утешать ее, говоря, что люди живут и на зарплату, что не все козе и коту масленица, — мы же друзья. Бедная Алена. Кто-то чужой сказал бы, что Алена капризничает, по сравнению с другими она вовсе не бедная, но ведь это неважно, с какого этажа падать и до какого долететь, — важен ужас, когда летишь. Бедная Алена.

— Хочешь еще что-нибудь сказать? — спросила я голосом психолога на приеме.

— Ну... Жалко его. Я как-то не думала, что он тоже переживает... Расстраивается, что у нас ничего нет на черный день.

Мы разошлись у магазина «Сумки», я пошла направо, домой, а Алена налево, в магазин японской посуды на углу Литейного и Пестеля. Японцы для каждого времени года используют посуду разного цвета. Алена хочет купить чайный сервиз для весны, белый фарфор с синими крапинками, называется «имари». То есть купить чайный сервиз для весны она не может, она хочет посмотреть. Сказала, что просто посмотрит, но откладывать сервиз не будет, — ей уже лучше, она на пути к выздоровлению.

...От Фонтанного дома до меня в хорошем настроении семь минут, я брела полчаса.

Купила мороженое. Шоколадное мороженое — единственное, что я могу есть, но только на улице, когда вокруг шум, люди, нормальная жизнь, и я на мгновенье забываю... все забываю. Но иногда бывает, что что-то приятное оказывается совсем не тем, чего ожидаешь: на обертке написано «шоколадная трубочка», но шоколад только сверху, а внутри белое мороженое.

По дороге позвонила Игорю.

Я думала, что весело скажу: «Привет, ты хотел квартиру в Толстовском доме, можешь купить мою». Я думала, что предложить Игорю квартиру не означает *просить*. Но оказалось, что означает.

— Привет... у меня к тебе вопрос, то есть предложение... если ты все еще хочешь квартиру в Толстовском доме... то можешь купить мою, если тебе это удобно... но, извини, мне нужно быстро... — сказала я (искательным голосом с робким смешком).

— У меня была мысль сделать инвестицию, — сказал Игорь и замолчал.

Игорь молчал (человек может подумать, прежде чем сделать инвестицию), я ждала, как княгиня Друбецкая в «Войне и мире», когда она *хлопочет,* как просительница, в прихожей князя Василия. Наконец Игорь сказал:

— Давай обсудим на следующей неделе. Но ты ведь понимаешь, что когда срочно, то цена меньше на двадцать пять-тридцать процентов?

...Ну... это была шоколадная трубочка с белым пломбиром внутри, совсем не то, что я думала: и не друг, и не враг, а так... Но, может быть, неправильно осуждать козу, свинью и курицу? Я имею в виду Козу, Свинью и Курицу из пьесы «Кошкин дом»: тили-бом, загорелся Кошкин дом, никто не пустил Кошку ночевать, и она побрела по дорогам. Подразумевается, что они поступили плохо. Но! Они ведь *всего лишь раз* были у Кошки в гостях, они не друзья, просто знакомые. Просто знакомые не обязаны нас поддерживать! ... Но все равно было обидно, очень обидно, мои мысли были тяжелые — не унести, и я плелась по Литейному, как будто впервые вышла на улицу после тяжелого гриппа, как погорелая Кошка, как княгиня Друбецкая.

А во дворе, у моего подъезда, стояла Никитина машина, в машине Алена с Никитой. Зачем они здесь, вдвоем?

...Ну, конечно, я знала, зачем они здесь, знала, что сейчас произойдет. Сейчас они выйдут из машины. Никита скажет «дай ей что-нибудь, быстро», Алена сунет мне в лицо ватку с нашатырем, Никита крепко возьмет меня за плечи, Алена тихо заплачет, Никита скажет «ну хоть ты не реви». Я представляла себе это сотни раз, я знала, что это произойдет сегодня, — Аленино на выдохе «арестовали» и Никитино выражение лица, как будто у него ноет зуб. Я *знала*, что это случится сегодня, предчувствие никогда меня не обманывает. ...Постою здесь еще немного, прежде чем на меня обрушится ужас. Одну минуту постою и пойду к ним, — все равно от этого не уйти, сейчас пойду... Сейчас мне скажут, сейчас, сейчас...

— Я вызвала Никиту, чтобы он тебя образумил: нельзя продавать свое родовое гнездо, мы всем миром соберем, у нас есть пятьсот евро... — С этими словами Алена вышла из машины. — А ты что такая бледная, прямо белая?..

— Я как человек практичный тебе не позволю! — с этими словами Никита вышел из машины. — Я это... Мне уже начинать снимать деньги?..

Ну... предчувствие меня обмануло.

— Деньги, какие деньги?.. — удивилась Алена и мгновенно напряглась, как питбуль перед схваткой. — ...Ах, ДЕНЬГИ!

...Деньги? Никита скрыл от Алены свой счет на черный день, но от меня нет, не скрыл... Я спросила Никиту: «Ты уверен? Если это на черный день?», Никита ответил: «А что, это еще не черный?».

...Вот — тайный счет, маленькая пограничная ситуация, когда можешь *не рассказать*, можешь поступать как хочешь, — никто не узнает, и если кому-то чужому покажется, что это ерунда, значит, он слишком многого требует от людей, и если он не скажет судьбе спасибо... Спасибо, спасибо! Спасибо за моих прекрасных друзей, спасибо, что мне не пришлось *просить*, спасибо за то, что это было не одолжение!.. А огромный скандал.

Алена поворачивалась от меня к Никите, направо-налево, налево-направо.

— Ну, слава богу! — мне.

— Скотина! — Никите.

— Какое счастье! — мне.

— Что ты еще от меня скрываешь?! А? — Никите.

...Алена кричала:

— Ты отложил деньги на черный день! В то время как я ничего себе не позволяю! Нищенствую! Не могу купить сервиз!

Никита кричал:

— Почему на твоем счету пятьсот евро, там было две?!

— А сумка «Gucci», по-твоему, сколько стоит?!

— Я теперь честный чиновник, я не зарабатываю на сумку «Gucci»!

— Ага, ага, не зарабатывает он! Я тоже не смогла купить вторую сумку «Gucci»! А тайный счет? — кричала Алена. — Сколько там у тебя?

— Не скажу! Тебе скажешь, ты на все сумок накупишь! Сказал, не скажу! Пятьсот евро! На черный день! — прошептал Никита.

— У меня пятьсот евро и у тебя пятьсот евро? Пятьсот евро или пятьсот тысяч евро? Пятьсот тысяч? А я! Перебиваюсь без сумок! — прошептала Алена и, повернувшись ко мне: — Ты подумай, как нам повезло, что у него есть тайный счет, какое счастье...

И все это на глазах у охранников.

Охранники смотрели на нас без удивления: мы уже который день показываем им бесплатное кино.

...Но вот что интересно. Наша новая картина мира не самая прекрасная, нас окружает гадость: вышибленные двери, слова, к которым испытываешь брезгливость — «провокация», «наркотики», «арест», — мы просто купаемся в гадости. Кто-то чужой скажет: новая картина мира ваших прекрасных друзей (тоска по коррупции, взаимные упреки, тайные счета, желание скупить все сумки мира) — тоже не очень-то прекрасная картина. Но! ...Какое очарование души увидеть среди голых скал, среди вечных снегов у края холодного мертвого глетчера крошечный бархатистый цветок — эдельвейс. Это не я так красиво написала, это Тэффи.

Посреди гадости расцвел прекрасный эдельвейс (дружеская преданность и прочее прекрасное), — вот они, Никита с Аленой, в своей *не очень-то прекрасной картине* расцвели, как цветки эдельвейса, прямо на скале.

Я не понимаю мужчин?

На меня еще никогда так не кричали... На меня вообще никогда не кричали. ...Нет, один раз кричали (папа кричал страшным шепотом: «Как ты могла! Опоздать на полчаса! Не позвонить... Мама *перенервничала!...*»)... на меня никогда *так* не кричали...

...Впервые проснулась не в мгновенном ощущении темной беды, а, *как раньше*, с бурлящими пузырьками радости (робкими, но все же!).

...В половине десятого утра Василий Васильевич вызвал меня в кафе «Кузнечик»: срочно, через десять минут, через пять минут, где бы вы ни находились! Я находилась в салоне красоты. В честь близкого окончания Ужаса и для радости жизни решила перед лекцией сделать себе одну ярко-золотую прядь. Непричесанная, но уже с ярко-золотой прядью для радости жизни побежала на Литейный: я бегаю быстрей, чем езжу на машине. На бегу позвонила в университет предупредить, что опоздаю на лекцию по неуважительной причине (причина «меня вызвал адвокат» неубедительна, как «сломался будильник»).

Василий Васильевич впервые выглядел взволнованным, растерянным, впервые не улыбнулся мне и — это совершенно не то, чего ждешь от своего адвоката, — вдруг выгнулся, злобно зашипел, как сиамский кот, и начал кричать. На меня никогда еще не кричал сиамский кот, в описании породы упоминались взрывной темперамент и строптивость, но *такой* темперамент, *такая* строптивость...

Мой адвокат кричал:

— Вы что?! А?! Это что еще за самодеятельность?! А?!! ...Вы понимаете, что вы наделали?! Вы понимаете, что произошло?! Вы вообще осознаете смысл того, что вы делаете?!

Нет, я вообще не осознаю смысл того, что я делаю. Я ничего не могу осознать, когда на меня кричат. Многие думают: чтобы тебя лучше поняли, надо кричать, я и сама иногда — часто — кричу, чтобы меня поняли. Но *на меня* кричать нельзя, когда на меня кричат, я начинаю оправдываться, говорить неестественным голосом «при чем здесь я?» или «что я сделала?», как будто я виновата, даже если я не виновата.

— Вы с кем-нибудь это обсуждали?.. С друзьями, родственниками? Ваши друзья могли с кем-то поделиться... Кто знал, что вам нужны деньги? С кем вы об этом говорили?! А?!

— Ни с кем. Ни с одним человеком.

Когда на меня кричат, я вру. Это кажется странным: взрослый человек врет, как сивый мерин, своему адвокату, как будто его главная задача не понять, что происходит, а немедленно оправдаться перед своим адвокатом, которому он платит. Но тут уж ничего не поделаешь, — когда на меня кричат, я вру.

Мой адвокат рассматривал меня с брезгливой неприязнью.

Я думала, что Василий Васильевич относится ко мне *не как просто к клиенту*, я думала, *мы дружим*... Мои прекрасные друзья смотрят на меня по-разному, иногда как на равного себе человека, иногда как на любимого пуделя, умиляясь, какой он забавный, а Василий Васильевич *не дружил со мной*, не умилялся моей живости и уму и как я играю со своим хвостом, — он смотрел на меня как будто пытал светом лампы и кричал: «С кем вы об этом говорили?! Кто?!»

...Кто? Девушка с коляской в садике Фонтанного дома? Охранники во дворе? Алена на весь двор кричала Никите: «Ты скрывал от меня деньги! Я не могла купить сумку «Gucci»!» и мне: «Ура, теперь у тебя есть деньги!» Это не первый в нашем дворе публичный семейный скандал из-за денег, и *обычный охранник* не обратил бы внимания, но специально обученный человек, *их* человек, мог догадаться, что деньги нужны мне не для приобретения сумки «Gucci».

Мой адвокат взглянул на меня испытующе:

— Вы говорили об этом при включенных телефонах?

Что?.. При включенных телефонах? Когда мы с Аленой сидели в садике Фонтанного дома, телефоны были в сумках, и мой, и Аленин. Но мы же сидели на сумках! Невозможно прослушать нас через сумки, через джинсы. ...*А где был телефон девушки с коляской?* Но мы же не в шпионском фильме, случайная девушка с коляской не может быть шпионкой!.. Остается одно: *я думала об этом при включенном телефоне.*

— Кому вы рассказали?! Ваш друг с телевидения знает? Ваша подруга-актриса?

Илья несколько раз беседовал с адвокатом, и Ирка приходила ко мне в кафе «Кузнечик», чтобы я не сидела весь день одна... Когда человеку предлагают несколько вопросов одновременно, он отвечает на один вопрос, на безопасный.

— Никому, — сказала я.

— Я ваш адвокат, а вы меня обманываете. ...Напрасно вы рассказали вашим друзьям, прежде они не имели к этому отношения, а теперь имеют. Их могут шантажировать, пугать... Вы поставили их под удар.

Что?.. Илья, Ирка? Я — *своих друзей* — под удар?

Приступ паники может продолжаться от нескольких минут до нескольких часов. У приступа паники следующие симптомы: затрудненность дыхания, учащенное сердцебиение, ощущение давления в груди, сонливость, дрожь. Василий Васильевич притих, пил свой чай, а я со всеми перечисленными симптомами, кроме сонливости, вскочила, чтобы нестись не зная куда: к Илье — но зачем мне к Илье, к Ирке — но зачем мне к Ирке, на лекцию — но зачем мне на лекцию? Я уже не раз говорила себе «что в этой истории самое страшное?..», и каждый раз «самое страшное» оказывалось разным.

Самое страшное, что мое привычное «мир добрый» — это иллюзия, самообольщение, туфта, мир не добрый. Еще одно самое страшное: мы еще смеялись, а нас *уже* слушали, все это *уже было*, как будто человек еще веселится, а болезнь уже есть. Было и другое самое страшное.

Но вот оно, *самое страшное*: я поставила своих друзей под удар.

Мой приступ паники продолжался шесть минут сорок секунд, — время, которое потребовалось Василию Васильевичу, чтобы выпить чай и съесть пирожное.

... — Ну что? Испугались? Больше не будете действовать самостоятельно? Это послужит вам уроком, — Василий Васильевич довольно улыбался, словно ожидая аплодисментов. — Я дал вам хороший урок?

Это послужит мне *уроком*? Это был *урок*?

Ну... Я понимаю, что произошло: у Никиты есть связь с Андреем через дупло, то есть через Илью. Никита позвонил Илье, Илья позвонил Андрею, сказал: «Никита передает тебе «не волнуйся, с деньгами все в порядке». ...Интересно, что сказал Андрей на переданные по цепочке слова «не волнуйся, с деньгами все в порядке»? Думаю, он сказал: «Я и не волнуюсь... а какие деньги?», а узнав, позвонил адвокату.

...Также интересно, что Андрей сказал адвокату: «успокойте бедняжку» или «уймите эту сумасшедшую»?

В любом случае, Василий Васильевич поступил жестоко: нет ничего легче, чем разыграть измученного, загнанного в угол человека, которому и без того кажется, что вокруг враги (девушка с коляской *с включенным телефоном*). Кроме того, это непрофессионально: он не должен меня воспитывать, он мой адвокат, а не моя вторая мама! Если бы мы были парой «адвокат — клиент» в Америке, клиент подал бы на него в суд за этот *хороший урок*! Василий Васильевич не имеет права меня разыгрывать, говорить мне «играй, пудель, — ап!», он мой адвокат, а не друг! Я мысленно пририсовала адвокату кошачьи усы: хороший способ защитить себя от горькой обиды — это представить обидчика в смешном виде, затем представила, как Василий Васильевич встает на задние лапы...

— Не обижайтесь, — сказал Василий Васильевич, — вы для меня не просто клиент.

О-о... я для него *не просто клиент*... Напрасно я плохо о нем подумала, пусть Василий Васильевич простит меня за нервные пуделиные мысли, — он лучший адвокат в городе, а я *мешаю*.

...Оказалось, что Василий Васильевич вызвал меня рано утром в кафе «Кузнечик» не только и не столько из желания преподать мне урок, — все же он адвокат, а не моя вторая мама. У него для нас важная информация.

Василий Васильевич узнал сегодня ночью по своим каналам. (*Ночью? По своим каналам?*) ...Я собралась все записать, чтобы передать по цепочке Андрею. Блокнот я забыла дома (казалось бы, почему не записать важную информацию в телефон, но у меня образовалась совершенно дикарская боязнь телефонов: *я не записываю в телефон, потому что телефон прослушивается*).

Вот она, информация — прекрасная!! Кроме записей разговоров Андрея с Марфой, у них нет больше ничего, связанного с Андреем. Василий Васильевич узнал это сегодня ночью «по своим каналам».

Я записала на салфетке:

Василий Васильевич сказал: «Это очень хорошо. Раньше мы не знали, что они еще ему нарисовали, а теперь известно, что, кроме записей разговоров, ничего нет». БОЛЬШЕ НИЧЕГО НЕТ!

В.В.: Да, это точно.

В.В.: Я вам в третий раз повторяю — ничего, кроме пленок, у них на Андрея нет.

В.В.: Не надо меня обнимать, за другими столами мои клиенты.

В.В.: Как я узнал? Глупый вопрос.

Василий Васильевич получил эту информацию ночью, по своим каналам. (...*Ночью! По своим каналам!*) ...Ну, что же, значит, я ошиблась — мой адвокат не отличник примерного поведения, он отличник с неудом по поведению. И в отношениях с ним есть интрига, — я могла бы влюбиться в него, если бы он не был так похож на кота, я все-таки больше люблю собак.)

... — У меня есть еще кое-что важное. Я узнал...

Я записала на салфетке:

Василий Васильевич узнал важную информацию,

которую он *сам* сообщит Андрею.

— Я сам ему сообщу.

Это все еще был урок мне за самодеятельность и само-надеянность, а возможно, Василию Васильевичу хотелось самому преподнести Андрею важную — с трудом добытую информацию. Любому человеку (даже лучшему в городе адвокату) хочется, чтобы его похвалили, восхитились, сказали «ух ты!» (но в таком случае ему лучше выбрать меня, я буду хвалить его и восхищаться, а Андрей скажет «кхе-кхе... понятно» или «хм»).

Я спросила, что именно *еще кое-что важное*, миллион сто тысяч раз, но Кот Базилио ничего мне не рассказал, даже не намекнул.

— Зачем вам? Чтобы немедленно рассказать своим друзьям?.. Идите на лекцию, — сказал мне мой адвокат тоном султана, выпроваживающего надоедливую фаворитку («ступайте в свои покои»). — Это *важная* информация, я *сам* ему расскажу. А ваша задача — внушить Андрею, что он должен быть очень осторожен. Андрей должен быть *очень осторожен*. Вы поняли? Идите на лекцию.

Я *очень* люблю подчиняться умному человеку. Но почему «Андрей должен быть очень осторожен», почему?! Почему именно сейчас? Господи, когда же все это кончится?!

...Господи, я прошу Тебя, сделай со мной что хочешь, только чтобы с ним ничего не случилось, потому что он не сделал НИЧЕГО плохого, он НИ В ЧЕМ не виноват, ни в одной плохой мысли, ни в одном эгоистичном поступке, он живет, занимая так мало места, не требуя ничего от мироздания, Ты ведь знаешь это, Господи! ...А Ты, случайно, не знаешь, *когда* все это кончится?

Эвфемизмы страсти

... — Черт! Я получил сообщение «Recall or you will be hit», — сказал Андрей, не поднимая головы от телефона.

— Перезвони или по тебе нанесут удар? Кто, кто тебе это послал?! — От испуга у меня мгновенно потемнело в глазах и сердце забилось в горле. — Что, что опять случилось?!

— Моего героя захватили. ...Кто захватил? Очень продвинутый игрок. Последний перед самым совершенным. Сейчас он нанесет удар... Так, еще одно сообщение: «Я отпущу героя, как только он придет в замок...»

Это стратегическая игра, Герой Мечты, Вселенское Зло и так далее... а у меня сердце бьется в горле.

Илья по секретному телефону договорился с Андреем о нашей встрече. Адвокат сказал: «Передайте Андрею, чтобы он был очень осторожен». Я хотела сама сказать ему: «Я тебя умоляю, будь очень осторожен». Не хотела передавать через Илью, Илья ведь не станет умолять.

...Ночь, в кафе на Загородном никого, кроме нас (*наши телефоны выключены*), официантка дремлет. Жуткое местечко: на стойке вчерашние бутерброды, колченогие стулья, пахнет мокрой тряпкой, на столе вазочка с пластмассовым цветком, — никому не придет в голову забрести сюда ночью. Таким и должно быть место для тайных встреч. Хотя возможна и другая концепция тайных встреч: к примеру, шпион трех разведок по прозвищу Цицерон проводил встречи в пышной розовой красоте (розовые лампы, розовые скатерти, розовые диваны) отеля «Восточный экспресс».

... — Тупое упрямство! Глупость! Мальчишество! Я тебе запрещаю! Ты взрослый человек, а не идиот!

— Малыш! Как будто взрослый человек не может быть идиотом, возьмем, к примеру, тебя...

— Я? А ты?! Ты, ты... я д-даже не знаю, как тебя назвать. — Я заикалась от злости, не могла найти слов, замахнулась салфеткой и даже, кажется, швырнула в него салфетку. Потом чайную ложку, потом гиацинты (Андрей принес мне гиацинты), потом пластмассовый цветок из вазы, потом вазу. Ваза была не стеклянная, не разбилась.

— Василий Васильевич сказал, что ты не понимаешь! У тебя что, совсем нет нервов?! Кажется, ты железный...

— Он адвокат, это его работа — говорить, что клиент не понимает. Он свою работу сделал, а теперь я сам пойду и разберусь.

— Он *наш адвокат*. Он сказал, что ты должен быть очень осторожен. Он знает, что его клиент идиот! У идиотов нет чувства страха.

— Да? А как же ты? ...Малыш, тебя напугать ничего не стоит. Ты не бойся, а рассуждай логически: прослушка несанкционированная, на пленках ничего нет. Это рациональное решение.

...Я боюсь того же, чего боятся все — что любовь пройдет, тараканов, кататься на лыжах на ледниках, быть ночью на улице одной. Каждый человек так или иначе встречается с собственными страхами, — с тараканами я однажды встретилась на собственной кухне, но вот с «быть ночью на улице одной» я не встречалась никогда. В детстве меня провожали мальчики, и папа (для верности) встречал меня во дворе, в юности меня провожали мальчики, и папа для верности смотрел во двор из окна... Я и сейчас ни за что не пойду ночью одна, я боюсь даже выйти ночью из машины и быстрой мышью проскользнуть к подъезду. Хорошо, что в нашем дворе охранники.

Но сейчас это было плохо: если кто-то из охранников не друг мне, а враг (если кто-то чужой сказал бы, что я заигралась в шпионов, пусть представит себя на моем месте). Насторожится — куда это она отправилась в час ночи в павловопосадском платке и вышитых валенках? — и сообщит куда следует, и получит подкрепление, и *они* бросятся за мной, и я приведу их прямо к Андрею. ...А вышитые валенки я надела *предусмотрительно*, в них я быстрей убегу, если вдруг опасность (маньяк в подворотне, etc.). Валенки (на самом деле это тряпочные летние сапожки) мне подарили на встрече в книжном магазине, одна читательница вышила своими руками, очень красиво. Ну, а платок сочетается с валенками, стиль «матрешка».

В виде матрешки я кралась по улице, оглядываясь, не идет ли кто-то за мной, — все-таки ночью особое ощущение тревожности (это эвфемизм, я просто умираю от страха). ...Пройти нужно совсем немного, до Пяти углов, — сосчитаю до трехсот и дойду, даже до двухсот пятидесяти, а там, в круглосуточном кафе на Загородном, меня ждет Андрей.

... — Это рациональное решение.

Рационально так: Андрей решил пойти к *ним* — сам, к ним! Василий Васильевич догадался, что Андрей захочет пойти к ним и сказать «вот он я, какие у вас ко мне вопросы?», поэтому и предупредил, что он должен быть очень осторожен. Если Андрей — сам, к ним, — и все пойдет без сюрпризов, то «организованная преступная группировка» рассыплется, словно башню из песка ткнули пальцем, дело Марфы превратится из преступной группировки в реланиум без рецепта, а это *совсем другое дело.* Марфа — член преступной группировки и Марфа — глупышка в глазах закона... в общем, закон увидит Марфу другими глазами. ...Андрей не говорит мне «я хочу спасти девочку», он говорит «это рациональное решение».

Но! А если Андрей, — сам, к ним — и все пойдет *с сюрпризами?* И — вот он, организатор преступной группировки. Сам пришел. ...Броситься в пасть к льву в ситуации полной неопределенности — это рационально? *Рационально* никто бы не пошел к ним, — и правильно сделал.

Тень Василия Васильевича витает между нами, всем своим кошачьим видом показывая «я как адвокат, предупреждаю, будьте осторожны... но решать вам». ...Интересно, Василий Васильевич когда-нибудь глотал резиновый шланг? Я глотала в детстве. Это зондирование, исследование желудка или печени. Сначала глотаешь шланг, мучительно долго, по куску, — тошнит — глотаешь — тошнит — с ненавистью смотришь на шланг — глотаешь — тошнит... а обратно — раз, и выплюнул. Мы так долго глотали шланг, мы не знали, что у них в рукаве, что в мешке с сюрпризами, сейчас мы знаем — их мешок с сюрпризами пуст, Андрей хочет — раз, и выплюнуть.

Андрей говорит, что на пленках ничего нет, — но это неправда! Неправда, что ничего нет! В записях разговоров *что-то есть, все есть,* чтобы назвать его организатором преступной группировки, вышибить входную дверь, устроить нам это стихийное бедствие — смерч, циклон, цунами, град, метель, извержение вулкана! Оползень.

Иррационально так: в норе шум, там *что-то есть*, мы не знаем, Страшный Зверь храпит или ветер шелестит листьями. Неизвестность пугает гораздо больше, чем конкретное знание. ...И что значит «ничего нет»?! Андрей не учитывает фактор Монте-Кристо: из *ничего нет* могут сделать все, что захотят. Чем больше человек убежден, что *они не могут*, тем они больше могут. Благородный человек беззащитен, чем благородней, тем беззащитней.

Андрей погрузился в свой ежедневник.

— Что ты там смотришь? Мы же разговариваем!

— Выбираю время, когда пойду к ним.

Ах, так?! Все это время он был как сейсмически устойчивый объект — вокруг все трясется, а он стоит (кто передавал мне через Илью «нужно переждать, не сходи с ума, успокойся, всему свое время»!), — а сейчас *пришло время*, сейчас он *найдет для них время*, — и с разбега бросится к ним в лапы!...

Почему-то мои прекрасные друзья в этой истории расцвели, как цветы, проявили свои лучшие свойства, особенно Алена, особенно Никита, особенно Илья, особенно Хомяк... а мы с Андреем — свои худшие свойства: он упрямство и я упрямство.

... — Малыш, успокойся...

Я бормотала, как шаман: «Если с тобой что-нибудь случится, я умру, подумай обо мне, подумай обо мне, подумай обо мне», но Андрей не верил, что я умру (сколько раз я говорила *просто слова*, например «я так хочу на Таити, просто умираю!»).

— Меня и так измучили, а ты хочешь меня домучить?! Я правда больше не вытерплю.

— Сколько нужно, столько и вытерпишь. Разговор окончен. Сделаю так, как считаю нужным. Пойду и сам разберусь. А ты не лезь не в свое дело! Ты ничего не понимаешь в реальной жизни, пиши книжки и не лезь не в свое дело!

В принципе, это обычная динамика решения спорных вопросов: он ласков и убеждает — я настаиваю — он злится и уступает, — у каждого из нас привычная стратегия поведения, иначе как нам договориться? Андрей уже злится, значит, вот-вот уступит, на это точно указывает фраза «разговор окончен». ...Не буду сейчас спорить с ним по поводу «сколько нужно, столько и вытерпишь», но я не согласна: человек может быть жив-здоров, но это не означает, что он жив-психологически здоров. В процессе вытерпливания у него развиваются фобии и неврозы. У меня, к примеру, развивается невроз навязчивых состояний: все это время я думаю, *выключен ли телефон официантки*.

Поймала его взгляд: он с удивлением смотрел, как я хромаю, в валенках и платке, как старушка. И я, как актриса второго плана, попавшая вдруг под свет рампы, захромала еще сильней, сморщилась, схватилась за сердце, как будто пытаясь скрыть боль (кто-то во мне лживо стонал, держась за сердце, а кто-то с тихим отчаянием твердил «я больше не могу», отчаяние было настоящее, да и притворная боль в сердце была не совсем притворная, *немного преувеличенная*)... прихромала обратно с пепельницей и упала кульком на стул, бледная как смерть, то есть я надеюсь, что побледнела. Натянула на голову платок, как будто меня знобит.

— Не обращай внимания... Сердце. Все время болит. Но ничего. ...Очень больно... Не расстраивайся, ты ведь знаешь, что у меня плохая наследственность по папе. Но у женщин редко бывают инфаркты... хотя, конечно, бывают. Можешь достать у меня в сумке таблетки?.. Нет никаких таблеток? Странно, я теперь все время ношу с собой лекарство...

— Какое лекарство? Что тебе выписали?

— Лекарство.

Андрей смотрел недоверчиво, с сомнением. Он привык к тому, что я веселюсь, разыгрываю сцены, — что мне вообще нельзя верить. И сейчас он, конечно, в затруднительном положении: думает «неужели она даже сейчас врет, не может быть...». Подозревает, что я даже сейчас играю. Переживает за мое больное сердце, но не очень.

...В этом пустом ночном кафе с запахом тряпки, где мы перебрасывались *грязными* словами — «арест» и прочими, бесконечно глупо было думать о любви, будто мне больше не о чем думать. Но я вдруг *подумала о любви*, очень трезво и без печали: любви больше нет. С возрастом люди становятся больше родственниками, чем влюбленными (я никогда не думала, что это может быть про нас), но пришла пора признать, что и про нас тоже. Пришла пора думать «нам и так несказанно повезло, что *любовь была*».

... — Скажи мне, только не задумывайся, скажи мне сразу — твоя любовь ко мне была особенная? Я имею в виду раньше, тогда?

Туманный вопрос, но мы оба знали, что я имею в виду, — *раньше, тогда*. Я ожидала увидеть выражение лица, намекающее на бесконечную глупость разговора «про любовь» в пустом ночном кафе с запахом тряпки, где звучат слова «арест» и прочие... В лучшем случае я ожидала услышать «хм...», что означало бы: да, его любовь ко мне была особенная.

— Она и сейчас особенная, — сказал Андрей.

О-о!.. О-о. Она и сейчас. Особенная.

И я тут же начала подсчитывать дивиденды: раз так, что я могу за это получить? Раз уж он любит меня *как тогда*, я хочу, чтобы он пожалел меня, внял голосу разума и не бросался в пасть к льву.

— Нет, — сказал Андрей, — нет. Это дело принципа. Для меня это дело принципа.

Ну, и я задала вечный вопрос: «Что тебе дороже, принципы или я?» По его лицу, особенно по злобно выдвинутому подбородку поняла, что ему дороже принципы.

...Я вдруг очень устала. Как бывает после яркого мгновенного счастья: в тебе все сверкает, поет и пляшет, ходит ходуном, и вдруг — раз, и погасли огни, и счастье пш-ш, выходит из тебя, как воздух из проколотого шарика, и остаешься пустым, без счастья. Я устала, как будто наконец-то стала взрослой и сразу же старой, — устала, устала! Устала играть, устала быть влюбленной, видеть мир в цветах и оборках, думать, что диван под пледом — волшебный парусник, и можно поднимать плед, как паруса, — нет, это не парусник, а старый диван в зацепках и пятнах. Мы взрослые, немолодые люди, и это тупая жизнь, и я сижу некрасивой раскорячкой с распущенным лицом, сижу — *знаю жизнь*. Я УСТАЛА, ВСЕ.

— Смотри, — я сняла платок, — видишь? Я седая. Не мучай меня больше, ты помнишь, сколько мне лет? Если ты пойдешь к ним и случится что-то плохое, я уже не вытерплю... Мне сорок пять, и я седая. Видишь?

Это был сильный ход — снять платок и продемонстрировать седину. Для других людей нет, но для нас это был самый сильный ход из всех возможных: Андрей знает, что я все время играю, он никогда не видел, как я *не играю*. Сказать, что Андрей растерялся или удивился, словно Людоед на его глазах обернулся мышкой, — ничего не сказать. Он испугался, он *очень испугался*, — как со мной жить, если я вдруг стала не я? ...В кафе темно. Когда все это закончится — должны же мы когда-нибудь с этим справиться, — я скажу Андрею, что показала ему ярко-золотую прядь для радости жизни (и прибавила себе два года, потому что «сорок пять» звучит более драматично, чем «сорок три»).

— Хорошо. Ладно. Я понял. Я сделаю, как ты хочешь. Радуйся, что ты своим шантажом можешь сделать со мной, что хочешь. Р-р-р.

Рычит, сердится на меня за то, что я его победила.

Проснулась официантка, увидев, что мы сидим друг напротив друга с пустыми чашками, зевнула: «Вот странные люди, ночь просто так проводят».

А мы не просто так проводим, у нас тут театр. По форме романтическая комедия, по сути беспросветный ужас.

Официантка подошла к нам, взглянув на Андрея, подобралась (он гипнотически действует на простых женщин, а может быть, они просто *не скрывают*), заиграла глазами, сказала «яичницу могу сделать», с неприязнью соперницы взглянула на меня и удивилась — что это за чучело в платке рядом с таким красавцем?.. Не знает, что павловопосадские платки всегда в тренде.

— Съешь яичницу, — сказала я.

— Нет. Р-р-р, — страшным голосом сказал Андрей, все еще сердится на меня за то, что я его победила, то есть мое здравомыслие победило его тупое упрямство, *что я могу сделать с ним, что хочу*.

Официантка кивнула, пошла делать яичницу. Все женщины знают, что «нет» бывают разные, чем страшней «нет», тем больше «да».

...Андрей мрачно доел яичницу, мрачно поднялся, мрачно сказал «ну что, расходимся?», мрачно ушел. Я посидела еще пару минут и бросилась за ним. Догнала на Пяти углах, закрыла сзади глаза руками, он вздрогнул, закричал «что случилось?!», у него было такое лицо, не испуганное, нет... у него было лицо человека, который не знает, что случится в любую минуту. *Кажется, он не железный.* Кажется, у него есть нервы. ...Ужасно жалко его — я-то просто мучаюсь, а ему все это *оскорбительно*. Я сказала, пусть найдет в своем ежедневнике время (лучше сегодня, сейчас!), — потому что ожидания я не вынесу.

...Ну, я подумала: конечно, я могу сделать с ним все, что хочу, любая женщина может сделать с мужчиной что хочет, но зачем он ей после этого?.. Андрею *нужно* туда пойти, как герою фэнтези, мечтающему об иных, прекрасных временах, *нужно* войти в заколдованный замок. Кстати, — зачем герой с тупым упорством стремится в замок? Чтобы *преодолеть*? Убедиться, что злые чары над ним не властны? В общем, если он такой идиот, пусть делает, как хочет.

Если еще немного подумать, *все хорошее* иррационально, — принципы, любовь.

— Когда я к ним пойду? Сегодня пятница, у меня много работы... Сегодня пятница, завтра суббота, послезавтра воскресенье... — перечислял Андрей, как будто я не знаю дни недели. — В понедельник. Я пойду к ним в понедельник. ...Нет, в понедельник мне нужно быть на объекте. ... Во вторник. Не волнуйся, на пленках ничего нет.

Вторник

На пленках все было.

Не могу писать. Правая рука занята капельницей. На правой руке у меня лучше вены.

Утром Андрей с адвокатом ушли *к ним,* а я ждала в кафе «Кузнечик» (ждала и представляла — они придут втроем, с Марфой, адвокат придет *один*), откуда меня и увезли на «скорой». Было приятно хотя бы раз не стоять на Литейном в пробках. Представляю себе их удивление: вернулись в кафе «Кузнечик» с победой, собирались с притворной скромностью сказать «ну, *конечно,* все в порядке», — а меня нет, лежу под капельницей! Как говорила моя бабушка, перед тем как принять реланиум, «перенервничала».

Смотреть на капельницу очень успокаивает. Капает, капает, капает...

Среда, 28 мая. Финал по образу судьбы

От капельниц мне все время хотелось спать, я засыпала, просыпалась и опять засыпала... как человек может заснуть во вторник, с капельницей в вене, проснуться в пятницу, с капельницей в вене? На тумбочке мандарины, айпэд, телефон... телефон!

... — Вика?.. Нет, капельница не мешает разговаривать.

Все это время, что я засыпала и просыпалась под капельницей, я думала: сейчас проснусь и поговорю с Викой.

Мне *можно* говорить с Викой о моих книгах, об ее книгах, о музыке, театрах и кино. Мне нельзя говорить с Викой об Андрее, о Марфе, о кафе «Кузнечик», — нельзя говорить ни о чем, связанном с нашим делом.

Но не рассказать Вике *невозможно*.

... — Вика?.. Ничего не говори, просто слушай... Я же сказала, ничего не говори! — нервно вскричала я, хотя Вика молчала. — Слушай внимательно, я расскажу тебе мой новый сюжет. *Мой новый сюжет* основан на использовании омонимов. Омонимы — это слова, совпадающие по звучанию, но различные по смыслу: лук и лук, коса и коса...

— Я знаю, что такое омонимы, — удивилась Вика.

— Я знаю, что ты знаешь... Теперь представь: я говорю по телефону «у меня есть бомба!». Я имею в виду, что у меня есть сенсационный материал. А тот, кто слушает наш разговор, утверждает "у нее есть бомба". Тот, кто нас слушает, *что хочет, то и слышит.* Поняла?..

— Нет.

Как рассказать Вике, чтобы она поняла?

... — Помнишь, я покупала на блошином рынке пузырьки для Марфы? Не помнишь? Ну, вспомни, амнезия несчастная! Я говорила: «Марфа собирает вазочки, пузырьки, — стекло».

...На стройке одного из объектов Андрея нашли фундамент старой аптеки: выкопали старинные пузырьки, некоторые с немецкими надписями, некоторые с российским гербом. Андрей привез Марфе целую коробку старинных аптечных пузырьков для ее коллекции стекла. Зеленые, желтые, голубые, на некоторых написаны названия аптек — «Власьевская аптека», «Духовская аптека», на других название лекарства — «Салициловый настой» с удвоенной «л», «Хинин» — с буквой «ять». Марфа чуть не плакала от счастья. ...Поняла?

— Нет.

— Ну, Ви-ика! Повторяю: Андрей. Привез Марфе. Коробку пузырьков. Теперь представь, сколько раз он, с его любовью к подробностям, сказал ей по телефону: «У меня для тебя... кхе-кхе... коробка стекла... кхе-кхе... из аптеки», «везу тебе... кхе-кхе... стекло», «выходи встречай свое стекло»? Представила?

— Да.

— Поняла?

— Нет.

— Омонимы. *Омонимы*, Вика. Стекло и *стекло.* ...ВИКА! Посмотри «стекло» в словаре сленга!

Как *они* радовались своей удаче! Марфа продала реланиум *в ампулах,* — а в ее разговорах с Андреем *стекло, из аптеки*. Плюс дополнительный бонус — *колеса, порошок*. Сколько раз Андрей сказал Марфе по телефону «привези колеса», чтобы он поменял зимнюю резину на ее машине на летнюю? Сколько раз Андрей сказал Марфе по телефону «не забудь порошок»... какой-то особенный стиральный порошок она покупает на рынке, не понимаю, почему ему нужен именно этот порошок.

... — Вика?

Вика молчала. Наконец осипшим голосом сказала:

— *Не может быть*... это *немыслимо*... но — извини меня за этот вопрос, но я правильно тебя поняла, ты *не придумала* сюжет, *это и есть сюжет*?

Если бы я могла *придумать* такой сюжет, я бы стала королевой детективов. А если бы я написала на этот сюжет «настоящий русский роман», описала бы свой ужас, свое отчаяние на фоне общественно-политической позиции (и так далее)... я бы назвала этот роман «ВЕЛИКАЯ КНИГА ЗАЙКИ».

— Это *еще не все*, Вика. Помнишь, Андрей сказал, что не хочет бесконечно обсуждать Крым, потому что ничего не может изменить, и его больше волнует бригада украинцев? ...Не помнишь? Ладно, не вспоминай, это неважно. Важно другое: у одного из рабочих-украинцев в Харькове сын упал с велосипеда, сломал ногу. У мальчика гемофилия, любая травма очень опасна из-за внутреннего кровотечения, в Харькове не было лекарства. Этот рабочий из Харькова боялся, что сыну вместе с заменителем введут гепатит и СПИД... может, и глупо, но когда *свой* ребенок... Андрей нашел в своем ежедневнике запись от 7 марта: «Мальчику 11 лет, требуется "Фактор 8", отправить в Харьков».

— Ну?

— Что «ну», Вика?! Андрей просил Марфу купить «Фактор 8» в Питере. Это оказалось сложно. Искали, нашли, купили, послали в Харьков. «Фактор 8» *в ампулах.* Представь: сколько раз Андрей с Марфой переговаривались по телефону? Сколько раз он повторил «Нужно столько-то *ампул».* Ты поняла... кхе-кхе... сколько нужно *ампул?* Представила?

— Но ведь это *нечестно...*Они что, совсем без совести? — по-детски сказала Вика.

Да. Нечестно посчитать разговоры Андрея и Марфы об ампулах «Фактор 8» для мальчика из Харькова поводом для возбуждения уголовного дела, бессовестно назвать Андрея организатором преступной группировки по продаже наркотиков. *Они, совсем без совести,* слушали, как Андрей пытается помочь мальчику из Харькова, и оживились при слове «ампулы». Слушали и думали: «Хороший мужик, старается для своего рабочего из Харькова, но что поделать, у нас работа такая». Может быть, у тех, кто *совсем без совести,* под фуражками рожки, в ботинках копытца?

— Но почему вы не вспомнили?! Почему вам даже в голову не пришло?!

Почему нам не пришло в голову? А КОМУ БЫ ПРИШЛО?

— Вика? Во-первых, это ничего бы не изменило. А во-вторых, все хорошо. ...Вика? Уже все хорошо!

Вика слабо пискнула, затем я некоторое время просила прощения: за то, что не сказала сразу, а построила разговор так, чтобы была интрига.

— Дрянь, актриса погорелого театра, зараза, дурында, дрянь-дрянь-дрянь, — сказала Вика.

Разговаривать с Викой — это всегда пронзительное ощущение счастья, как бывает от Баха, от любви, от запаха горячего асфальта или если вдруг пошел снег.

... — А Марфа? Марфа уже дома? — спросила Вика и тут же тоном человека, стремящегося немедленно начать с чистого листа: — Но как это было, Андрей просто пришел к ним и сказал, что на пленках ничего нет?

— Вика? Ты как ребенок, Вика, рассуждай логически, — снисходительно сказала я, — разве он мог *просто прийти и сказать*? А что, собственно говоря, он мог им сказать? Они и сами знают, что «стекло», «колеса», «порошок» — это омонимы, а «ампулы» — лекарство для сына рабочего из Харькова.

Все было *не совсем так*, как мне представлялось.

Во-первых, Андрей меня обманул: я напрасно швырялась пластмассовым цветком, кричала «я запрещаю!», напрасно разыгрывала сердечный приступ, демонстрировала ярко-золотую прядь. Он сделал вид, что уступил мне, — а затем, когда я разрешила ему поступить по-своему, сделал вид, что я *разрешила ему поступить по-своему*.

Во-вторых, это было *рациональное* решение. Я запрещала ему бросаться в пасть льва, но не подумала (от человека нельзя требовать, чтобы он сначала подумал, а потом запрещал)... я не подумала, что он *не может* броситься в пасть льва (лев съел бы его и не подавился), что есть *что-то еще*, чего я не знаю.

Не знаю, стыдно ли Василию Васильевичу: не сообщил мне *всю* важную информацию, относился ко мне не всерьез, как к человеку, которого можно *отослать* — «у нас тут мужское дело, а вы идите на лекцию».

Не знаю, стыдно ли Андрею, что он мне не рассказал. Думаю, нет. Думаю, он скажет: «Не рассказал, потому что это было *рационально*».

Не знаю, стыдно ли им обоим: если бы не утаили от меня *по-настоящему важную информацию*, я не лежала бы под капельницей!

...Но, скорей всего, лежала бы: *по-настоящему важная информация* испугала бы меня еще больше.

Я очень хочу рассказать Вике, я очень хочу рассказать Веке, я ОЧЕНЬ ХОЧУ РАССКАЗАТЬ ВИКЕ, Я ТАК ХОЧУ РАССКАЗАТЬ ВИКЕ!.. От возбуждения я даже случайно выдернула капельницу. Но как я могу — *по телефону*?!

Пока я помню

Однажды мы нашли в подъезде кота. Привыкли к нему. Кот заболел. Лечили, не вылечили, нужно было нести усыплять, мы расстраивались... Кто унес кота из дома, куда он делся — не помню. У меня странно устроена память: я не помню о плохом. *Вообще не помню плохого,* — подсознание запихивает *плохое* в коробку, подталкивает ногой, чтобы все влезло, коробку зарывает в яму глубиной до другого конца земли.

Поэтому, пока я помню, что хочу рассказать Вике.

1. Это не было безликое кафкианское зло, равнодушно перемалывающее нас своими жерновами! Это был конкретный *человек в трудной ситуации.* Я думала «за что нам это?», я думала «это наказание мне за гордыню», а *это* оказалось вовсе не наказанием мироздания за какие-то грехи, а просто — у *человека в трудной ситуации* в отделе плохие показатели, и если он не улучшит показатели, не раскроет *дело,* его выгонят из органов... *Человек в трудной ситуации* (под угрозой увольнения) по-своему боролся с мирозданием: вызвал другого человека, *способного,* и сказал: «*Хочу дело*». *Способный человек* подумал и выстроил цепочку: провизор — провокатор — Марфа — Андрей («стекло», «ампулы», «колеса», «порошок», радо-

вался «ух, какое *дело!*»). ...Никто, ни *человек в трудной ситуации,* ни *способный человек* не желали зла лично нам, — мы случайно попались им под руку. Они хотели *сделать нас показателями.* Андрея, Марфу, меня, Мурку, Андрюшечку.

Этот *человек в трудной ситуации,* как Голова Гудвина, Великого и Ужасного: сидит в тронном зале, принимает разные обличья, а оказывается *обычным эгоистичным человеком,* ради исполнения своих желаний отправляющим бедных путников в путешествие, из которого можно не вернуться.

Что страшней, безликое кафкианское зло или маленький интерес, Голова Гудвина?..

А как он выглядит, этот *человек в трудной ситуации?* Я могу оказаться рядом с ним в ветеринарной клинике (приведу туда Льва Евгеньича лечить уши, и он там, милейший с виду толстяк, ласково журит своего фокстерьера «ну что ты рычишь, ты ведь мне обещал хорошо себя вести»), или его дочка слушает мои лекции (и я говорю ей на экзамене «молодец, пятерка»), или Андрюшечка сидит с его внуком за одной партой (и я говорю «приводи своего друга к нам после уроков, он еще не видел вездеход, который тебе купил папа»).

2. Я думала, Кот Базилио пьет со мной чай в кафе, а он лучший в городе адвокат. Сидел, как сиамский кот, в засаде.

Той частью «важной информации», что мне не рассказали, было: *человека в трудной ситуации* больше нет, — его уволили (или отправили на пенсию?..). Его больше нет, — и мы больше ему не нужны, — мы больше никому не нужны, молот больше не бьет по наковальне.

Если бы Андрей рассказал мне о *человеке в трудной ситуации,* я бы испугалась еще больше. Желание прийти и сказать «вот он я, какие у вас ко мне вопросы?» казалось мне *понятным*, прямым, честным, — не таким страшным, как все эти игры.

А это *стратегическая игра*. Герой не мог прийти в замок и сказать «вот он я», не мог сам, в одиночку, повернуть сюжет в другую сторону, в этой истории *не было места прямому действию* — войти, метнуть копье. Самое страшное попасть в ситуацию, в которой нет места прямому действию, нет места твоей храбрости, честности, благородству. ...Андрей с адвокатом расходились во мнении: Василий Васильевич считал, нужно быть осторожным, ждать, посмотреть, чем все обернется, но Андрей не хотел ждать, — чем быстрей он пойдет к ним, тем быстрей Марфа будет дома.

Это было как будто кино! Мы жили в своем цветном мире, смеялись, а в параллельном мире, в черно-белом цвете, *человек в трудной ситуации* нервничал, искал выход, нашел, вызвал к себе *способного человека* (это *их* жизнь, они не думали, что я еще смеюсь, но вот-вот буду плакать), и мы стали жить в Ужасе. Мы жили в Ужасе, ничего не понимали, а *человек в трудной ситуации* надеялся, что *показатели вот-вот улучшатся*. Мы все еще жили в Ужасе, а в черно-белом мире маятник уже начал раскручиваться в другую сторону, — *человека в трудной ситуации* вызвали и уволили, — и все стало возможным. Как это *несоразмерно,* маленький интерес *человека в трудной ситуации* и огромность всего, что мы пережили. Наверное, жертве всегда кажется, что хороший аппетит хищника и ее ЕДИНСТВЕННАЯ ЖИЗНЬ несоразмерны.

Случайно — случайно разорвалась цепочка. А если бы нет?

...А пленки, о которых столько говорили (что там, на пленках, что?!), оказались *необязательным* элементом сюжета. Но если подумать: *вот что по-настоящему самое страшное.* Вот что я хочу рассказать Вике, пока я помню.

Хорошие новости с 17 до 19

В больнице всегда знаешь точное время (градусник, капельница, таблетки, визит врача, тихий час, время для посещений, градусник, капельница, таблетки) и никогда не знаешь, какое число.

16.50—17.35

Мурка, с криком «Пустите меня, уже давно почти пять!», Марфа с Таксом в сумке.

...Если ты столько времени (два месяца и один день) думал о человеке *непрерывно*, то, увидев его, тебе остается лишь сказать «привет», иначе получится неловко: как будто ты два месяца и один день думал о нем *непрерывно*, как будто этот человек обязан тебе за то, что ты не ел — не спал — не дышал, как будто теперь *он должен переживать, что ты столько из-за него пережил,* и пережить за тебя не меньше, как будто это *моральный долг...* моральный долг — худший из всех долгов, что могут быть. Я имею в виду, что мне ничей моральный долг не нужен.

...Я очень боялась, что Марфа скажет «простите, что вам пришлось все это пережить», и мне придется притвориться, что я не думала каждую секунду, какая она хрупкая, прозрачная, все время зябнет, а может быть, она голодная, а может быть, ее обижают, — что мне не было так больно, будто меня колют булавкой в сердце. Оказывается, Василий Васильевич мог бы добиться, чтобы ее отпустили домой на то время, пока идет следствие, но намеренно держал ее *там,* боялся, что ей устроят еще одну провокацию, все-таки он — лучший в городе адвокат.

— Привет, как ты?

— Все хорошо, спасибо... — У Марфы на лице написано: ни за что не стану говорить, *как я.*

Все это время я думала, что *должна* сказать Марфе: «Марфа! Ты поняла, что живешь не на облаке? Когда сладким голосом просят «помоги без рецепта», ты должна не жалеть, а *думать.* Ты хотела сломать свою жизнь?!» Но.

Когда я слышу (на улице, в магазине, на пляже, везде) вопросы «Ты *почему* не подумал, когда это делал?», «У тебя *вообще есть* ум (голова, глаза, уши, совесть)?», «*Когда* ты будешь нормально себя вести?», и (самый психоаналитический вопрос) «Ты *хочешь,* чтобы тебя наказали?», и (самый анатомический вопрос) «*Чем* ты думал?», я всегда думаю — зачем задавать человеку вопросы, на которые нет ответа, а можно только понурить голову?! Ребенок должен знать, что на родителей можно положиться, что ему не будут задавать сюрреалистических вопросов. Не будут говорить «попроси прощения *при всех*». Тем более если он уже и так наказан. Тем более я больше всего на свете хочу, чтобы Мурка с Марфой поскорей ушли. Хочу смотреть, как капает раствор в капельнице — кап, кап...

Мы говорили:

— о Мурке (Мурка говорила о Мурке, и мы с Марфой тоже говорили о Мурке: свадьба, фата, крылья ангела, подойдет ли к платью колье, которое Тата привезла из Таиланда. Мурка сказала «Мама! Мне не нравится колье, как мне вежливо избежать колье?» У Муры подозрительно уклончивый вид, *кажется,* твердо задумала *избежать колье.*

У Алены с Иркой твердое мнение: мы не должны выдавать нашу Муру за Павлика: сын за отца отвечает (гены), а Игорь в трудную минуту оказался не друг-не враг-а так. У меня тоже твердое мнение, вот только забыла, какое именно. ...А-а, да, вспомнила: я не хочу об этом думать. Игорь сказал мне: «Пока все не прояснится, Павлику нужно держаться подальше, ты же это понимаешь?» Я *понимаю,* но больше не хочу с ними дружить. Не обязательно дружить с новыми родственниками. ...Одно только: я не хочу *такую* свадьбу, я *не могу* такую свадьбу, сейчас, после всего, — нет);

— о поведении Льва Евгеньича (Со слов Муры, Лев Евгеньич от радости, что Андрей дома, *ворует как собака,* спит на полу, — когда Такс был у нас, Лев Евгеньич без тени сомнения спал в своем кресле, а сейчас спит на полу, думает: «Такс увидит, что я уступил ему кресло, и вернется»).

Девочки собрались уходить: Мурке *нужно бежать,* Марфу ждет Мишенька, они пойдут в Центр «Дети дождя».

— Мурка, может быть, пойдешь с Марфой в Центр, поиграешь с детьми, — предложила я.

— С *детьми?* Ты что? — удивилась Мурка. — Мне нужно бежать! Как это, куда бежать?! Повсюду!

Если есть на свете человек, не склонный *поиграть с детьми,* то это Мурка: при слове «дети» у Мурки оловянеют глаза и голова клонится набок. Мурка не интересуется чужими, любит своих. Мурка *любит* своих. Два месяца провела в очередях в Кресты («Кресты» и «передача» не звучит рядом с колье и свадебными голубями). Кое-что важное поняла.

Павлику *не разрешили* стоять с ней в очереди в Кресты (потому что ему *это ни к чему*). Мурка возмущенно кричала: «Почему он не может хоть раз занять мне очередь! Почему нельзя?! Как будто он запачкается! Но тогда он запачкается *от меня*!» Муре пришлось понять: тебя любят, когда у тебя все хорошо, а если у тебя все плохо, то нужно стараться, чтобы тебя любили: в первую очередь смириться с тем, что у других людей *другие* взгляды, *другие* чувства.

Два раза в неделю с пяти утра умножить на два месяца будет... Мурка провела в очереди в Кресты *девяносто часов*. Последний раз стояла в очереди два дня назад: не знала, что Марфа назавтра будет дома.

Мурка остановилась в дверях палаты, оглянулась.

... — Мама? Игорь хочет, чтобы на свадьбе были голуби, чтобы мы с Павликом выпустили пару белоснежных голубей в небо, или не пару, больше... сколько я захочу голубей, столько и будет. ...Мама! Голуби меня доконали! КАК можно *такую* свадьбу сейчас, после всего... Я *не могу* такую свадьбу!

Как прекрасно, что мой ребенок чувствует то же, что и я, что я всегда знаю (а я всегда знаю!) мысли и чувства моего ребенка!

— Да, наверное, сейчас лучше обойтись без свадьбы, лучше просто пожениться и...

— Как, без сва-адьбы? — разочарованно протянула Мура. И закрыла дверь.

Но Мурка не может попрощаться один раз, она даже по телефону прощается два-три раза (скажет «пока», и снова «привет»! Я забыла, вот еще что... ну, теперь пока», и снова: «Привет, это я!»).

Дверь приоткрылась.

— Без свадьбы я не хочу, без свадьбы я вообще замуж не выйду, — из коридора сказала Мурка. — ...Мне и дома хорошо, с вами. Зачем мне замуж за чужого человека?

И захлопнула дверь, чтобы не пускаться в обсуждение.

Но я бы и не стала *пускаться!* Я только надеюсь, что это решение взрослого (начинающего взрослеть) человека, осознавшего (начинающего осознавать) истинные ценности и не связанное с фобиями, — с тем, что Мура смертельно боится даже *одного голубя.*

17.00—19.00

Алена, с двумя сумками еды.

... — Почему ты лежишь у окна, из окна дует...

Алена вызвала медсестру, и они передвинули кровать к двери.

Положила в холодильник: банку с бульоном, миску с котлетами, пирожки с капустой, пирожки с яблоками, шоколадки «для медсестер», торт «отдашь врачам к чаю». Все банки и миски *подписаны* («палата № ..., имя, фамилия»). На вопрос, зачем подписывать (я в палате одна), ответила «так положено».

... — Мне так много нужно тебе рассказать! У нас с Никитой медовый месяц. Но есть одна проблема — Никита не хочет медовый месяц.

Алена хочет мне *много рассказать*: у них с Никитой медовый месяц, но есть одна проблема — Никита не хочет медовый месяц.

Возможно, все это время я была немного эгоистичной (мы говорили только о нашем деле, об Андрее, обо мне, как будто у них нет текущей жизни, и сейчас я тоже хочу поговорить о нашем деле, об Андрее, о себе — ведь это на нас мчался на всех парах поезд, это нам разрушали жизнь!). Но ведь они не могут *всегда сидеть у моей кровати*, я не хочу превратиться в памятник дружбы, я должна вспомнить, *как это* — говорить не о себе.

... — Ты же знаешь, мы всегда любили друг друга, как лебеди. ...А теперь он все время так пристально всматривается в меня — и видит мои морщины... Ты правда думаешь, что он не рассматривает мои морщины, а просто у него слабеет зрение? У нас (только никому, особенно Ирке!) есть проблемы в сексуальной жизни... Ты правда думаешь, что он не *меня* не хочет, а просто испытывает возрастные изменения? ...Что ты говоришь, — не обижаться на него, а помочь? Ты тоже думаешь, что нужно разнообразить сексуальную жизнь? ...Да, но ты же знаешь, я скованная, закомплексованная, у меня узкое понятие о сексуальности...

— На сайте «Магия секса» написано: превратитесь в изгиб, демонстрируя формы...

Алена встала в позе танцовщицы у капельницы как у шеста: грудь вперед, правая нога отставлена, голова склонена набок. Алена красивая.

... — Ты правда думаешь, что он меня любит?

Я, правда, думаю, все в природе устроено разумно, чтобы Никита с Аленой могли, старея, быть как лебеди, чтобы Никита пристально всматривался в Аленино лицо, — если у нее морщины, то у него слабеет зрение. Все в природе устроено разумно, все имеет смысл, все для чего-нибудь нужно. (А какой же смысл во всем, что мы пережили, для чего это было нужно, что нового я узнала? Что мои друзья — *мои прекрасные друзья*? Я это знала.)

... — Сделаю ему салат из спаржи с кедровыми орехами, в спарже магний, в кедровых орехах цинк, это секс-витамины. Какая еще есть сексуальная еда, банан?

— Не так прямолинейно, — сказала я, но Алена не улыбнулась, вскрикнула:

— Почему ты плачешь? Почему ты плачешь?! У тебя нервное расстройство?

Ну вот еще, нервное расстройство! Я твердо придерживаюсь внушенных мне в детстве правил: контролирую свои эмоции, не плачу, слезы льются сами.

14.05—14.27

Ирка-хомяк, повернувшись к медсестре в коридоре: «Девушка, дорогая, я знаю, что тихий час, но я не могу вечером, вечером у меня спектакль».

— Теперь она прицепилась к живописи! Только я прочитала Памука, как она прицепилась, что я Рембрандта от Рубенса не отличаю... а я прекрасно отличаю, просто забыла! Мы с ней сейчас идем в Эрмитаж, быстро расскажи, что где висит... Я опаздываю! Быстрей!

Софья Марковна, скорей всего, начнет с Италии.

— Значит, так: «Мадонна» Симоне Мартини, фра Анжелико, две маленькие картины Боттичелли, Тициан...

— Быстрей!

— Тициан «Кающаяся Мария Магдалина», «Мадонна Бенуа», Рафаэль...

— Быстрей!

— «Мадонна Конестабиле»... не погоняй меня, из-за тебя я пропустила Тинторетто и Веронезе. А маньеристы, тебе нужны маньеристы, это позднее Возрождение?

— Мне это все не нужно. ...Знаешь, что она сказала?! Я заметила (с любовью!): «Илюша лысеет со лба», а она: «Я тебе его отдала неописуемым красавцем и умницей», а ведь всем известно, что лысина — это генетика! Да, насчет живописи: мне не нужно Возрождение, мне нужна какая-нибудь деталь, чтобы ее поразить, — давай скорей! — и как отличить Рембрандта от Рубенса.

— Отличить просто: у Рубенса у всех щеки пухлые, а у

Рембрандта впалые. А деталей я не знаю. Не смотри на меня так, я тоже не знаю живопись, я не помню даже, кто был раньше, Джорджоне или Веронезе... кажется, сначала висит «Юдифь», потом «Поклонение волхвов» и «Оплакивание Христа», значит, Джорджоне был раньше... Джорджоне умер от чумы, — это деталь?

— Ну, хотя бы. Как называется картина, «Юдифь»? Я скажу так: «Мне кажется, что в "Юдифи" пророчески выписана будущая смерть художника от чумы, а вам как кажется, Софья Марковна?» ...Почему ты плачешь? Специально тебя отвлекаю, а ты плачешь...

Перед тем как отправиться в Эрмитаж, Ирка вызвала медсестру, и они передвинули кровать обратно к окну.

20.30—21.10

Никита, со словами, брошенными в больничный коридор: «Ну и что, что время посещений давно закончилось, мне можно».

Никита сказал: «Жду новостей... честно тебе скажу (только не говори Алене), очень нервничаю».

Не сказал, каких именно новостей. Но — очень сложное время. Интриги, перестановки, не исключено, что переведут на другую должность, не такого федерального значения, как сейчас... Но, может быть, напротив, на более высокую.

Задавал странные вопросы: «Когда аплодировать в филармонии, чтобы не оказалось, что, как дурак, хлопаешь один, а они еще будут играть?» и «В опере действия или акты?». Зачем ему опера? Никита ходит в Мариинку как чиновник, когда это важное мероприятие (после посещения мероприятия «Женитьба Фигаро» рассказал, что кланяться выходили Фигаро и автор, — не уверена, что он пошутил, от Никиты всего можно ожидать).

Вызвал медсестру, велел измерить себе давление. Давление 120 на 80, пульс 90.

Ушел, не дождался новостей.

21.20—22.37

Илья (медсестра сказала: «Ой. Это вы?.. Мы вас так любим, всегда вашу передачу смотрим... вам, *конечно,* на одну минутку»).

В вестибюле Илья встретил Никиту (пыхтел, снимая бахилы). Сказал, что ждет новостей: будет заниматься социальной сферой, или пищевой промышленностью, или здравоохранением, или спортом. Есть вероятность, что ему поручат курировать культуру.

«Никита — эманация норвежской трески», — сказал Илья.

От Никиты, конечно, можно всего ожидать, но почему норвежской?

Илья имел в виду, что норвежскую треску вылавливают в Норвегии (где же еще), сушат и экспортируют в страны Евросоюза. В странах Евросоюза на сушеную треску брызгают водой, и (это чудо!) она приобретает прежнюю *досушеную* форму, возрождается к жизни. Илья имел в виду, что Никиту, как норвежскую треску, просто так не сломить, для обоих характерно повышенное жизнелюбие.

«...Знаешь, что придумал этот мозг-гигант в ожидании новой должности: внедрение на рынок бренда "Крым". Говорит, это хороший маркетинговый ход и не требует инвестиций.

...Торт "Крымские развалины", шпроты "Крымчанка", игра для детей "Отними носок": игроки в носках (на носках карта Крыма) наступают друг другу на ноги, чтобы стянуть носки, — выигрывает тот, кто последним остается в носках. ...Тише, тише, не смейся так, нас сейчас разгонят...» — сказал Илья, как будто мы после отбоя в пионерском лагере.

«...Я шучу, чтобы тебя развлечь, но он-то всерьез. И после этого ты хочешь, чтобы я с ним общался?!

...Молчи, я знаю, что ты скажешь: важны не политические убеждения, а то, что он выходил из твоего дома в двух куртках... мы разных мнений, но одной крови, мы больше одинаковые, чем разные... и так далее... и преданность... и дружба... и не надо любить справедливость больше брата — откуда-то всплыла эта цитата, не помню...

...Ну а теперь обсудим мои фрустрации.

...Я обязательно сниму кино. Такое, которое я сам хочу. Если хочешь сделать то, что тебе кажется в тренде, если говоришь себе "я сниму то, что сейчас нужно", это залог неуспеха... Если говоришь себе просто "я хочу это сделать, и мне наплевать, что это никому не нужно, кроме меня", то это обязательно еще кому-то нужно, кроме тебя самого...»

Заглянула медсестра: «Я вас всегда смотрю, и мама с папой вас всегда смотрят, но меня из-за вас с работы выгонят... вы же сказали, на минутку».

09.15—09.19

Андрей, по дороге на работу, с трехлитровой банкой варенья. Тетя Катя подарила ему клубничное варенье «на возвращение домой». Он положил банку в машину, и вот — не нужно ли мне в больнице немного варенья?

... — Здесь есть вайфай? Давай тебе билет в Тель-Авив купим? Когда тебя выпишут, съездишь к Вике на день рождения.

Почему он вспомнил про Викин день рождения? В прошлом году Андрей забыл мой день рождения, я не напомнила, хотела проверить, забудет или нет, — забыл! Он не помнит мой день рождения, не замечает, как я одета, он до сих пор не заметил мою новую ярко-золотую прядь для радости жизни (как будто у него гарем, и как тут углядишь, кто сделал себе какую прядь!).

— Почему сейчас, после всего?..

— Ты не думаешь, что твоя подруга может умереть?

— Нет, — мгновенно, не задумываясь, сказала я.

ВЧЕРА ВЕЧЕРОМ
Рейс Тель-Авив — Санкт-Петербург
Люби меня КАК я тебя иначе нечестно

Когда я летела к Вике, я хотела РАССКАЗАТЬ, я так хотела рассказать, как будто выбить пробку из бутылки (что страшней, кафкианское зло или Голова Гудвина, на какой тонкой ниточке висит перемена участи, и как все это было — *нечестно*), я хотела спросить Вику «Разве так бывает?!», мне некому задавать детские метафизические вопросы, кроме Вики, потому что все в мире говорят с нами на разных языках. Но мы не говорили об этом, ни слова о кафкианском зле и прочем.

Вика говорила: может быть, на свете есть люди, которым она может помочь, она хочет помогать детям, и может быть, можно придумать что-то, что она сможет делать из дома. Вика такая *маленькая*, что я могу покачать ее на руках.

Вика говорила, как много дала ей жизнь: маму с папой, моих маму с папой, *нас,* и гулятьпоневскому, и прекрасную взрослую жизнь, и Баха, и Чехова, и писать детские книги.

Вика говорила: какое счастье, что она пишет детские книги, у детских книг может быть только хороший финал.

Вика рассказала мне чудесную сказку: у Иосифа было пальтишко, а в нем полно дырок, когда оно износилось, он сделал из него куртку, из куртки жилетку, затем галстук, затем носовой платок, ну, а когда совсем ничего не осталось, износилось до ниточки, сел за стол и написал об этом книжку.

Вика говорила: если на мгновенье прикрыть глаза и представить, что *один в вечности*, то у человека по-настоящему есть только детство.

Вика говорила, как хорошо, что можно никогда не взрослеть, и все видеть в первый раз, и всему удивляться. И если бы можно было приписать, что Мура полюбила чужие зубы, то и сказке был бы конец.

Вика говорила, как любит Тэффи (Какое очарование души увидеть среди голых скал, среди вечных снегов у края холодного мертвого глетчера крошечный бархатистый цветок — эдельвейс. Он один живет в этом царстве ледяной смерти. Он говорит: «Не верь тому страшному, что окружает нас с тобой. Смотри — я живу»), говорила, какую хочет написать книгу и как мы любим Питер.

Литературно-художественное издание

Серия «Нежности и метафизика. Проза Елены Колиной»

16+

Елена Колина

НАУКА О НЕБЕСНЫХ КРЕНДЕЛЯХ

Роман

Редакционно-издательская группа «Жанры»

Зав. группой *М.С. Сергеева*
Ответственный за выпуск *Т.Н. Захарова*
Технический редактор *Г.А. Этманова*
Компьютерная верстка *Е.М. Илюшиной*

Общероссийский классификатор продукции
ОК-005-93, том 2; 953000 — книги, брошюры

Подписано в печать 31.07. 2014 г. Формат 84х108 $^1/_{32}$.
Усл. печ. л. 16,8. Тираж экз. Заказ № 2371/14

ООО «Издательство АСТ»
129085, г. Москва, Звездный бульвар,
д. 21, стр. 3, комн. 5

Отпечатано в соответствии с предоставленными материалами
в ООО "ИПК Парето-Принт", 170546, Тверская область
Промышленная зона Боровлево-1, комплекс №3А
www.pareto-print.ru